MENINA, DESLIGA O CELULAR!

MENINA, DESLIGA O CELULAR!

Elyssa Friedland

Tradução de
Alda Lima

HarperCollins *Brasil*
Rio de Janeiro, 2016

Título original: Love and Miss Communication

CIP-Brasil. Catalogação na Publicação
Sindicato Nacional dos Editores de Livros, RJ

F946l

Friedland, Elyssa
Menina, desliga o celular / Elyssa Friedland ; [tradução Alda Lima]. - 1. ed. - Rio de Janeiro : HarperCollis Brasil, 2016.
368 p. ; 23 cm

Tradução de: Love and miss communication
ISBN 978.85.698.0904-3

1. Romance americano. I. Lima, Alda. II. Título.

15-28565 CDD: 813
CDU: 821.111(73)-3

Rua Nova Jerusalém, 345 – Bonsucesso – 21042-235
Rio de Janeiro – RJ – Brasil
Tel.: (21) 3882-8200 – Fax: (21) 3882-8212/8313

Para mamãe, minha maior líder de torcida.

Tecnologia não é nada. O que importa é que você tenha fé nas pessoas, acreditando que elas são essencialmente boas e espertas, e que se lhes dermos as ferramentas certas elas farão coisas maravilhosas.

— STEVE JOBS

Prólogo

Evie pegou o lustroso convite preto e prateado apoiado em sua penteadeira. Em pequenas letras cursivas, ela leu as palavras "traje esporte fino". Que merda era isso? Independentemente do que fosse, parecia uma tarefa difícil depois de dez horas de trabalho em pleno sábado. Ela abriu as portas duplas de seu armário abarrotado, ocupado, na maior parte, por terninhos conservadores para trabalho que bloqueavam a visão das opções de trajes formais. Do fundo, ela tirou um vestido de crepe azul-marinho que usara pela última vez no funeral de sua bisavó. Ao substituir pumps por sandálias de tira e acrescentar brincos, o vestido provavelmente conseguiria fazer a transição de funéreo para comemorativo. Depois de lutar com fechos teimosos de bijuterias e quase lesionar as costas tentando fechar um zíper lateral, parecia que "esporte fino" poderia ser alcançado, afinal. Evie não conseguiu segurar um sorriso para si mesma ao se ver no espelho de corpo inteiro antes de sair. Tudo bem que uma escova e uma depilação de sobrancelhas teriam ajudado muito, mas o reflexo que a encarava de volta não era nada mau, considerando sua pressa. Felizmente a umidade dera a seus cabelos acobreados um belo ondulado. Sua pele cor de oliva e sem espinhas tornava base e blush quase desnecessários, o que era bom, considerando que ela não tinha tempo para nenhuma das duas coisas.

Seu BlackBerry soou como uma cascavel na sua estante de livros enquanto ela apressadamente aplicava o batom e o delineador. Evie se forçou a ignorar o chamado de acasalamento. Em vez de atender, ela pegou o telefone e tentou guardá-lo em sua bolsa de festa, um pequeno retângulo cheio de paetês que ela não usava há meses. Sem chance.

Merda. Ela não sabia o que fazer. Nenhuma façanha da física ou da geometria conseguiria fazer seu BlackBerry caber naquela bolsa. Segurar seu telefone a noite toda estava fora de cogitação. Suas amigas seriam implacáveis quanto a seu vício em "Crackberry". Deixá-lo em casa também era uma impossibilidade. Uma advogada corporativa sem um BlackBerry à mão nem precisava aparecer no trabalho na segunda-feira. Rapidamente, e fazendo o melhor para não pensar nas implicações daquilo durante o resto da noite, ela subiu o vestido até sua cintura e colocou o desajeitado aparelho dentro de sua calcinha de algodão. O plástico lhe pareceu frio como uma brisa. Ela podia sentir os pequenos botões deixando marcas em sua pele. Evie olhava seu BlackBerry com tanta frequência que fazia sentido ele um dia tornar-se um apêndice de seu corpo. Algum dia, uma versão mais evoluída dela sairia do útero com um smartphone já implantado. Evie 2.0. Ela voltou a pegá-lo para bloquear o teclado de modo que não ligasse acidentalmente para ninguém de lá debaixo. Com seu telefone seguramente preso entre seu corpo e o tecido de sua calcinha, ela sentiu-se efetivamente satisfeita com a solução e respirou fundo, encolheu a barriga até o umbigo quase tocar a coluna e expirou. Tudo daria certo. Apenas um leve desconforto. Não era grande coisa, de verdade. Ela estava atrasada, como sempre, e não havia tempo para reconsiderações.

Capítulo 1

Mais um casamento para Evie Rosen. Mas não o seu próprio. Celebrando a união estavam Paul Kindling e Marco Mendez, amigos da faculdade e das aulas de direito de Evie, respectivamente. Eles tinham se casado oficialmente numa cerimônia privada na nada romântica prefeitura, alguns dias antes. Amigos e membros mais tolerantes de suas famílias esperaram para festejar com eles com mais estilo numa luxuosa festa no centro da cidade. Dezesseis anos, pensou ela, alisando o tecido do vestido por cima do estômago pela última vez. Fazia dezesseis anos que ela conhecera

Paul. Ele foi seu primeiro amigo na faculdade. E ela estava atrasada para seu casamento. Tardia, ele teria dito.

Pior que seu atraso, no entanto, era o que ela estava pensando. Do outro lado do país, milhões de pessoas tentavam proibir uniões como as de Paul e Marco, e ainda assim eles tinham subido ao altar antes dela. Evie tentou ao máximo ficar feliz por eles — silenciar sua inveja e eliminar qualquer tipo de pergunta inútil como “Por que não eu?”. Paul era um amigo de verdade, um copiloto naquela terrível coisa chamada primeiro ano de faculdade e, agora, um parceiro formidável em meio à loucura da cidade de Nova York; por mais que ele pudesse ser volúvel às vezes, ele nunca a decepcionara de maneira significativa durante a uma década e meia de amizade.

Com uma aura de sofisticação que excedia sua idade, Paul se destacara dos outros calouros de Yale, uma dicotomia de alunos de escolas preparatórias de ambas as costas e oradores de turma de colégios públicos das cidades pequenas entre elas. Usando camisa escura e calças justas, ele parecia um daqueles vendedores de lojas chiques, enquanto Evie parecia alguém fingindo comprar lá só para poder usar o banheiro. No dia da mudança, eles conversaram no meio do alojamento dos calouros, onde trocaram suas biografias já pensadas que todos os calouros trazem, junto com um computador e uma luminária de chão proibida. Eles descobriram que ficariam no mesmo alojamento, que Paul a ajudou a encontrar enquanto seus pais sem noção iam atrás. Era difícil acreditar que já conhecia Paul há tanto tempo — que depois de uma conversa por acaso no primeiro dia de aulas ela estava correndo para chegar a sua festa de casamento.

Quando Evie estava prestes a pisar no corredor de entrada do seu apartamento, finalmente apresentável o suficiente para o que certamente era um evento chique, ela sentiu uma sensação pouco familiar percorrer seu corpo. Quando a sensação parou e recomeçou, ela percebeu que era seu BlackBerry, vibrando ritmicamente dentro de sua calcinha. Ela pegou o telefone e viu que a ligação era de sua avó, Bette. Evie ponderou se deveria deixar cair na caixa postal. Mas Bette era esperta demais. Lá de sua espreguiçadeira de plástico branca, na varanda de seu apartamento no Century Village de Boca Raton, ela saberia que sua neta estaria evitando sua ligação. Além disso, sua avó provavelmente estava ligando apenas para avisá-la sobre um surto de meningite sobre o qual ela ouvira no noticiário das cinco da tarde. Por que privá-la da oportunidade de mostrar a Evie o quanto ela se importava?

Bette, avó paterna de Evie, era uma força da natureza octogenária — uma sobrevivente do Holocausto que há tempos havia se despedido das papas na língua. Ela se referia à solteirice de Evie como "o situação", tipo "o que vamos fazer sobre o situação?". A avó de Evie tinha até mesmo uma marca registrada. Toda vez que Bette ia visitar Evie após um período de tempo significativo, ela estendia sua mão — com a palma para baixo — e apontava para seu anel de noivado, uma pequena safira rodeada de diamantes numa aliança de ouro amarelo. Bette usava o anel todos os dias, mesmo que o avô de Evie, Max, tivesse morrido há um quarto de século. Então ela perguntava "Nu?" (gíria *shtetl* para "e então?") e arregalava seus olhos com expectativa. No telefone, Bette recorria a um acesso fraco de tosse e dizia: "Não esqueça, sua avó está ficando mais velha. Eu adoraria vê-la casada." E, então, o golpe final, "Sei que seu pai, que descanse em paz, *pensarria* como eu", invocando o falecido pai de Evie, Henry, que morreu quando ela estava terminando o primeiro ano de faculdade. Bette era uma intrometida profissional e provavelmente a pessoa que mais pensava em Evie em todos os momentos. Não, ela não ignoraria aquela ligação.

— Oi, vovó — disse ela sem fôlego, com uma das mãos ainda na maçaneta.

— Evie, o que há de novo? — perguntou Bette, com um pesado sotaque de refugiada do leste europeu, que já fazia Evie se sentir culpada por ser obrigada a apressá-la para desligar. Aquele sotaque era feito para causar culpa. Era só pronunciar todos os W com som de V e Evie desmoronava.

— Nada de mais. Estou indo para um casamento. Na verdade estou atrasada, então não posso falar muito.

— Ah, muito bom. Deseje-lhes *mazel tov* — respondeu Bette. Ainda não ocorrera à sua avó que nem todos que Evie conhecia eram judeus. Imagine se ela soubesse que quem estava se casando tinha um cromossomo X a menos. — De qualquer *maneirra*, só liguei para dar oi. Ah, isso me lembrou, acabei de saber que Lauren Moscovitz está noivo.

Ahh. O verdadeiro motivo por trás da ligação.

— Que bom para ela — respondeu Evie, sem emoção. Ela usou aquele momento extra no telefone para retocar sua maquiagem aplicada às pressas, sabendo que a ligação certamente cairia se ela entrasse no elevador. Uma ligação interrompida poderia facilmente causar em Bette um ataque de nervos sobre um possível ataque terrorista em Nova York.

— Ele é *cirrurgião* ortopédico. Rose, *bubbe* de Lauren por parte de mãe, ligou para me contar. Você conhece Rose. Ela tem aquele *carra* de cavalo. *Sua marrido* era um terrível jogador. De qualquer *jeita*, ela mal podia *esperrar* para me contar. *Parrece* que essa menino é um bom partida e tanto.

Evie suspirou profundamente, sem muita certeza do que dizer.

— Você se lembra de Lauren, não? Ela era meio *zaftig*. Acho que você foi babá dela algumas vezes.

Evie não sabia dizer ao certo se sua avó estava realmente tentando ajudá-la a se lembrar de Lauren ou se estava propositalmente mostrando a ela que alguém cujas fraldas ela tinha tocado estava se casando antes dela. Evie se lembrava de Lauren. Havia sido uma criança especialmente feia, com cabelos frisados e um nariz que parecia sempre ter uma meleca precariamente pendurada.

— De qualquer jeito, o casamenta é no Ritz-Carlton de Boston, de onde a *garroto* vem. Aparentemente ele é *extrremamente* rico.

Apesar do fato de Bette ter se mudado para a Flórida logo depois de o pai de Evie ter morrido, ela se manteve informada a respeito de seu velho bairro de Baltimore, e parecia particularmente interessada em compartilhar notícias sobre casamentos e nascimentos com Evie. Certamente alguns de seus antigos vizinhos se divorciavam, mas essas histórias nunca passavam dos ouvidos de Bette para os seus.

— Que ótimo para ela — repetiu Evie, tentando manter sua irritação sob controle. — Sabe, vó, é como se o casamento para o qual estou indo também fosse em Boston, considerando o tempo que vou levar para chegar lá com esse trânsito do centro da cidade. Deixe-me ligar para você da rua, porque assim eu posso procurar um táxi.

— OK, tome cuidado — concordou Bette, como se Evie morasse nas trincheiras, e não nas ruas lotadas de *yuppies* do Upper West Side.

Em meio ao ar quente do começo de noite de junho, Evie viu seus concorrentes procurando táxis a cada esquina — senhorinhas com suas bengalas, mães com carrinhos de bebê e montes de adolescentes prontas para a noite com suas roupas de piriguete. Evie começou a descer a rua a pé, tentando levar a melhor sobre as massas pegando um táxi na frente do Lincoln Center. Ela digitou o número de sua avó enquanto caminhava.

— Oi, vó. Estou de volta.

— Que bom. Eu estava prestes a perguntar, Evie: está saindo com alguém? Alguém especial?

— Não no momento. Tem só seis meses que Jack e eu terminamos — respondeu Evie, inibindo um gemido. — Mas tenho notícias que podem ser boas. O comitê de sociedade começou a se reunir. Devo ter notícias no final do verão. Não é excitante? — perguntou Evie, fazendo uma careta ao perceber o quanto gostava de elogios.

— *Oy*. Por que você *prrecisa trrabalhar* tantos *horras*? Como vai conhecer alguém se estar sempre *trrabalhando*? Seu mãe me diz que está praticamente morando aí. Tem certeza que quer isso?

— É claro que quero, vó. Por que outro motivo eu estaria trabalhando tanto?

Sinceramente, não era loucura de sua avó questionar seu desejo de ser sócia. Evie só havia feito direito porque seu pai era advogado e quase todos os formandos em ciências políticas estavam se inscrevendo para o teste de admissão para a Escola de Direito.

— OK, quem sou eu para falar? Se você quer, eu *esperra* que consiga — disse Bette, como se isso fosse acalmar Evie.

— Sim, eu quero. De qualquer forma, vamos conversar mais depois. Preciso me concentrar em arranjar um táxi. Eu amo ...

— *Esperre*, tenho mais um coisa para contar. É importante.

— Sim? — perguntou Evie, com um sorriso se abrindo em seu rosto. Ela sabia o que estava por vir. O aviso sobre o surto de meningite. Ou alguma dica salva-vidas que Bette aprendeu no programa da Fátima Bernardes: coma goji berries diariamente. Parabenos são letais. Blá-blá-blá.

— Escute com atenção. Ouvi o coisa mais louco na canastra hoje. O neto de Louise Hammerman's acabou de ficar noivo de alguém da computador. Ela disse que tem essas *lugarres* onde você encontra pessoas querendo se casar. E são todas judeus. Louise me contou. Seu neto também mora em Manhattan. Com oito milhões de pessoas aí, não sei por que alguém *prrecisa* de máquina para casar, mas o que eu saber? Funciona. Enfim, Evie, posso colocar você em contato com a neto dela se precisar de instruções.

Evie sentiu um aperto no coração. Lá se foi o "só liguei para dizer que te amo". Este foi um telefonema calculado, e inútil, além de tudo. Na cabeça de sua avó, assim que Evie se inscrevesse nesse "lugar" da internet, um homem apto saltaria da tela de seu computador como uma stripper saltando de um bolo de aniversário. Evie não queria decepcioná-la contando que já havia ido em mais de trinta encontros do JDate na última década, e seu único hiato foi quando estava com Jack. Os homens que ela conheceu on-line quase sempre eram desastres, indo de halitose, neurose, escoliose, a, recentemente, osteoporose.

—É... obrigada, vovó, mas na verdade já conheço o JDate — respondeu Evie, mantendo os olhos atentos por um táxi disponível. Em vez disso, já ocupada, a frota de carros amarelos estragava seus sapatos enquanto passava perto de seus pés.

— Ah — respondeu Bette. Evie notou a decepção em sua resposta monossilábica. — Bem, eu *contarria* a Susan sobre isso, mas por que desperdiçar minha fôlego?

Susan é a tia de Evie que morava no Novo México. Ela é uma consultora de meditação que ama tudo que é feito de cânhamo. Era difícil para Evie encontrar uma fração sequer de DNA que seu falecido pai e sua tia compartilhassem. Foi apenas ao procurar no Google por sua afastada parente que Evie descobriu que Susan morava numa bizarra comunidade chamada Novos Horizontes. O máximo que Bette dissera de sua filha fora "por que eu?". Tia Susan servia principalmente para deixar evidente o quanto Bette contava com que Evie levasse uma vida tradicional, ou seja, casando e tendo filhos, rapidamente.

— Eu sei, vovó.

— Enfim, Evie, já viu o última edição? *Jurro* que ninguém mais tem boa gosto — desabafou Bette, mudando de assunto como um político experiente.

A avó de Evie estava se referindo à *Architectural Digest*, também conhecida como "a Bíblia", que ela e Bette amavam analisar a cada mês, suspirando por tapetes escandalosamente caros ou fazendo um discurso sobre completos estranhos terem escolhido cortinas de damasco ultrapassadas. Muitos dos apartamentos exibidos na revista mensal eram na cidade de Nova York, mas raramente havia o endereço junto. Evie às vezes olhava alguma silhueta de vidro na cidade e se perguntava: É você a cobertura com a fabulosa sala de estar de pé-direito duplo? Seria você que tem banheiro principal com vista para o Central Park?

— Ainda não. Não tive tempo nem de olhar minhas correspondências da semana. Olha, vou perder a recepção inteira. Ligo de novo essa semana. Amo você.

Evie desligou com tristeza. Ela odiava decepcionar sua avó. Apesar de sua forte ligação, quando Bette começava com os assuntos de casamento, suas cutucadas conseguiam encobrir os melhores pontos da relação delas.

Evie olhou seu relógio novamente. *Merda.* Na frente do Avery Fisher Hall, duas senhoras usando saltos altos saíram de um táxi preto e Evie se atirou no banco de trás antes que o motorista pudesse dizer que não estava disponível. Táxis pretos cobravam quase o dobro dos táxis amarelos, mas este não era o momento para frugalidades.

— Metropolitan Pavilion, por favor — pediu ela, sem fôlego. — Rua 18.

— Trinta dólares, senhorita — respondeu o motorista, e Evie assentiu, concordando com o exorbitante preço. Ela encostou o corpo no couro macio do banco e fechou os olhos por um instante, deixando-se respirar por um minuto antes de checar seu e-mail de trabalho. Parecia difícil imaginar que Evie e sua equipe estariam prontas para o fechamento de terça-feira, quando a Calico, maior fabricante de materiais hidráulicos do país, assumiria o controle da Anson-Wells, uma companhia de produtos químicos relacionada num contrato de compra e venda de ações. Mas havia uma certa emoção na corrida para terminar dentro do prazo. Como associada sênior, era trabalho de Evie guiar os associados júnior até a linha de chegada. Florencio Alvez, Executivo-chefe de Operações da Calico's, havia lhe enviado nove mensagens na última hora. Ela tinha um apreço especial por Florencio, que, ela soube, havia pedido pessoalmente para que Evie fosse incluída no projeto. Eles haviam trabalhado juntos antes, quando a Calico vendeu sua divisão de peças residenciais no outono anterior. Eram aqueles momentos — estar chefiando uma equipe, a satisfação de um trabalho bem feito, ter seus esforços recompensados sendo solicitada por um cliente pessoalmente — que tornavam o trabalho tedioso e as noites viradas coisas quase aceitáveis. Ela respondeu a Florencio e descansou a cabeça no banco de novo, mas não conseguiu se sentir em paz. Ainda estava estressada por estar tão atrasada para o casamento, e ainda mais irritada por causa de sua conversa com Bette.

Olhando pela janela ela notou que ainda faltava passar por um congestionamento equivalente a dez quadras dentro do Lincoln Tunnel antes que pudessem trafegar rápido novamente. Ela resolveu ligar para sua mãe, Fran, para se animar. Fran era o que a maioria das filhas considerariam um sonho materno tornado realidade: nada crítica, sempre otimista e infalivelmente solidária. Se Fran se preocupava com o fato de sua filha estar trabalhando demais ou solitária, ela se certificava de mascarar isso como pura e simples preocupação com a felicidade de Evie. Era diferente de Bette, que não se dava ao trabalho de fingir. Bette era quase cega quando se tratava de ver o lado bom em situações ruins, um traço de personalidade do qual Evie lamentavelmente compartilhava. Fran, por outro lado, era mestre em inventar lados bons.

— Oi, mãe.

— Oi, Evie. Onde você está?

— A caminho do casamento de Paul, embora a esta altura eu esteja meio que atrasada, a ponto de estragar a amizade. Tem muito trânsito no Lincoln Tunnel. Sério, quem imaginaria que tanta gente estaria querendo ir para Nova Jersey?

— Você vai chegar lá, querida. Por favor, parabenize Paul por mim. Como você está?

— Estou bem, mas acabei de ter uma conversa bem desagradável com a vovó. — Evie dá os detalhes.

— Evie, sabe como ela é. É uma mulher de outra geração. Só quer que você se case, tenha filhos. Ela nunca teve chance de ter uma profissão de verdade. É um conceito estranho para ela.

— E você? É isso que quer também? Imagino que esteja animada com a possibilidade de sua filha ser sócia da Baker Smith em questão de meses. Eles só têm, tipo, vinte sócias mulheres no total. — Vinte e duas para ser exata, mas Evie não queria deixar óbvio que havia contado.

Antes de dar Evie à luz, Fran era uma publicitária no escritório de Washington D.C. da Ogilvy. Depois de se tornar mãe, Fran investiu sua experiência em consultoria para empresas locais, ainda encontrando tempo para dedicar uma quantidade considerável de atenção à sua verdadeira paixão: teatro regional de terceiro escalão.

— Sabe que estou orgulhosa de você — esclareceu Fran.

Evie percebeu que sua mãe não respondeu a primeira parte de sua pergunta.

— Que bom. Porque é realmente importante. Queria que alguém reconhecesse o quão prestigioso isso é. Ou pelo menos fingisse.

— Eu reconheço. Você se lembra do boné bordado com "Mamãe de Yale" que eu queria usar no fim de semana dos pais, mas você não deixou? Tenho muito orgulho. Mas estes são feitos seus, não meus. Você não precisa do meu selo de aprovação. Nem do de Bette.

Não?, perguntou-se Evie. Às vezes certamente parecia que precisava.

— Sei disso.

— Olha, querida, divirta-se no casamento. Vamos sair para jantar com um colega de Winston que está na cidade, então preciso voar.

Winston era o padrasto ultrabranco, anglo-saxão e protestante de Evie, com quem Fran se casara dois anos após o pai dela morrer inesperadamente. Winston era alto, parecia um vagão de trem na vertical. Seu rosto era perpetuamente bronzeado. Mas não de um jeito artificial e alaranjado — e sim como um sofá de couro gasto. Seu guarda-roupa era, em sua maior parte, composto de camisas polo cor-de-rosa e calças Nantucket.

— Ah, e não se esqueça de que April e May também vêm para o brunch de amanhã — acrescentou Fran, referindo-se às meias-irmãs de Evie. — Vai ser às onze porque elas estão cheias de compras de volta às aulas para fazer. Seria ótimo se pudesse vir mais cedo para ajudar. Tenho um ensaio bem cedo que não posso perder. Juro que essa produção de *Godspell* está sendo a mais difícil que já montei. Se chegar aqui cedo o bastante, posso levá-la lá para ver os cenários.

— Sim, estarei aí. Amo você — disse Evie, mas quando estava prestes a desligar o telefone, Fran interrompeu.

— Soube que Lauren Moscovitz está noiva? Ela era uma menininha estranha, não era? Acho que existe alguém para todo mundo. — E em seguida um clique, o telefone ficou mudo e Evie ainda estava enraizada no meio do horrendo trânsito de Midtown, nem um pouco mais calma.

Prestou atenção novamente na lista de e-mails em seu telefone, vários deles de Bill Black, o sócio supervisor no acordo da Calico. A noção de Bill quanto à diferença entre dias da semana e fins de semana era, no mínimo, negligente. Evie digitou algumas respostas rápidas que esperava que o acalmassem por pelo menos uma hora e entrou no seu Gmail. Ela sutilmente guardou de volta o telefone em seu inusitado lugar, imaginando quando poderia acessá-lo de novo. Então lhe ocorreu que deveria ter usado um blazer para poder guardá-lo num dos bolsos, mas era tarde demais para voltar, especialmente agora que estava a poucas quadras da entrada do túnel e seu carro finalmente estava prestes a se mover de verdade.

Da janela, na nona avenida, ela viu a torre de escritórios onde ficava a Cravath, Swaine & Moore, indiscutivelmente o escritório mais renomado da cidade e o único entre os sete para os quais ela se candidatara que não lhe enviou uma proposta depois da faculdade de direito. Evie ficara irada na época — por receber pelos correios o envelope magro com a carta numa escrita formal: Agradecemos seu interesse numa posição em nosso escritório. *Infelizmente, não poderemos lhe oferecer um emprego neste momento. Tenha uma* ótima *vida.* Bem, azar o deles.

Da Columbia Law School, ela se juntou a outro grande escritório, que representava mais da metade dos maiores bancos de investimentos e uma grande percentagem da Fortune 500. O Baker Smith havia, inclusive, roubado alguns dos maiores clientes do Cravath desde que ela entrara (não que isso tenha ocorrido por causa de Evie, mas ainda assim dava satisfação). Durante os últimos oito anos ela se debruçara sobre contratos, revisara acordos de compra, comparara documentos de fusões, e participara de chamadas em conferência ininterruptamente. Ela deu sua vida ao escritório, cancelando encontros e brunches de fim de semana com amigos e, às vezes, abandonando o que a maioria das pessoas consideraria hábitos básicos de higiene. Na véspera do fechamento de um contrato, sua virilha geralmente parecia coisa de filme de terror. Quando as coisas ficavam realmente loucas, a única maneira de ver seus amigos era se eles concordassem em encontrá-la para um almoço de vinte minutos no refeitório do escritório — e até mesmo aquilo poderia ser interrompido se seu BlackBerry apitasse com algo importante. O trabalho podia ser muito estimulante, mas com cada novo projeto que ia parar em sua mesa, ela ainda se sentia uma caloura ansiosa insegura sobre sua capacidade de dar conta de tudo. Felizmente, com dias de catorze horas de trabalho sendo uma ocorrência comum, ela tinha pouco tempo de sobra para reflexões.

Finalmente parecia que sua dedicação seria recompensada. Seu departamento, Fusões e Aquisições, não tinha sócias, e todos os sócios já existentes tinham mais ou menos a mesma idade — sessenta anos — e em breve estariam se aposentando, para finalmente aproveitarem suas vidas e poupanças. Ela nunca recebera nada abaixo de uma avaliação excelente. Suas atribuições geralmente estavam entre as mais importantes e complicadas do portfólio do escritório. Lamentavelmente, ela aceitou o fato de que o comitê de sociedade provavelmente considerava não ter responsabilidades familiares um bônus. Ela não saía mais cedo para fazer alguma coisa boba como levar seus filhos para a Disney ou ao pediatra. Se as coisas com Jack tivessem dado certo, ela poderia estar numa posição completamente diferente agora. Mas eles "não deram certo" e, diferentemente das reorganizações e liquidações que ela testemunhava na unidade de falências do escritório, não houve partilha de bens nem compensação por danos morais depois daquela separação. Apenas duas metades irregulares de um antigo inteiro deixadas por si mesmas.

Então, ali estava ela.

Solteira, mas prestes a ser sócia, e, na verdade, bem orgulhosa de seus esforços. Evie ansiava por uma sala maior, e o título impressionante com certeza também seria bom, mas era principalmente o salário mais gordo o que mais a excitava. O salto no salário de sócio minoritário para sócio de oito anos era enorme. Ela estaria ganhando mais que o dobro no ano que vem, o que significava que finalmente poderia comprar seu próprio apartamento em vez de alugar. Um apartamento charmoso, de um quarto, perto do Lincoln Center, que ficava a apenas dez quadras de seu apartamento atual na rua 76 West estava na pasta de favoritos de seu computador há três meses. Ela ficou encarando as fotos do anúncio tanto tempo que praticamente decorou cada detalhe, da lareira de moldura esculpida em mármore branco às enormes janelas de guilhotina na parede sul da sala de estar, com vista para uma adorável rua cheia de árvores. Ela já sabia onde colocaria seu adorado sofá em capitonê e podia imaginar nos mínimos detalhes as altas estantes de livro que compraria para colocar em volta dele.

Enquanto seu carro se aproximava da entrada de seu destino, Evie prometeu a si mesma que mandaria um e-mail para o corretor do apartamento no mesmo dia em que virasse sócia e marcaria um horário para visitá-lo. Morando ao lado do Avery Fisher Hall e da Metropolitan Opera, talvez ela finalmente conseguisse aproveitar tudo que Nova York tinha a oferecer. Finalmente poderia assistir à sua primeira ópera. Era uma vergonha nunca ter visto aquela da borboleta.

# # #

A recepção já estava à toda quando ela chegou. Através do bando de atraentes gays fazendo uma coreografia irônica, Evie viu seus amigos sentados juntos no fundo do salão. Ela chegou até eles bem na hora em que estavam brindando. O brilho de seus dedos anelares, cada um ostentando um cintilante anel de noivado, a iluminaram como lanternas. O peso do que ficava em suas mãos, provavelmente um total de oito quilates juntos (cuja maior parte vinha de apenas *uma* daquelas pedras), declarava ao mundo que seus melhores amigos eram comprometidos — amados — e parte de um time. Evie se perguntou se sua própria mão nua, adornada apenas pelo esmalte descascado de tanto digitar, sinalizava o extremo oposto.

— Evie, finalmente! — gritou Stasia por cima da música. — Está tão atrasada! Falei para Paul que seu táxi bateu num daqueles caras que entregam comida de bicicleta, então não me desminta. Enfim, vamos pegar uma bebida para você. — Ela gesticulou para que seu marido, Rick, fosse até o bar.

— Evie, você está linda — disse Rick, dando-lhe um abraço caloroso. — O que vai querer beber?

— Adoraria um vinho branco.

— Na verdade, vou ajudar a pegar mais uma rodada para todo mundo — disse Stasia, se levantando do banco e indo atrás de seu marido, andando em meio à multidão com a elasticidade de uma mola. Evie admirou as costas do vestido branco reto e conservador; sua amiga o usava tão bem que conseguiu deixá-lo sexy. Evie quase escolhera um vestido branco, mas resolveu não usá-lo no final, achando inapropriado para um casamento. Agora ela se sentia uma tola, percebendo que aquela regra só se aplicava se uma noiva estivesse presente. Seus amigos voltaram alguns minutos depois com bebidas para todos.

Essa não era, nem de longe, a primeira vez que Evie se comparava à bem-nascida Stasia. Ela vinha de São Francisco, onde foi criada numa grande *townhouse* pelo pai, um investidor bem-sucedido que virou deputado, e por sua mãe, uma loira magra como um lápis, cujas raízes remontavam à época do navio Mayflower e que agia, com sotaque carregado e pompa, como se aquele tivesse sido o único meio respeitável de se chegar aos Estados Unidos da América. A família de Evie estava mais para os imigrantes de Ellis Island. Stasia chegou a New Haven como uma caloura, sem a atitude da mãe, mas com pedigree de sobra. (Ela sabia todo o jargão náutico; Evie só conhecia uma palavra — enjoada.) Stasia seria facilmente odiável se não possuísse uma impressionante dose de paciência com os ocasionais surtos de neurose de Evie.

— Como está se sentindo? — perguntou Evie, virando-se para Tracy, que estava com uma das mãos dentro de uma tigela cheia de M&M's personalizados com monogramas.

— Gorda — respondeu Tracy, cuspindo a palavra de sua boca. — Estou grávida o bastante para parecer gordinha, mas não o suficiente para deixar claro que há um bebê aqui dentro. E não tente vir com o papinho de mimimi de "você está brilhando".

— Você está linda, querida — exclamou Jake, marido de Tracy, colocando uma das mãos sobre sua barriga. Hoje, o carinho de Jake não fez Evie morrer de inveja como o de Rick frequentemente fazia. Sobrecarregada pelo acordo da Calico e ainda se recuperando da ligação de Bette, ele estava fazendo seu sangue ferver.

— Você está linda, Tracy. E vai ter um bebê. Vale a pena — disse Evie em um tom de voz que esperava ser reconfortante, apesar de sempre se sentir uma farsa quando tentava falar com suas amigas sobre casamento e filhos. Afinal, ela estava baseando seus comentários em nada além de suposições.

— Vai ter que me contar como é ser mãe. Acho que estamos prestes a tentar — revelou Stasia, se aproximando para que Rick e os outros não escutassem.

Não foi uma surpresa para Evie, na verdade, que Rick e Stasia estivessem planejando começar uma família. Mas por algum motivo aquilo doeu, mesmo que não devesse.

— Que ótima notícia! Vou adorar compartilhar qualquer informação — disse Tracy animadamente. — Ah, e adivinha só? Jake montou o berço hoje. Sei que é cedo, mas ele finalmente teve uma folga do trabalho, e então pensamos: por que não?

Evie resistiu à vontade de perguntar onde o tal berço iria ficar. No studio de Jake e Tracy em Hell's Kitchen, o único lugar onde era possível acomodar seu novo bebê era no armário da entrada. A última aventura profissional de Jake — produção de músicas infantis sobre o meio ambiente — não havia sido exatamente lucrativa. Evie temia ser apenas uma questão de tempo para que os dois se tornassem suburbanos. Tracy tinha uma personalidade que as outras amigas de Evie não tinham e era especialmente propensa a revirar os olhos toda vez que Stasia discutia o cargo político de seu pai ou quando Caroline, o quarto membro do grupo de amigas, falava de alguma compra cara. Se ela saísse da cidade, se talvez voltasse para Pittsburgh, onde Jack crescera, Evie sentiria muita falta dela. Tracy jurava que nunca iria morar em Pitt. "Sabe como são mães asiáticas. Ela gostaria que Jake voltasse a morar em seu útero se ele coubesse."

— Tracy, você vai perder todo o peso em três meses após ter o bebê — garantiu Caroline. — Só precisa ir na minha personal. Ela faz milagres. — Ela flexionou seus músculos, exibindo bíceps surpreendentemente grandes dentro de braços finos como macarrão.

— Vai precisar me dar o telefone dela então — disse Tracy, murmurando baixinho para Evie: — Apesar de achar que as lipos na barriga durante a recuperação é que foram o verdadeiro milagre.

— Shh. — Evie a cutucou. — Não sabemos com certeza.

Era verdade que Tracy tinha engordado um pouco com a gravidez, mas os hormônios tinham acrescentado um pouco de cor à sua pele clara e brilho aos seus cabelos avermelhados. Caroline era agora uma versão melhor de si mesma na época da faculdade — torneada por pilates, bronzeada artificialmente, e vestida de grifes. E Stasia apenas continuava sua trajetória contínua de supremacia genética desde o nascimento: rosto oval, olhos azul-turquesa, cabelos loiros claros e um charmoso furo no queixo. Todas estavam bem preservadas desde a faculdade, se não melhores. Certamente suas escolhas de moda também eram mais sensatas hoje em dia.

Olhando para suas amigas hoje, Evie se surpreendeu uma vez mais sobre como seu grupo permanecera coeso. Tudo bem; o fato de todas terem escolhido morar em Nova York ajudava (Stasia após a faculdade de medicina na costa oeste; Tracy depois de dois anos ensinando no Teach for America, em Nova Orleans), mas geografia não podia ser o único motivo por terem todas permanecido próximas. Numa cidade movimentada onde o trabalho frequentemente ameaçava engoli-la viva, Evie gostava de poder contar com suas garotas.

Mas o fato de que todas elas tinham conseguido arranjar namorados, ou *b'sherts*, como diria Bette, e só ela ter sobrado deixava Evie confusa. Levando o vinho gelado até os lábios, ela pensou que, talvez, apenas durante aquela noite, fosse encontrar a resposta para aquele enigma no fundo de sua taça de Chardonnay.

— Então, Evie, está com a gente há cinco minutos inteiros sem olhar seu BlackBerry — disse Tracy sarcasticamente. — Seu escritório pegou fogo?

— Infelizmente não. A fortaleza Baker Smith permanece de pé — respondeu Evie. O que suas amigas diriam se soubessem que seu telefone estava guardado em sua calcinha naquele exato momento? — Sabem, não sou a única viciada em internet. — Evie gesticulou para a mesa, onde suas amigas tinham deixado seus respectivos iPhones alinhados como talheres.

— Só estou tirando fotos — defendeu-se Stasia. — É para marcarmos nossas fotos desta noite com a hashtag "noivosgostosos".

— Que chique — disse Evie.

— Além disso, nós deixamos passar intervalos de três minutos a cada vez que mexemos no celular — brincou Tracy.

— Fale apenas por você — discordou Caroline, pegando seu iPhone. — Estou esperando a babá me dizer se Grace comeu as verduras ou não. E meu leilão no eBay termina em seis minutos e estou numa batalha de vida ou morte com alguém apelidado de "Big Apple Luxury" por uma bolsa Birkin vintage. — Ela ergueu o telefone na frente do rosto de Evie para que ela pudesse admirar a bolsa azul-cobalto na hora em que uma mensagem de texto apareceu na tela.

— Boas notícias, Care. Imelda escreveu que Grace comeu quatro vagens e... o que são copas? Aparentemente ela comeu três delas.

— As parte de cima dos brócolis — explicou Caroline, como se aquilo devesse ser evidente. — Grace não come os troncos.

— Entendi.

Caroline era a personificação de mãe tensa, dedicando-se com a mesma intensidade com que se dedicava a seu antigo emprego com finanças a criar suas meninas. Grace já era uma dessas crianças estranhamente sensíveis, do tipo que não toma banho sem óculos de natação nem usa nada com a etiqueta ainda costurada. Pippa, irmã mais nova de Grace, parecia um pouco mais resiliente, mas o júri ainda estava em dúvida. O foco cirúrgico de Caroline em cada movimento delas não deveria ajudar muito. Mas Evie não podia julgar, claro.

— Então, onde está o casal feliz? — perguntou Evie. — Ainda não disse oi a eles.

Tracy apontou para Paul e Marco, parados perto do buffet com os braços na cintura um do outro. Evie sabia que deveria estar radiante, considerando que foi ela quem os apresentou em seu primeiro ano de direito. Por mais que ela não achasse que Paul, assessor de celebridades, se impressionaria tanto quanto ela pelos planos de Marco de trabalhar no New Yorkers for Children, ela sabia que o tanquinho conquistado a duras penas por Marco e sua pele cor de cappuccino pelo menos garantiriam um primeiro encontro. E estava certa. Felizmente para Paul, Marco Mendez tinha uma queda por fofocas de Hollywood e homens de olhos castanho-claros.

Estava feliz por eles e orgulhosa de si mesma por ter unido um casal com sucesso, apesar de se perguntar se o rabino Berman, do templo Beth-El em Baltimore, concordaria que a união daquele casal contava para a crença judaica de que arranjar três casamentos garantia uma vaga no céu. Talvez alguém que Evie conhecesse estivesse a apenas um casal da *trifecta* sagrada e ficasse um pouco motivado a arranjar um marido para ela. Não que ela precisasse se preocupar. Acontecerá quando tiver que acontecer.

Evie tinha 34 anos, o que às vezes lhe parecia uma idade jovem e promissora e às vezes a fazia sentir como se estivesse em rota de colisão com um relógio biológico explosivo. Nada seria resolvido hoje, disso Evie sabia. Então, decidiu se divertir e esperar até o dia seguinte para voltar à sua obsessiva preocupação com o futuro. Ela deixou a harmonia familiar da conversa de suas amigas distraí-la até o vinho fazer efeito.

# # #

Rapidamente, a coreografia brega na pista do casamento de Paul e Marco deu lugar a turbulentos rebolados e sarradas e Evie cumpriu a promessa de deixar o álcool acalmar sua mente preocupada. Ela já estava se arrependendo de ter concordado com um brunch de família tão cedo em Greenwich na manhã seguinte. Ver April e May, as gêmeas de Winston, não era exatamente como ela queria passar as poucas horas preciosas de domingo longe do escritório. Elas eram nascidas em novembro, então a quantidade de maconha que Winston e sua ex-mulher tinham usado quando escolheram seus nomes era um mistério. Pelo menos elas não eram idênticas. Aquilo seria demais para engolir.

"As gêmeas", como Evie e suas amigas gostavam de chamá-las, tinham dezessete anos de idade e estavam no último ano da Andover. April ia para Dartmouth no outono e May ia para Yale. Não havia realmente nada particularmente detestável nelas. Pareciam apenas muito novas para Evie, e muito dolorosamente livres de qualquer consequência. Para ser sincera, ainda eram adolescentes — e apesar de serem suas únicas irmãs, relacionar-se com elas era quase impossível. Ela se sentira uma avó na recente formatura das duas, tendo mais sintonia com as velhinhas fazendo crochê reclamando que suas cadeiras ficavam longe demais do palco do que com os adolescentes de beca.

Para ser sincera consigo mesma, a única coisa sobre as gêmeas da qual ela realmente se ressentia era que estavam apenas começando a trilhar o caminho que ela mesmo trilhara tantas luas atrás. A trilha que deveria levar ao sucesso em todos os campos profissionais e românticos, a que de alguma maneira funcionara para suas amigas, mas não para ela. E se as gêmeas se casassem antes dela? E se ela tivesse que usar um vestido de madrinha cor de lavanda horrendo e ficar no meio de suas amigas de vinte e poucos anos com todos na igreja suspirando: “Bem, pelo menos ela tem uma excelente carreira.” Evie ficava especialmente mexida com May, que nunca sequer perguntava a Evie sobre seus anos em Yale. Era como se Evie tivesse estudado lá há tanto tempo que sua experiência tornara-se irrelevante. Era verdade que Evie não chegara a usar um notebook em sala de aula, mas também não escrevia com pena e nanquim.

Enquanto pensava em desculpas para faltar ao brunch de família, Evie notou que um cara bonito olhava para ela do bar próximo. Sua mente estava longe da conversa na mesa, que tinha se tornado uma discussão acalorada sobre o episódio final de *Desafio dos Famosos*. Ele estava usando um terno escuro bem cortado e uma gravata amarela com um belo nó. Talvez a noite ficasse mais interessante do que ela previra. Ela conhecia a maior parte dos amigos de Paul e Marco e eles sempre ficavam, quase exclusivamente, mais interessados neles mesmos do que nela. Mas esse cara apoiado no bar estava definitivamente olhando na sua direção.

Evie se perguntou se deveria abordá-lo ou esperar que ele fosse falar com ela, sentindo-se horrivelmente sem noção quanto a como facilitar o que deveria ser um simples primeiro contato. Seu relacionamento com Jack tinha ofuscado o pouco que ela sabia sobre flertes e namoro. Ela sentiu gosto de bile ao pensar no ex. Tinham namorado durante dois anos, mas terminado há seis meses, época em que finalmente percebeu que quando ele lhe dissera, no primeiro encontro, que não acreditava em casamento, não estava brincando. Seus incontáveis jantares regados a vinho, manhãs de domingo acordando juntos com cafés *latte* Nespresso Arpeggio e o *New York Times*, e passeios em meio a adoráveis crianças brincando no Central Park não fizeram com que ele mudasse de ideia. E certamente tampouco o ultimato que ela lhe dera dezembro passado.

Era hora de focar o presente. Ela resolveu dar um rápido sorriso de boca fechada na direção do bar, como confirmação. Seu sorriso foi devolvido na hora e, naquela troca de uma fração de segundo, Evie sentiu seu coração se encher com a esperança de que talvez naquela noite, quando era totalmente inesperado, ela conhecesse o homem da sua vida. Não é assim que todos dizem que acontece? Ela andou na direção do bar cuidadosamente e ficou aliviada quando o viu gesticular para que se sentasse no banco alto a seu lado.

— Olá — disse ele. — Sou Luke Glasscock. Primo de Paul. Primo distante, na verdade. E você?

— Evie Rosen, amiga de Paul. E de Marco também. Frequentei a faculdade com Paul e fiz Direito com Marco. Na verdade eu os apresentei.

— Inteligente e bonita. Gosto disso — disse ele. — Parabéns pelo trabalho de cupido.

— Bem, obrigada. Então sua família toda está aqui?

— Apenas alguns primos. Meus pais moram em Cincinnati, mas me mudei para Nova York a trabalho há alguns anos.

— Ah é? E com o que você trabalha?

— Banco de investimento. Deutsche Bank. Não me julgue.

— Legal. Sou advogada na Baker Smith. Representamos o DB, na verdade.

— Eu sei. Então, quer beber alguma coisa? Acho melhor ficarmos na merda se resolvermos ir para a pista de dança mais tarde, não acha?

"Na merda"? O que era isso, alguma festa de fraternidade? Ela pensou mais uma vez em Jack. Ele nunca teria usado uma expressão tão imatura. Apenas teria dito "Quer dançar?" e a levado pela mão até a pista de dança, onde colocaria em uso suas velhas aulas de dança de salão de seus dias escolares em Londres. Mas ele era pomposo e autocentrado e não acreditava em casamento, então não importava. Ela devolveu Jack para o compartimento lacrado em seu cérebro, o cofre que também guardava as dolorosas lembranças de perder o pai, e voltou o foco para Luke.

— Tim tim — respondeu Evie, e os dois brindaram. — Claro. Bebo o que estiver bebendo — continuou ela, apontando para o drinque cor de âmbar dele. Desde quando ela bebia uísque?

— A vi quando entrou... Estava esperando uma chance para conversarmos.

— É mesmo? Bem, aqui estou. Adoro conversar.

O som agudo de um garfo batendo num copo sinalizou que era hora dos brindes. Evie observou Paul e Marco andarem até a plataforma onde estava o DJ.

— Obrigado a todos por virem — começou Marco. — Como meus 612 seguidores do Twitter já sabem, Paul e eu trocamos votos ontem na prefeitura, na frente de uma noiva por encomenda e um casal de ex-condenados. — A multidão riu.

Marco prosseguiu para um discurso cafona, mas emocionante, sobre o avanço de seu relacionamento, e Evie, já familiarizado com os detalhes daquele namoro, parou de escutá-lo enquanto estudava Luke. Só quando ouviu seu próprio nome, Evie voltou ao presente num estalo.

Paul aparentemente pegara o microfone de Marco enquanto ela sonhava acordada. Evie percebeu que Paul estava alto pelo jeito que ele se embaralhava como uma criança prestes a sofrer um acidente.

— ... Evie Rosen por nos apresentar. Somos tão agradecidos por ela ter se afastado de seu BlackBerry para se juntar a nós esta noite. Evie, levante-se e identifique-se. Ela é a morena gata ali no canto. — Da cabine do DJ, um holofote virou na sua direção.

— É você — sussurrou Luke, tocando gentilmente seu cotovelo.

Evie sorriu graciosamente e rezou para que aquele momento acabasse logo. A luz forte ficou em cima dela e ela piscou reflexivamente.

— Levante-se, Evie.

Ela entrou em pânico. Seu telefone havia se movido para uma posição precária dentro de sua calcinha e ela temeu que pudesse cair se levantasse. Aquilo não tornaria a provocação de Paul sobre seu BlackBerry ainda mais mordaz?

Ela fez a maior força possível, tentando fazer o que seu antigo instrutor de pilates chamava de exercícios Kegel, e levantou-se cautelosamente.

— A propósito, ela está solteira. — Paul piscou para ela do palco. Por algum motivo, o anúncio de que ela estava solteira arrancou gritinhos da plateia. *Idiotas*, pensou Evie. Ela não ousou olhar para Luke.

— Suba aqui, Evie — pediu Marco. — Vamos tirar uma foto com nosso cupido.

Evie segurou sua taça de vinho como se ela fosse uma boia salva-vidas e, desajeitadamente, tentou atravessar a pista de dança sem abrir muito as pernas. O holofote continuava com seu insistente foco nela. Não ia adiantar. Ela sentiu seu BlackBerry deslizando por sua perna e de alguma maneira ouviu o barulho na cabeça antes que o aparelho tocasse o chão. À sua volta, os outros convidados arfaram de surpresa e riram baixo até alguém gargalhar, dando permissão para que todo mundo caísse no riso também. Seu telefone ficou caído com a tela para cima, a luz vermelha de mensagens novas piscando, no meio de um diamante de mármore branco. Quando ela se abaixou para pegá-lo com as mãos trêmulas, a maldita coisa começou a tocar.

Capítulo 2

Ela sentiu Tracy pegando sua mão e puxando-a até o banheiro feminino. Elas ficaram em pé na frente das pias, as bochechas vermelhas de Evie ardendo debaixo das luzes fluorescentes.

— Está brincando comigo, Evie?

— Eu não tinha onde guardar meu telefone, está bem? — sibilou ela. — Você não entende. Tenho um acordo na terça e metade das pessoas envolvidas está no escritório de Hong Kong. É manhã lá, não posso simplesmente sumir porque estou num casamento.

— Então você é uma irresponsável se não guardar o celular dentro da calcinha? A propósito, é para isso que servem bolsas.

— Não cabia na minha bolsa. Judith Leiber, sua imbecil. Caroline me deu essa bolsa bilionária e mal cabe um batom nela.

— Isso não é desculpa. Por que diabos é tão obcecada com essa coisa, aliás? — Tracy olhou feio para o BlackBerry entranhado na mão de Evie.

— Gosto do meu telefone. Ele me ajuda a me sentir conectada — respondeu ela, dando de ombros no que acreditou ser um gesto de "Não estou fazendo mal a ninguém".

— A quê?

— Pessoas, trabalho, planos, notícias, o *zeitgeist* cultural... Eu não sei. — Evie se inclinou para o espelho para reaplicar seu gloss labial. — Paul precisava mesmo anunciar para a festa inteira que estou solteira?

— Talvez não tenha sido tão ruim ele fazer isso. Espalhar a notícia, sabe? — perguntou Tracy, olhando o reflexo de Evie no espelho com cuidado.

— Acho que meus perfis no Facebook, no JDate e no Match já fizeram esse trabalho.

Tracy bateu na porta de um dos reservados.

— O bebê me faz querer ir ao banheiro a cada dois segundos ultimamente. — Ela afagou sua barriga afetuosamente. Qualquer desconforto que o bebê estivesse causando era claramente apenas uma pequena inconveniência para ela. Tracy praticamente pulou de alegria quando sentiu um chutinho na barriga, exigindo que todas as suas amigas colocassem suas mãos sobre ela como se fosse um tabuleiro Ouija até todas jurarem também terem sentido.

— Então, eu estava conversando com o primo de Paul antes do brinde. Estávamos meio que nos dando bem. Vamos ver se ele ainda está interessado depois de eu dar à luz um telefone em plena pista de dança. — Com aquilo, Evie se abaixou no reservado ao lado do de Tracy.

— Ah é? Qual o nome dele?

— Luke.

— Bem, vamos voltar para a festa e encontrá-lo! — A voz de Tracy subiu mais ou menos quatro oitavas.

— Eu vou. — Evie passou uma das mãos sobre suas pernas espetadas. — Será que tem lâmina de barbear no cestinho do banheiro?

— Não. — Evie pôde escutar Tracy mexendo na cesta. — Tenho pinças na minha bolsa.

— Esquece — resmungou Evie, saindo do reservado. — Não tive exatamente muito tempo para a higiene apropriada. Tenho ficado no escritório todos os dias até duas da manhã.

— Eles estão matando você naquele lugar. — Tracy lançou um olhar de desaprovação para ela. Depois de completar seu curso de professora num trailer de uma Nova Orleans devastada por um furacão, Tracy aceitou um emprego mais confortável na Brighton-Montgomery Preparatory School, uma instituição do Upper East Side conhecida por seus professores ricos e alunos mais ricos ainda. Ela trabalhava duro, eternamente grata por ter uma sala de aula que não servisse também como armário de suprimentos, sala de artes e sala dos professores, mas nos dias em que não tinha reuniões de departamento nem workshops ela já estava em casa acariciando sua barriga grávida na frente da TV, às 16h30.

— Vai melhorar depois que eu virar sócia — garantiu Evie, não exatamente certa daquilo ser verdade. Ela realmente ficaria menos ansiosa com seu trabalho só porque não estaria mais tentando subir de posição? Sempre haveria uma nova tarefa para cumprir. Conseguir mais clientes. Um compromisso com um dos comitês de gerência do escritório. A admiração de seus colegas. — Volte para lá. Preciso ler meu e-mail.

— Essa coisa já não causou problemas suficientes esta noite? — perguntou Tracy, olhando mais uma vez com desprezo para o telefone de Evie. — Não passe a noite toda aqui dentro.

Depois de Tracy sair do banheiro, Evie olhou rapidamente seus e-mails de trabalho onde — previsivelmente — encontrou um e-mail de Bill Black perguntando-lhe por que ela não atendera sua ligação momentos antes e pedindo que ela revisasse os últimos documentos do acordo antes da segunda-feira.

Sua mãe escrevera para lembrá-la de que o trem para Greenwich estava passando em horários limitados aos domingos, então era bom ela olhar na internet antes de ir para o brunch.

Havia também uma mensagem de sua melhor amiga do trabalho, Annie Thayer, sua primeira colega de escritório na Baker Smith e mais uma solteira-na-cidade-grande com quem Evie trocava histórias de guerra sobre encontros. Annie estava escrevendo para lhe avisar que receberia uma ligação de um amigo de seu irmão, Mike Jones. Como Evie stalkearia alguém com um nome tão comum? Ele havia saído recentemente de um namoro longo e estava tentando voltar ao mundo dos encontros, que Deus o ajude. Annie jurou que valia a pena conhecê-lo, mas não forneceu muito em termos de história ou fotos.

Antes de voltar para a festa, Evie rapidamente olhou suas contas no Facebook e Instagram, onde a hashtag #noivosgostosos já estava explodindo. Satisfeita por ter se atualizado, ela voltou para a pista de dança, onde encontrou suas amigas reunidas vendo o casal feliz dançar ao som de "At last", de Etta James, uma escolha injusta de música, segundo Evie, considerando que Paul e Marco, graças a ela, não tiveram que esperar nem um pouco para se encontrarem. Luke ainda estava no bar, olhando seu telefone, e Evie mordeu os lábios nervosamente enquanto andava até ele.

— Ela voltou — disse ele.

— Sim, voltei. Só para constar, não é sempre que guardo meu BlackBerry naquele lugar. Também estou trabalhando num acordo grande neste momento e meu telefone não cabia na minha bolsa. — Evie ergueu o telefone em uma das mãos e a bolsa na outra para ilustrar seu pedido de desculpas.

— Ah, foi engraçado — disse ele com um sorriso de perdão. — Certamente nunca vou me esquecer de tê-la conhecido.

— Bem, isso é bom. Sempre gostei de deixar uma impressão duradoura.

Ufa.

— E certamente deixou. Olha, minha mãe vai me matar se eu não falar com os filhos da irmã dela e acho que eles já estão se preparando para ir embora. Posso confiar que vou encontrá-la ainda aqui quando voltar?

— Não vou me mexer.

Sozinha no bar, ela procurou seus amigos em meio à multidão. Ela viu Caroline e Jerome fazendo uma coreografia popular, o topo da cabeça careca de Jerome mal alcançava as maçãs do rosto de Caroline. Caroline não era naturalmente estonteante, mas tinha um sex appeal que Evie nunca teria, não importava que lingerie de renda colocasse ou o quanto exibisse de decote. Nascida e criada em Dallas, Caroline teve todas as armadilhas da riqueza na faculdade, o que na época significava uma bolsa Kate Spade, diversos vestidos de festa Nicole Miller e um cartão de crédito cujas faturas eram pagas por seus pais. Mas ela sempre pareceu ter uma relação desconfortável com dinheiro até seu marido bilionário aparecer. Caroline declarou seu amor por Jerome desde o dia em que o conheceu, dez anos antes, numa conferência de investidores, mesmo dia em que oito dúzias de rosas cor de lavanda foram entregues por um mordomo de verdade na sua porta junto com uma carta. Mais tarde, ainda naquela noite, no restaurante Per Se, Caroline e Jerome desfrutaram um banquete de trufas e beberam vinho proveniente de um cofre. Oito meses depois estavam noivos. Uma década se passara e estavam mais unidos que nunca, rindo frivolamente na pista de dança.

Em seguida ela viu Rick conversando com a mãe e o pai de Marco. Rick a viu olhando e ergueu o dedo indicador para avisar que iria se juntar a ela num instante. Ver os pais de Marco ali de mãos dadas sorrindo ao observar os convidados fez aquele aperto familiar no peito de Evie aparecer. Seu pai nunca a veria se casando. Ele não estaria lá para reclamar das orquídeas caras que Evie escolheu para os arranjos de mesa nem para a tradicional dança entre pai e filha. Em vez disso, as fotos de seu casamento seriam imagens dela e de sua mãe, cercadas por Winston e pelas gêmeas, a pseudofamília cuja atual realidade ela não conseguia entender. Ela já decidira que pediria a vovó Bette que caminhasse com ela até o altar se fosse necessário. Bette estaria tão ansiosa para Evie oficializar a união que provavelmente seria uma corrida de explosão.

Tracy lentamente andou até Evie com Jake a seu lado.

— Acho que vamos embora. Estou exausta.

— Tudo bem. Vou ficar mais um pouco. Luke e eu ainda estamos conversando — disse Evie, beijando sua amiga grávida na bochecha. — Mantenho você informada.

— Acho bom.

Luke reapareceu logo depois de Tracy e Jake irem embora.

— Me desculpe por isso. Não sabia que meus parentes falavam tanto — explicou ele. — Quer mais um drinque?

— Definitivamente.

Evie perdeu a conta de quantos drinques eles entornaram, mas era seguro dizer que foram suficientes para que os dois pegassem o microfone do DJ e cantassem "Sexy Back", de Justin Timberlake, para os convidados.

— Você é muito divertida, Evie — disse Luke quando os dois se viram sozinhos na chapelaria. Ele estava passando suas mãos nos braços nus dela.

E então seus lábios estavam nos dela, suas línguas batalhando. Foi incrível. O suor misturado dos dois, a barba por fazer dele, a respiração ofegante. Nossa, como ela tinha sentido falta daquilo. Ela se afastou dele por um instante para olhar seu rosto e sorriu. Parecia que havia vida após Jack, afinal.

A sessão de beijos durou até um convidado do casamento usando smoking os surpreender.

— A noite acabou, criançada — disse ele.

— Deixe-me levar você até um táxi — pediu Luke. — Evie Rosen da Baker Smith. Amanhã a primeira coisa que farei é procurar você. Vamos nos encontrar para um drinque.

— Eu adoraria — respondeu Evie, aceitando a mão que ele lhe estendera.

Ele chamou um táxi e a ajudou a entrar. Pela janela aberta, ele falou:

— Chegue bem em casa. Ah, e Evie, guarde um pouquinho melhor seu telefone da próxima vez. — Ele deu uma piscadela com um de seus olhos castanhos e a deixou ir.

De cinto de segurança no banco de trás, ela ficou olhando a cidade, toda cintilante com o brilho dos faróis dos carros e sinais de trânsito. As fileiras de flores nos canteiros, iluminadas por pequenos refletores, formavam travesseiros cor-de-rosa na sua mente. Tinha sido uma noite ótima.

# # #

De volta em casa, Evie rapidamente trocou o vestido por seu pijama aconchegante e caiu, tonta, na cama. Agora ela lembrava por que nunca bebia uísque. Olhando o borrão que era seu laptop em cima da mesa, ela quase mandou uma mensagem pelo Facebook para Luke — apenas um rápido "noite divertida" para iniciar um diálogo entre os dois, mas resistiu, de tão inebriada.

Ela não queria acabar como Jeffrey Belzer.

Jeffrey foi associado durante um verão com Evie. Depois de voltarem de um almoço com três garrafas de vinho no Harvard Club (coisa normal na rotina sedutora de cursos de verão de direito), ele resolveu mandar um rápido e-mail ao também associado Tony Jacobs.

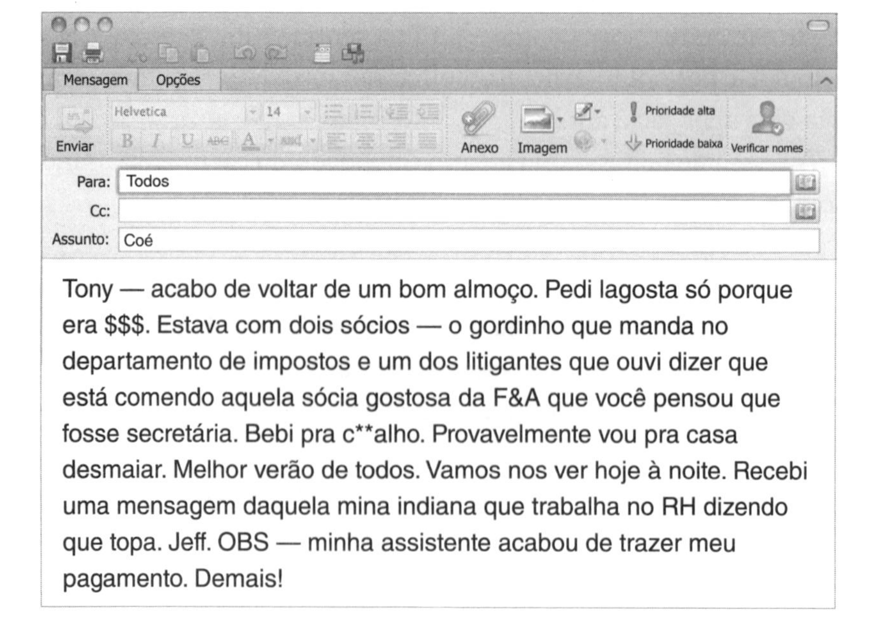

Mensagem | Opções

Enviar | Anexo | Imagem | Prioridade alta | Prioridade baixa | Verificar nomes

Para: Todos

Cc:

Assunto: Coé

Tony — acabo de voltar de um bom almoço. Pedi lagosta só porque era $$$. Estava com dois sócios — o gordinho que manda no departamento de impostos e um dos litigantes que ouvi dizer que está comendo aquela sócia gostosa da F&A que você pensou que fosse secretária. Bebi pra c**alho. Provavelmente vou pra casa desmaiar. Melhor verão de todos. Vamos nos ver hoje à noite. Recebi uma mensagem daquela mina indiana que trabalha no RH dizendo que topa. Jeff. OBS — minha assistente acabou de trazer meu pagamento. Demais!

Por que os pais de Tony tiveram que colocar seu nome com To? Jeffrey Belzer deve estar se perguntando isso até hoje. Quando ele foi selecionar o destinatário desse e-mail mítico, não clicou em Tony Jacobs, e sim em Todos, mandando o e-mail para o escritório inteiro. Os rios de vinho Sancerre no almoço contribuíram. Estava feito. Não havia como voltar atrás. Bem, sim, foi feita uma tentativa de voltar atrás. Menos de sessenta segundos após o envio do e-mail, alguém deve ter avisado a Jeffrey, porque o que apareceu em seguida na caixa de entrada de todos foi a seguinte mensagem:

"Jeffrey Belzer gostaria de retirar a mensagem que acaba de ser enviada."

Agora todo mundo que havia ignorado a mensagem (houve toda a questão sobre o assunto do e-mail ser "Coé") concluiu que devia ser boa. Em uma hora, o e-mail havia viralizado. O infame blog BigLawSux o havia publicado e então ele apareceu, palavra por palavra, no *Wall Street Journal* do dia seguinte.

O Baker Smith rapidamente emitiu um comunicado à imprensa dizendo que Jeffrey Belzer não trabalhava mais para eles como resultado de sua falha de julgamento. O comunicado dizia ainda, aos clientes que já estavam ligando para contestar suas contas, que os custos do programa de verão haviam sido totalmente assumidos pela empresa e não foram repassados aos clientes. Finalmente, e mais comicamente para Evie, o escritório dizia no comunicado que encorajava todos os seus funcionários a reconhecerem outros indivíduos por suas qualidades internas, e não por características externas. Evie imaginou que fosse a maneira diplomática que eles encontraram para explicar que não apoiavam tratamentos como "gordinho" ou "aquela mina indiana". Felizmente para o Baker Smith, sua imagem foi rapidamente reparada e seu status como um dos melhores escritórios de advocacia da cidade foi preservado. Jeffrey, por outro lado, aparentemente fugiu para a Tailândia por um tempo e da última vez em que foi visto estava anotando pedidos num restaurante italiano do West Village.

O episódio reforçou a regra número um de Evie: nada de e-mails ou mensagens quando se está bêbado.

Numa escala menos trágica, ela uma vez assinou um e-mail para um sócio majoritário, Mitchell Rhodes, com "Bjs, Evie". Mitchell respondera o — com exceção daquilo — profissional e-mail com: "Obrigado. Dos meus filhos eu não ganho nem um eu te amo!" Evie e Mitchell tinham trabalhado juntos muitas vezes desde aquela troca de e-mail e, considerando que ele fazia parte do comitê de sociedades, ela se sentia sortuda por eles terem compartilhado aquele momento de intimidade, mesmo que tenha sido resultado da falta de atenção de alguém. Ainda assim, não havia necessidade de mais ninguém receber um beijo digital não intencional ou uma carinha sorrindo.

Na época do incidente com Jeffrey Belzer, Evie reagiu como a maioria dos outros associados — com uma mistura de gargalhadas histéricas e pena. As coisas seriam diferentes se ela virasse sócia. Seria dona de parte da empresa (tudo bem, sua parte nos lucros seria de 1/250), mas mesmo assim uma crise de mídia como aquela teria um efeito completamente diferente nela. Ela se sentiu tão adulta pensando naquilo. No âmbito profissional, Evie estava exatamente onde pensava que estaria naquela idade. Romanticamente, sentia-se como uma colegial insegura. Tirando os dois anos em que namorou Jack, sua vida amorosa havia sido uma série de relacionamentos de, no máximo, três encontros.

O que Luke descobriria quando pesquisasse sobre ela? Ela fez uma rápida busca no Google sobre si mesma. Seu perfil no Baker Smith foi o primeiro resultado. A foto era um desastre completo, tirada depois de duas noites viradas. Havia algumas imagens melhores dela no NewYorkSocialDiary.com em eventos da sociedade aos quais Caroline a havia arrastado. Seu nome aparecia numa lista de participantes de uma maratona de cinco quilômetros em prol da Diabetes Juvenil, mesmo ela tendo pulado fora na última hora devido a um resfriado. O obituário de seu pai no *Baltimore Sun* estava lá. Não havia nem um vestígio sobre ela e Jack. Ele não gostava de fotos.

Ela se enroscou na cama com o laptop debaixo do braço como um travesseiro de estimação e esperou que ele apitasse indicando uma mensagem de Luke, mas a única coisa que escutou até adormecer foram os ruídos reconfortantes de ambulâncias e buzinas — a canção de ninar nova-iorquina, como ela gostava de chamar.

# # #

Vácuo. Foi isso que ela teve de Luke Glasscock depois do casamento de Paul. Era preocupante. Ele pareceu ter perdoado toda aquela gafe de dar à luz um telefone no meio da pista de dança. Ela achou que havia surgido uma química. Tiveram uma boa sessão de beijos no final da noite. Ele galantemente a levara até o táxi, calmamente dando uma nota de vinte dólares ao motorista. E prometeu que iria entrar em contato. Será que ele tinha esquecido o sobrenome dela? Ou onde ela trabalhava? Mesmo assim, ele poderia perguntar a Paul.

Agora ela se surpreendia pensando demais nele no trabalho, olhando de um monitor gigante para o outro, como se estivesse assistindo a uma partida de tênis da sua mesa, mas não focada em nada de fato. O acordo da Calico tinha transcorrido sem nenhum problema, mas, em vez de conseguir comemorar, um novo trabalho foi deixado na sua mesa momentos depois do fax da última página de assinaturas ter chegado. Ela se sentia como Lucy naquele clássico episódio de *I Love Lucy* na fábrica de chocolate.

Corriam boatos de que o comitê de sociedades teria uma sessão de deliberação aquele dia, pelo menos segundo seu *BFF* Renaldo, da equipe de manutenção. Ele acabara de entregar quatro bandejas de sanduíches e oito blocos de anotações amarelos na sala de conferência do quadragésimo-segundo andar.

Em meio à enxurrada de e-mails anunciando as liquidações de verão, Evie notou uma mensagem de Joshua Birnbaum, um empresário de tecnologia que ela conhecera no JDate três meses antes. Eles tinham saído juntos duas vezes — duas noites sem faíscas, mas que poderiam ter sido piores, em que ambos pareceram basicamente apáticos. Mas lá estava Joshua mais uma vez, sugerindo que fossem tomar um drinque pois tinham se passado noventa dias desde que se falaram pela última vez. Ela estava pensando seriamente em aceitar quando seu telefone tocou.

— Oi, moça — piou Caroline. — Ainda não conversamos sobre o casamento. Como está?

— Ah. Atolada de trabalho, como sempre, e irritada pelo primo de Paul ter evaporado.

— Ele provavelmente só está ocupado no trabalho. Se a carreira dele for parecida com a sua, ele também não deve ter muito tempo livre para encontros.

Evie não teve forças para discutir com Caroline sobre aquele ponto — e lembrar o fato de que um simples e-mail dizendo "Foi ótimo conhecer você" poderia ser escrito em menos de trinta segundos. Ninguém sabia daquilo melhor que Evie. Ela conseguia mandar dúzias de e-mails pessoais durante o dia. As letras no teclado de seu computador estavam praticamente tatuadas nas pontas de seus dedos. Ela conseguia digitar um e-mail de uma frase de olhos vendados e com uma das mãos amarrada nas costas.

— Acho que você deveria simplesmente parar de pensar nele — opinou Caroline. — Você sabe como essa coisa de ficar esperando funciona, no fim das contas. Pode esperar um segundinho? Estou num táxi.

Ela escutou Caroline pedir ao motorista para levá-la até o hotel Plaza, ao sul do Central Park. Então, num tom de voz muito mais baixo, ouviu Caroline pedir a ele que a buscasse duas horas mais tarde. Da última vez que Evie checou, táxis não levavam e buscavam. Claramente Caroline estava falando com Jorge, seu chofer, mas pelo menos tinha vergonha daquilo.

— Desculpe, voltei. Estou indo a um almoço. Mande uma mensagem se tiver notícias dele. Sabe como essas coisas de caridade são chatas... Vou ficar encarando o telefone o tempo todo. Igual a você. — Ela deu uma risadinha.

— *Touché* — concedeu Evie.

Olhando para o BlackBerry em sua mesa, Evie pensou em como seu smartphone a ajudava a ignorar sua solidão, quase como o som ambiente de um episódio de alguma série que ela já conhecia de cor. Admitir que um dispositivo eletrônico de menos de cem gramas estava substituindo um companheiro de verdade a deixava com um gosto amargo na boca, mas Evie era muito consciente quanto à utilidade do aparelho para desistir daquele hábito.

— Bem, divirta-se. Não se esqueça de guardar alguns panfletos sobre espécies em extinção para mim.

Evie não resistiu. Em fevereiro, Caroline tinha comprado uma mesa para o evento "Nova-iorquinos pela Vida Selvagem" e convenceu Evie a sair do escritório para o almoço, no salão de baile do Waldorf. O problema é que estava fazendo quase menos vinte graus na rua e a maior parte das mulheres estava usando peles.

Insatisfeita com a rejeição de Caroline pela sua angústia quanto a Luke, Evie ligou para a Tracy, a franqueza em pessoa, esperando pegá-la entre aulas. Depois de cair direto na caixa postal, Evie começou a digitar o número de Stasia, mas desligou no meio. Era mais fácil conversar com Caroline e Tracy sobre esse tipo de coisa. As duas eram casadas, mas o marido de Caroline era geriátrico e o de Tracy era um vagabundo duvidosamente empregado. Ela acreditava que as duas estavam satisfeitas, mas ainda assim Evie sentia um pouco de conforto ao achar que haviam aberto mão de certas exigências. Narrar histórias de amor agoniantes para as duas certamente era tolerável, e geralmente catártico.

Stasia era diferente. Ela e Rick eram um casal dourado — bonitos, bem-educados, de "boas famílias". Pareciam saídos de uma fotografia de revista. Sem — pasme — a ajuda de uma conexão wireless, eles tinham se conhecido na faculdade de Medicina da Stanford (ainda que tenha sido durante a dissecção de um cadáver). Depois de sua residência, Rick, nascido na costa leste, convenceu Stasia a se mudar com ele. Ele se tornou um otorrinolaringologista com um consultório bem-sucedido na Park Avenue enquanto ela lentamente subia cada vez mais no departamento de pesquisa de uma empresa farmacêutica top sediada em Nova Jersey.

Depois de seu anúncio no casamento de Paul, Evie sabia que eles estavam planejando começar uma família. Era natural imaginar Rick como pai. Ele não parecia se importar quando Evie se intrometia nas noites dos dois juntos e gostava de mostrar a perspectiva masculina quando ela precisava de conselhos em seus relacionamentos. Além disso, Rick trabalhava ajudando pessoas, mesmo que significasse apenas tratar do desconforto de septos desviados. Isso era mais do que ela podia dizer do marido de Caroline, cuja tarefa diária no trabalho parecia ser imprimir dinheiro. Ela não podia se achar melhor em termos de profissão, considerando que seu trabalho no Baker Smith não a tornava exatamente uma Madre Teresa, *mas ainda assim*.

Seu telefone tocou. Tracy.

— Oi, acabei de ver uma ligação perdida sua. O que há? Estou almoçando.

— Nada. Só estou irritada. Aquele idiota do casamento de Paul, Luke. Ainda não me mandou nenhum e-mail.

— Evie, assim não tem como te defender. Eu o vi. É bonitinho, mas você consegue alguém melhor. Você não falou que ele era um bancário daquele tipo meio babaca?

— Não me lembro de ter dito isso. — (Ela disse). — E odeio perguntar o óbvio, mas se eu consigo alguém melhor, então ele não deveria estar batendo na minha porta agora mesmo? E, a propósito, quando o viu no casamento disse que ele era adorável.

— Argh, não importa o que eu disse. Hormônios. Pare de ficar olhando seu e-mail e pense em onde vai nos levar para seu jantar de aniversário há muito tempo atrasado. Pensamos no Beatrice Inn, talvez. Caroline consegue nos botar para dentro. — Evie tinha cancelado duas comemorações marcadas por causa de trabalho. Havia uma possibilidade de as coisas ficarem mais calmas durante o verão, mas Evie não estava num clima de muita diversão.

Ela decidiu ignorar completamente a tentativa de Tracy de mudar de assunto:

— Em toda minha vida adulta, só conheci uma pessoa que realmente amei e que me amou de volta. Você sabe que eu nunca deveria ter dado aquele ultimato estúpido a ele. Eu poderia estar feliz...

— Feliz com o quê? — interrompeu Tracy. — Com o namoro? Você não pode namorar pelo resto da sua vida. Você disse que queria um compromisso de verdade. Casamento. Uma cerimônia. Filhos. Você merece isso, e terminar com Jack foi a coisa certa a fazer.

— Acho que você tem razão. — Evie resolveu que seria mais fácil concordar do que começar essa discussão mais uma vez, uma discussão que ela já tivera com suas amigas pelo menos uma dúzia de vezes.

— Eu tenho razão. Mas preciso desligar. O sinal acabou de tocar.

Evie baixou o telefone e abriu seu gaveteiro. Ela deslizou algumas pastas suspensas para frente e tirou o porta-retrato de moldura prateada, agora enferrujado, que ficava à direita de seu computador. Havia nele uma foto dela e de Jack num evento de culinária no Halloween. Jack era um dos chefs presentes. De fantasia, o máximo que ele arriscou foi deixar Evie pregar alguns broches bobos e penas em seu chapéu. Ela, por outro lado, havia mergulhado fundo e se fantasiara como uma versão sexy de Remy, do filme *Ratatouille*, da Disney.

Evie havia conhecido Jack apenas um mês antes da festa de Halloween no Soho Grand quando foi comemorar com suas amigas a volta de Stasia da costa oeste. No saguão chique, ela se sentara feliz entre Stasia e Caroline num banco de veludo e rapidamente entornara uma taça de Cabernet. Ela relaxou e bebeu mais, distraída por um díptico vermelho ao lado do bar. Foi quando notou Jack. Ele estava se levantando de uma mesa próxima cumprimentando com as mãos uma bela jovem, segurando um gravador, e um câmera todo tatuado. Evie imediatamente ficou curiosa.

Depois de cerca de uma hora de trocas de olhares entre os dois, ele se aproximou de Evie quando ela se afastou de sua mesa para ouvir uma mensagem de voz, e ofereceu-lhe um drinque. A primeira coisa que ela notou foi seu sotaque. Definitivamente britânico e definitivamente sexy.

Evie concluiu que ele era bonito, mas não bonito demais para ela. Era mais ou menos oito centímetros mais alto que ela, de salto, e tinha a pele clara, os olhos azuis acinzentados e cabelos castanhos levemente compridos. Ela imaginou que deveria estar com trinta e poucos anos. A pequena fenda entre seus dois dentes da frente imediatamente deixou Evie curiosa quanto a sua história. De onde ela viera, todo mundo colocava aparelhos depois de seus *bar mitzvahs*. Ele tinha uma sensualidade crua, ressaltada pela barba por fazer e a jaqueta de couro de motociclista que conseguia vestir bem sem nenhuma ironia. Resumindo — ele tinha um ar de superioridade.

— Sou Jack — apresentou-se ele, pegando um punhado de nozes do bar. — E estou completamente faminto depois de um péssimo sushi em Midtown.

— Midtown? Por que estava comendo lá? Meu escritório fica em Midtown e os restaurantes são horríveis. A propósito, me chamo Evie.

— E o que você faz? Em Midtown?

Graças ao álcool elevando um pouco sua autoestima, Evie respondeu orgulhosamente que era advogada corporativa no Baker Smith, em vez de balbuciar "advogada" baixinho.

Eles acabaram conversando durante dez minutos sobre quais bairros de Manhattan tinham os melhores restaurantes — provocando, rindo e brigando de brincadeira como se estivessem num debate. Pela primeira vez em séculos, ela conseguiu ignorar as vibrações insistentes de seu BlackBerry, mesmo sabendo que um time de advogados da filial de Menlo Park estava esperando sua resposta. Jack era simplesmente muito passional ao falar — apesar de ter de admitir que qualquer coisa que ele dissesse com aquele sotaque a teria de hipnotizado de qualquer maneira.

— Então, Jack, o que é que *você* faz para ter tanto tempo para comer fora? — Ela esperava alguma pista sobre o porquê de ele estar sendo filmado mais cedo.

— Bem, acho que esta é uma boa hora para contar a você que sou chef. Jack Kipling é meu nome completo. Talvez eu devesse ter dito isso antes de termos conversado sobre o assunto. — Ele riu, obviamente gostando da surpresa dela.

Jack Kipling era, sem dúvidas, o chef mais cobiçado da cidade. Ela ficou surpresa em não tê-lo reconhecido. Ele não só era chef, como também um bem-sucedido *restaurateur*, dono de diversos restaurantes elogiados da cidade, o mais famoso deles, o JAK, era um bistrô francês no Upper West Side, perto do apartamento de Evie. Era amigo íntimo e rival de Marcus Samuelsson.

— Mas não se preocupe, não fiquei ofendido com seu comentário sobre os restaurantes de Uptown serem quase tão ruins quanto os de Midtown — continuou ele.

— Espera... Não!... Na verdade eu adoro o JAK! Como lá o tempo todo. Sério. Pode olhar os recibos. Vai ver vários do AmEx, no nome de Evie Rosen.

— Acredito em você. Apesar de preferir não perguntar qual seu prato favorito lá, caso esteja mentindo para que eu não me sinta mal. Olha, essas nozes não estão mais funcionando comigo, ainda estou morrendo de fome. Você quer... Não, espere, esqueci que a vi ali com suas amigas.

— Não, não, tudo bem. Estávamos prestes a ir embora, de qualquer maneira — mentiu Evie. — Só vou me despedir delas e então podemos ir comer alguma coisa.

E foi assim o começo do relacionamento entre Evie e Jack.

Três toques de sua linha do escritório trouxeram Evie de volta ao presente. Sua secretária, Marianne, que ela dividia com outra associada, não estava na sua mesa, como sempre, então Evie atendeu o telefone. Marianne tinha um cabelão e lábios carnudos que parecia estar sempre precisando retocar no banheiro.

— Evie falando.

— Evie, é Mitchell Rhodes. Poderia vir à sala de conferência no quadragésimo-segundo andar, por favor?

Evie imediatamente se sentiu enjoada. Sua nomeação como sócia não poderia ser agora, poderia? Era cedo demais para aquilo, a não ser que o escritório estivesse mudando o protocolo. Talvez quisessem testá-la em alguns assuntos recentes, para ver se ela estava realmente preparada. Ou será que havia algum tipo de rito de iniciação de sociedade secreta, em que ela teria os olhos vendados e seria forçada a beber uma gota de sangue dos dedos mindinhos de cada um dos sócios do comitê executivo? Por que todos naquele escritório tinham de ser tão formais? Ela queria que eles simplesmente dissessem: "Ei, suba até aqui, queremos lhe dar uma sala enorme e pilhas de dinheiro."

— Claro, já estou subindo — balbuciou ela, pegando seu crachá de identificação para poder acessar o andar de conferências da divisão executiva.

Dois minutos mais tarde, Evie se viu sentada à frente de cinco integrantes do comitê de parcerias. Mitchell estava olhando seu BlackBerry e não levantou o olhar quando ela entrou, o que lhe pareceu estranho. A sala de conferência tinha uma parede de vidro e o sol da tarde iluminava o lugar, forçando Evie a semicerrar os olhos enquanto olhava os outros sócios com expressões severas nos rostos. Ela preparou seu corpo para o que estava por vir. A comprida mesa de mogno em volta da qual estavam os sócios estava coberta de caixas cheias de papéis — do tipo usado em projetos de diligência processual. Deveria haver pelo menos dez delas, todas lotadas até a tampa. *Santo Deus, por favor* não deixe ser a quantidade de papelada que precisará revisar para sua nova tarefa.

— Evie — começou Patrícia Douglas, a mais nova integrante do comitê e litigante elogiada. — Sabe que achamos seu trabalho extraordinário desde que se juntou ao escritório. Suas avaliações foram consistentemente excelentes.

— Obrigada. Realmente tento fazer o melhor. — Quando ninguém sorriu, Evie se perguntou se talvez não devesse ter respondido.

— Como você sabe, a escolha de quem se torna sócio no Baker Smith é algo que levamos a sério.

Não brinca. Dos cerca de 120 que entraram com ela, apenas cinco ou seis tinham chances de sociedade. Evie mal conhecia seus concorrentes. Os outros associados cujos nomes estavam sendo sussurrados nos corredores trabalhavam em departamentos diferentes e raramente, ou nunca, apareciam em eventos sociais do escritório. O resto dos associados que entraram com ela tinha sido gradualmente derrubado ao longo de um período de oito anos. Sangue, suor e lágrimas era o esperado pelos que sobravam da jornada. E ainda assim não havia garantia para aqueles ainda de pé. Poderia ser um erro de falta de atenção no fechamento de um documento. Ou uma gafe numa reunião com algum cliente. Ela tinha imenso orgulho de si mesma por nunca ter cometido nenhum erro, pelo menos não um erro grande o bastante para chamar a atenção da gestão superior.

— No entanto — continuou Patrícia —, tem uma coisa preocupante que recentemente nos chamou a atenção. Sobre seu desempenho.

Subitamente, a temperatura ficou mais quente que nas aulas de Bikram Yoga. O que viria a seguir? Ela não conseguia se recordar de quando se sentira tão insegura.

Um milhão de hipóteses passaram por sua cabeça ao mesmo tempo, mas nenhuma delas fazia muito sentido. Uma vez ela fingira um resfriado terrível para não ir a um programa de orientação e foi a um evento especial no restaurante de Jack. Quem poderia saber que ela havia mentido? Ela propositalmente fugira das fotos fadadas a irem parar no Instagram. Mais recentemente, ela se esquecera de silenciar seu telefone durante uma ligação com os contadores da Calico e marcara um horário no salão simultaneamente. Mas essas não eram ofensas graves.

— Evie, está vendo todos esses papéis em cima da mesa?

É claro que estava. Ela assentiu.

— Faz ideia de quantos papéis temos aqui?

Evie balançou a cabeça negativamente. O que era aquilo? Algum concurso para adivinhar a quantidade de agulhas num palheiro?

— Dez mil — esclareceu Patrícia. — Na verdade, mais do que isso. E você sabe o que há nestes papéis?

Evie olhou para o chão sem conseguir piscar, e ficou esperando a estampa xadrez do carpete começar a se transformar numa figura estranha e distorcida.

— Revisões documentais? — sussurrou Evie. — Para meu próximo projeto. A fusão de tecnologia. — Sua voz desafinou, como a de uma garotinha.

— Não, não é isso, Evie. — Mitchell Rhodes falou pela primeira vez durante a reunião. Todos os outros sócios presentes continuavam em silêncio, a maioria deles sem revelar nada com o rosto. Um deles — de cujo nome Evie não se lembrava — parecia estar prendendo um sorriso. — Evie, estes papéis contêm os mais de 150 mil e-mails pessoais que você mandou do trabalho durante os últimos oito anos. Como sem dúvidas sabe, estávamos tendo diversos problemas com o servidor recentemente. Muitos associados estavam reclamando da velocidade da internet e dizendo que o LexisNexis estava quase inutilizável. Então contratamos uma empresa de consultoria para analisar o problema. Foi descoberto que alguns de nossos associados têm abusado de seu tempo no trabalho para enviar longos e-mails pessoais. Mas você, Evie, foi de longe a pior infratora. Calculamos que você mandou, em média, 75 e-mails pessoais por dia. A princípio achamos que estava trabalhando do escritório em um segundo emprego, o que é estritamente proibido, mas através de uma revisão de conteúdo, não parece ser o caso.

Evie sentiu suas costelas se fechando como um acordeão. Ela teve medo de seu esqueleto não ser forte o suficiente para fazê-la levantar da cadeira e correr até o banheiro, para vomitar desesperadamente. Seria realmente verdade? Ela era a pior infratora do escritório? Vício em e-mail não era um problema de todos? Os associados mais novos estavam provavelmente se comunicando apenas por mensagens de texto. Mas ela poderia provar isso?

— Evie — prosseguiu Mitchell —, estamos muito decepcionados. Francamente, você estava quase certa para a sociedade. Mas não podemos promover uma pessoa que em um dia mandou mais de noventa e-mails para alguém chamado Caroline Michaels com o assunto “Será que o Jack está de saco cheio de mim?”.

Evie se lembrava daquele dia. Ela não conseguia se concentrar no trabalho porque Jack tinha recusado seu pedido para viajar com ele até o Festival de Comida e vinho de Aspen sem nenhum motivo. Tudo que ele dissera fora “Tudo bem por mim ir sozinho”. Evie sentia como se estivesse incomodando ele toda vez que se oferecia para ir junto. Ela sentiu uma gota salgada em seus lábios ao se lembrar daquilo, o que deu início a uma nova leva de lágrimas ao pensar no que estava acontecendo agora. Estava perdendo o emprego. A coisa mais estável em sua vida. Seu sustento. Uma boa parte de sua existência. E estava chorando no trabalho. Uma coisa que havia jurado nunca fazer.

Patrícia recomeçou a falar, sem se deixar abater pelas lágrimas de Evie:

— Caso esteja se perguntando, termos lido seus e-mails é perfeitamente legal. Quando assinou seu contrato de admissão, nos deu total consentimento para ler qualquer coisa em nossos servidores. — Jesus, era como se ela estivesse lendo um manual de defesa de demissão sem justa causa. — Evie, sinto muito sobre como isso terminou. Mas não conseguimos imaginá-la dedicando sua total energia ao trabalho quando gasta tanto tempo com assuntos pessoais no escritório. Desejamos-lhe sorte, mas seu contrato no Baker Smith está oficialmente encerrado.

Sem dizer uma palavra, Evie se levantou e caminhou até a porta. Reunindo toda a força que ainda restava em seu corpo, ela sussurrou:

— Então acho que isso é adeus.

— Evie... espere — pediu Patrícia.

Evie se virou com uma das mãos ainda na maçaneta. Ela pensou por um breve momento que talvez eles tivessem mudado de ideia, chegando silenciosamente à decisão — após ver como ela estava angustiada — de que, sim, poderiam deixar passar suas infrações via e-mail e dar a ela mais uma chance.

— Sim? — perguntou Evie, com uma nota de esperança no tom de voz dolorosamente óbvia até mesmo pra ela.

— Vamos precisar do seu BlackBerry de volta.

Ela conseguia pensar somente em uma coisa enquanto segurava o pedaço de plástico preto leve como uma pena, sua conexão com o mundo externo durante os últimos oito anos: se ela não era evie.rosen@bakersmith.com, quem seria?

Capítulo 3

Naturalmente, quando Evie voltou para sua sala, Marianne estava na sua mesa pela primeira vez nos últimos tempos. Ela desligou o telefone e apareceu ao lado de Evie em segundos, fingindo reconfortá-la. Marianne e Evie nunca gostaram uma da outra. Marianne ressentia-se por trabalhar para uma garota com metade de sua idade e claramente achava Evie uma idiota toda vez que ela pedia ajuda com a copiadora. Evie, por sua vez, tinha certeza de que ser uma boa advogada não exigia PhD em troca de toner. Ela também tinha vontade de dizer a Marianne que parasse de conversar com suas vizinhas de Staten Island três horas por dia sobre a possibilidade de seu marido, Mickey Jr., a estar traindo ou não, e que, em vez disso, preparasse os relatórios de custo de Evie. Era uma relação tensa, no mínimo. O que fez a falsa preocupação de Marianne parecer ainda pior.

— Pobrezinha. Despediram você? Soube pela Jamila, da contabilidade. Deixe-me pegar um lenço de papel para limpar sua maquiagem. Não faz sentido sair daqui e deixar na memória uma imagem horrorosa desse jeito.

Este havia sido o ato de gentileza que Marianne resolvera deixar como última impressão de Evie a respeito dela. Pelo menos Evie não precisaria mais vê-la todo dia. Era uma gota de prata num mar de lixo.

Marianne, no entanto, estava certa quanto a buscar lenços de papel rapidamente. O Baker Smith deu a Evie quatro horas para deixar o prédio e devolver seu cartão de identificação. Um e-mail a aguardava com "instruções de saída". Os filhos da puta do RH estavam na expectativa para clicar em *Enviar*. Dez minutos depois um homem forte com a palavra MÃE tatuada no bíceps deixou para ela vinte caixas de papelão. Ele foi seguido por uma mulher rabugenta do Centro de Registros que parecia precisar de vitamina D urgentemente, graças à sua longa estadia no subsolo do Baker Smith. Ela explicou a maneira metódica como Evie deveria etiquetar e guardar seus antigos arquivos. Era a cara daquele lugar esperar que ela trabalhasse até seu último minuto no prédio. Evie ficou tentada a enviar uma gravação de suas últimas horas de acordo com os protocolos padrão de seis minutos que advogados usavam para cobrança: 2m02s — 2m08s: chorou enquanto lia instruções de saída; 2m08s — 2m14s: olhou feio para Marianne, que fofocava com as outras secretárias sobre a demissão de sua chefe; 2m14s — 2m20s: segurou seu BlackBerry na palma de sua mão se perguntando como era possível ter mandado tantos e-mails durante os últimos oito anos; 2m20s — 2m26s: ida demorada ao banheiro para se recompor e planejar uma vingança impraticável contra o Baker Smith.

Os gaveteiros de Evie estavam transbordando com quase uma década de fusões, cisões, compras de ações e aquisições alavancadas. Ela cogitou brevemente misturar intencionalmente todos os seus papéis e colar as etiquetas nas caixas erradas, mas percebeu que aquilo só traria mais trabalho a ela e ninguém nem ao menos perceberia. Quando terminou, foi dar adeus aos poucos amigos que fizera lá durante seu mandato. Evie abraçou Annie na frente da máquina de frozen yogurt do refeitório, o ponto de encontro favorito das duas durante o dia. Annie fez Evie jurar que ligaria para ela após o encontro às cegas com Mike Jones que ela havia orquestrado. Como Evie basicamente havia desistido de Luke Glasscock, sabia que não tinha motivo legítimo para adiar o encontro com Mike. Ela ficou feliz por Annie não ter lhe perguntado sobre a demissão. Evie esperava que a história nunca vazasse — o comitê de sociedade não iria querer que o episódio viesse a público, pois pegaria mal com os clientes, e ela certamente não planejava revelar nada quando estivesse pelas ruas atrás de um novo emprego.

Depois de terminar seu último iogurte de baunilha com chocolate, cortesia da Baker Smith, Evie visitou Julia, sua vizinha de escritório durante os últimos dois anos, uma amigável associada da divisão de crimes de colarinho-branco que gostava de oferecer biscoitos caseiros. Ela não conseguiu não reparar que o Hotmail estava aberto na tela de sua amiga. Por que ela também não estava sendo demitida?

Por último, ela foi até Pierce, um assistente administrativo atrevido com quem Evie fazia relatórios animados, baseados em comentários maldosos sobre os outros advogados. Eles falaram uma última vez de Harry, o adjunto fiscal vesgo e de mão boba e prometeram manter contato. Havia outros. Advogados que a ouviram resmungando sobre o término com Jack no "Fat Al's", o bar do outro lado da rua que regularmente recebia os profissionais famintos e cheios de tesão de Midtown. Moças da sala de impressão que a ouviam reclamar enquanto habilmente formatavam seus documentos. Os nerds do TI que salvaram sua vida tantas vezes. Ela tinha verdadeiro carinho por essas pessoas, mas era realista a respeito do futuro contato com elas. Ela estivera do outro lado tempo demais — anotando os e-mails pessoais de quem saía antes de irem embora com promessas vazias de tomar um café um dia. Apenas com Annie seria diferente. Eram amigas desde o estágio de verão no Baker Smith, tiveram os mesmos tipos de parceiros sabe-tudo que as menosprezavam, almoçavam juntas pelo menos uma vez por semana, e até mesmo dividiram Marianne como assistente durante um tempo.

A última parada de Evie em sua jornada de partida foi no escritório de Mitchell Rhodes. Ela sabia que, de todos os sócios, ele seria o mais compreensivo, e o mais propenso a oferecer uma carta de recomendação. Sua porta estava entreaberta quando Evie se aproximou, e ela pôde ver que ele estava ao telefone.

— Pare de gritar comigo. Estou no trabalho. Pare de gritar. Eu disse para parar de gritar. — Ela podia escutar Mitchell ladrando baixinho como um cachorro amordaçado. — Loreen... trabalho dezesseis horas por dia. Como eu poderia ter notado que ela estava usando drogas? Você é quem fica em casa o dia todo fazendo sabe-se lá o quê. Que tal bater na porta dela de vez em quando em vez de bater perna na Bloomingdale's?

O tom de Mitchell era frio. Ele era o sócio mais gentil que Evie conhecia no escritório, mas agora ela estava com medo até de bater na porta. Ele continuou, furioso:

— Não, eu não sei o que é Twitter. Ela tweetou que estava drogada? Loreen, você não está falando o nosso idioma. — Ele parou por um instante. — Não, não posso ir para casa conversar com ela. Tenho uma chamada em conferência em uma hora, depois um jantar de negócios e ainda vou voltar ao escritório para falar com alguns sócios do escritório em Tóquio. Alguém precisa pagar pelas drogas dela, não é?

Evie, ainda desorientada, não conseguiu prender a risada que escapou dela. Ela nunca imaginaria que o distinto Mitchell Rhodes, rei do escritório de quina e que fazia até chover tinha aquele senso de humor.

— Desculpe, não, não era para ser uma piada — insistiu Mitchell. — Vou tentar chegar antes das onze. E prometo que vamos lidar com isso de manhã.

Ele desligou. Sem um "eu te amo", sem "estou com saudades". Apenas uma promessa de lidar com o drama de família na manhã seguinte e ponto. Não era de admirar que Mitchell tivesse ficado tão satisfeito em receber o e-mail no qual ela se despedira com *bjs*. Pela conversa dele ao telefone, não ganhava muitos beijos ou abraços em casa.

— Evie, você está bem? — Perguntou ele, depois de vê-la olhando pelo vão de sua porta. — Por que não entra?

Ela afundou na mesma poltrona em que havia sentado na semana anterior, anotando instruções de Mitchell sobre como revisar um Prospecto Preliminar. Só que desta vez sua costas formavam uma corcunda e ela não estava animada, com papel e caneta a postos. Evie olhou ao redor em busca de fotos de família, esperando ver a filha desajustada de Mitchell. Não havia nenhuma.

— Evie, sei que ficou surpresa com o que aconteceu na reunião. Todos estamos nos sentindo péssimos. Você é uma excelente associada. Francamente, estamos surpresos com a quantidade de coisas que realizou considerando o tempo em que passou cuidando de assuntos pessoais. Na verdade é bem impressionante.

— Então me deem mais uma chance. Na minha última avaliação, fui levada a crer que estava a caminho de uma sociedade. Meus clientes vão ficar chateados por eu ir embora. Não posso receber apenas uma advertência? Asseguro a vocês que não vou cometer o mesmo erro novamente.

Enquanto falava aquilo ela mesma duvidava se era mesmo capaz de controlar sua fissura por distrações durante o dia.

— Além disso, me lembro de quando o servidor estava lento. Foi há pelo menos seis meses. Há quanto tempo vocês sabem disso? Por que esperaram para se livrar de mim? — Evie se lembrava exatamente de quando a internet ficou naquela velocidade pré-histórica. Foi exatamente na época de seu término com Jack, e eles estavam trocando aqueles derradeiros e-mails desconfortáveis — combinando quando ir pegar suas coisas um no apartamento do outro e cogitando se era uma boa ideia continuarem amigos (não era).

— Bem, Evie, demorou um tempo para investigarmos os problemas no servidor, e depois você ficou bastante envolvida na fusão Calico-Anson. Não era a hora certa. Você é uma excelente profissional... Só não queríamos nos despedir de você antes do necessário.

Era exatamente assim que Tracy dizia que Evie era boa demais para Luke. Se todos a amavam tanto assim, por que lhe davam um pé na bunda?

— Tenho boas notícias para você, entretanto. O comitê de compensação concordou com uma indenização compensatória de seis meses para você. O padrão são três meses, mas estamos estendendo por causa de seus feitos aqui no escritório.

Aquilo *era* um alívio. Em seu estado de choque, ela ainda não parara para pensar como viveria sem o contracheque.

— Obrigada — respondeu ela, desajeitadamente.

— A verdade é que eu tinha esperanças de que anunciasse você mesma sua saída para isso não ter que acontecer. — Ele parou e a olhou fixamente. — Muitas associadas da sua idade costumam ir embora a essa altura. Algumas até mais novas.

Então você estava contando em me perder devido ao meu casamento e meus filhos, pensou Evie amargamente. *Desculpe desapontá-lo.*

— Obviamente não aconteceu — continuou Mitchell. — E nesse caso, bem, de fato não tínhamos escolha quanto a lhe dar uma segunda chance. Você sabe, com o site. — Ele se interrompeu.

— Nesse caso? Site? O que aconteceu?

Mitchell virou a tela de seu computador para ela.

— Ah... acho que não deve ter visto ainda. Postaram um artigo alguns minutos antes de nos reunirmos com você.

Evie se levantou da poltrona e olhou a conhecida primeira página do *BigLawSux*, o blog incrivelmente popular onde advogados descontentes iam desabafar e fofocar sobre seus empregos. Havia sido criado por dois ex-advogados e tinha uma legião de leitores. O título dizia: BAKER SMITH CHUTA FUNCIONÁRIA VICIADA EM E-MAIL — TRABALHANDO HÁ OITO ANOS, EVIE ROSEN FOI ACUSADA DE PROVOCAR QUEDA DO SERVIDOR. À direita do texto, estava a foto do site de seu escritório — a maldita foto da qual ela não conseguia escapar, com o cabelo sujo e a maquiagem do dia anterior.

Evie descobriu então, com certeza, como era levar um soco de um boxeador na cara. Ela se esforçou para seus joelhos não cederem.

— Evie — disse Mitchell, mordendo seu lábio inferior e olhando para o canto da sala antes de voltar a focar nela. — Receio que com esse tipo de publicidade não há nada que possamos fazer. Sei que tudo parece meio drástico, e sinto muito por isso. Só queria que, pelo seu bem, os comentários não tivessem sido tão maldosos.

Evie se aproximou mais do monitor para ler as palavras em fonte menor embaixo do título da matéria, que formavam apenas um parágrafo. O artigo dizia basicamente o que ela escutara na reunião dos sócios e citava a fonte como um associado anônimo "próximo" de alguém do comitê. Que merda queriam dizer com "próximo"? Amante? Aquela pessoa deveria ter sido demitida, não ela! Os comentários no final, três vezes mais compridos que o artigo, a fizeram ficar sem ar.

O primeiro, dando início ao turbilhão, dizia:

"Não fico surpreso por Evie Rosen não ter se tornado sócia. Toda vez que eu entrava em sua sala, ela estava jogando *Scrabble* on-line ou comprando na OneKingsLane. Ouvi dizer que ela também alterava suas horas trabalhadas." Assinado pelo bravo e destemido "Anônimo".

— Isso não é verdade! — exclamou Evie, procurando no rosto de Mitchell sinais de que ele acreditava nela.

— Evie, talvez tenha lido o suficiente — disse ele, gentilmente tocando seu braço, quase como se estivesse tentando guiá-la para longe do monitor.

— Não, preciso ver isso.

Em seguida, vinha:

"Evie Rosen se achava melhor que todo mundo. Ela jogava o trabalho duro para os associados júnior e ficava com todo o crédito."

Esse veneno vinha de uma garota que se identificara como "Vadia Legalizada".

Pelo menos vários colegas a defenderam. "Jurista V1d4 L0K4" escreveu:

"Evie sempre foi legal comigo. Era um prazer trabalhar com ela e estou triste por vê-la indo embora."

Outros comentários acrescentavam que ela era inteligente e capaz, e que era uma palhaçada o Baker Smith mandar embora associados de tanto tempo. Então voltamos à vaca fria, graças ao comentário de "Águia Legal de NYC":

"Dane-se, pelo menos era uma bunda bonita no escritório. Agora só ficou dragão."

E, em seguida, o prego do caixão. O único que a atingiu como um soco:

"Evie Rosen nem é tão gata. Polly Yang, das Falências, é bem mais gostosa." Assinado, "Dotô Adevogado".

Ela ficou irada. O comentário sobre *Scrabble* só poderia ter vindo daquele associado que sempre estava fazendo barulhos nojentos enquanto comia seu iogurte. Ela nunca deveria ter pedido a ele que não comesse na sua sala. E quem era Polly Yang?

Evie estremeceu ao pensar na possibilidade de Jack ver aquilo. Não que ele lesse blogs sobre direito — ela sabia disso —, mas se ele jogava o nome dela no Google de vez em quando (e ela gostava de achar que ele jogava), esse poderia ser o primeiro resultado a aparecer. Publicidade negativa sempre tinha um jeito de vir à tona, como óleo em um molho.

Ela afundou de volta na poltrona na frente da mesa de Mitchell, sem fala. Ele a olhou com o que parecia ser verdadeira compaixão antes de falar:

— Sinto muito, Evie. Realmente não tivemos escolha. Nossos clientes leem esses blogs. Nossos serviços são caros, e eles querem ter certeza de que estão gastando bem seu dinheiro. Agora precisamos mais do que nunca tomar cuidado com nossa imagem. Não sei nem como esse blog teve acesso a nossos relatórios internos. Evie... você é uma excelente advogada. Não sei se isso é sua verdadeira paixão, mas você é muito boa. Se a economia não estivesse no ralo, talvez pudéssemos ter superado esse pequeno deslize — explicou, apontando para a tela. — Mas com as condições de mercado como estão, estamos praticamente procurando por qualquer motivo para ter o menor número de novos sócios possível. Não sei se isso ajuda você a se sentir melhor, mas de algumas maneiras esta decisão tem mais a ver conosco do que com você.

Evie gargalhou. Baker Smith estava terminando com ela com a desculpa mais antiga da história: "Não é você, sou eu." Patético.

— Obrigada, Mitchell. Para deixar registrado, nunca alterei meu ponto. Era realmente eu, trabalhando o tempo todo, por este lugar.

Ela se levantou de repente, ofereceu sua mão para um aperto, e deu meia-volta antes que ele pudesse responder. Seu relógio estava marcando 16h11. Menos de uma hora até ela ser chutada para fora do edifício. Em transe, Evie voltou à sua sala. Sentada na cadeira cujo assento de vinil já tinha uma marca permanente de seu traseiro, ela instintivamente tentou logar no seu computador, mas seu acesso foi negado. As palavras USUÁRIO INVÁLIDO queimaram suas retinas. Ela girou a cadeira para olhar pela última vez sua vista do trigésimo-nono andar — a vista que costumava fazê-la se sentir triunfante, agora a fazia se sentir enjoada. Era bastante chão até lá embaixo.

Cumprindo o protocolo, um segurança uniformizado subiu para acompanhá-la até a porta do prédio às dezessete horas.

— Pronta, senhorita? — perguntou ele, parado na porta de sua sala.

— Mais do que nunca — devolveu Evie, levantando-se de sua cadeira. Ela reuniu os poucos objetos pessoais que mantinha na mesa (uma orquídea imortal, um porta-retrato com uma foto dela, Fran e Bette, tirada num Dia de Ação de Graças alguns anos antes; uma foto sua como madrinha no casamento de Tracy; e uma impressão em preto e branco de Ansel Adams na parede). Ela cogitou deixar sua foto com Jack no gaveteiro, onde definharia eternamente nos arquivos. O lugar do retrato talvez devesse ser o arquivo, mas Evie o pegou na última hora e o guardou dentro da bolsa.

A sala parecia mais vazia que o normal, mas ela nunca tirara tempo para decorá-la devidamente, considerando que, como todos os associados, mudava de salinha para salinha toda vez que as novas contratações começavam. Esperava se mudar para uma sala de sócio, onde teria acesso ao generoso bônus para decoração do escritório. Um sofá de couro macio numa cor caramelo ficaria numa das paredes. Do outro lado, duas poltronas de madeira e assentos de seda rosa-choque. Três travesseiros de cashmere cor de aveia com trançados ficariam igualmente espaçados e perfeitamente de pé sobre o sofá, e ela colocaria uma manta de cashmere combinando nas costas da cadeira de sua mesa. Sua mesa seria curvada e moderna, diferente dos modelos pesados de mogno que os sócios homens preferiam. E ela teria cortinas. Ninguém nunca se lembrava daquele detalhe. Mas ela teria lembrado. Cortinas finas com detalhes em camurça, e forro cinza de cetim. Que desperdício de boas ideias.

Ela desligou o interruptor. Na verdade foi simbólico. Alguém da manutenção entraria em minutos para esterilizar o lugar, esfregando seu teclado com desinfetante para que nenhum vestígio de sua essência permanecesse.

Evie estava prestes a deixar seu BlackBerry em seu mouse pad, seguindo as instruções, mas em vez disso ela embrulhou a relíquia ultrapassada em algumas toalhas de papel e a largou na lixeira. Andando ao lado do guarda no corredor, ela se sentia caminhando pelo corredor da morte. Seus tímpanos estalaram quando o elevador passou do vigésimo segundo para o vigésimo primeiro andar, mas quando ela pisou na calçada movimentada às dezessete horas, não conseguia ouvir nada.

# # #

Stasia ligou para Evie duas vezes no dia do encontro com Mike Jones para ter certeza de que ela não iria furar. Era um dia de julho excepcionalmente úmido e chuvoso, o tipo de dia que nenhum produto de cabelo nem maquiagem à prova d'água consegue combater.

— Talvez seja justamente do que você precisa para se distrair do que aconteceu no trabalho — disse Stasia. — Mike parece ser promissor.

Ao fundo, Evie escutou Rick dizendo:

Se ela não quer ir, não deveria ir.

— Eu vou porque confio em Annie — disse Evie. Depois de uma busca mais agressiva na internet, incluindo o LexisNexis com sua senha ainda válida do Baker Smith, ela finalmente encontrara alguma informação sobre seu encontro. Uma foto em preto e branco revelava que ele fora um aluno bonito da Universidade da Pensilvânia e fizera odontologia. Nenhuma das duas coisas reveladas a Stasia.

— Estou orgulhosa de você por estar se expondo — continuou Stasia. — Isso é muito importante.

Evie se perguntou em qual experiência de vida Stasia estava se baseando. Na faculdade, ela namorara o *quarterback* bonito do time de futebol americano durante dois anos seguidos e depois partiu seu coração ao trocá-lo pelo igualmente bonito capitão do time de lacrosse, filho de uma famosa atriz e neto do inventor do Post-it. Sua vida amorosa parecia um fluxo constante de relacionamentos invejáveis. Ela não entendia como era difícil se "expor". Mesmo assim, Evie sabia que Stasia estava apenas tentando ajudar, então resolveu não desafiá-la com algum comentário sarcástico.

Mais tarde, Evie encontrou Mike no Café Lalo, um café perto de seu apartamento famoso por aparecer no filme *Mensagem para Você*, um dos favoritos de Evie em dias chuvosos. O lugar estava quase cheio e Evie presumiu, pelas posturas tensas e risadas nervosas, que muitos dos clientes ali estavam em primeiros encontros também.

— Evie? — perguntou o homem parado ao lado da hostess.

— Você deve ser o Mike — respondeu ela. Ele parecia mais jovem ao vivo do que na foto que ela encontrou on-line, com sardas claras no nariz. Seu cabelo era de uma exótica, mas agradável, combinação de vermelho e branco. Do que ele era feito? Sal e páprica? Usando uma camisa de botão xadrez estilosa e calças retas, ele estava longe de lembrar dr. Hamburger, o ortodontista de nome sugestivo que forçava um horrível expansor palatino em sua boca quando ela tinha oito anos de idade e a fez usar aparelho alguns anos mais tarde.

— É tão bom conhecê-la pessoalmente — disse Mike, dando um leve beijo em sua bochecha. Ele tinha cheiro de loção pós-barba e luvas de látex. — Você é linda. — Ela pensou ter notado uma dose de alívio nos olhos dele. Ele também provavelmente notara o mesmo nos dela. A primeira interação havia passado. Nenhuma verruga cabeluda. Nenhum dedo a mais. Ótimo, ninguém precisaria fingir um ataque cardíaco.

— Obrigada. Fico feliz de termos nos conhecido também — disse Evie, e era verdade. Stasia acertou ao forçá-la a ir.

A hostess os levou a uma mesa de canto, mas só tinha um banco e eles foram forçados a se sentarem lado a lado. Aquilo lembrou a Evie como seus pais se sentavam quando saíam para jantar no Hunan Garden todo domingo à noite, mas parecia tão mais estranho sentar-se assim, ombro a ombro, com um completo estranho.

— Tive um dia louco hoje — começou Mike, e Evie se sentiu agradecida por ele não ser do tipo calado. — Meu consultório é no Upper East Side e meus pacientes, bem, na verdade os pais deles, são meio tensos. Precisei implorar a uma mãe hoje para me deixar colocar aparelho no seu filho, mas ela se recusou porque acha que a revista *Avenue* vai fazer uma matéria sobre sua família.

— Está falando sério? — perguntou ela, jogando o cabelo casualmente. A *Avenue* era uma daquelas revistas que dão de graça naqueles prédios e condomínios de luxo, como o prédio onde ficava o apartamento de um quarto que ela queria ter depois de virar sócia. Bem, águas passadas.

— Totalmente sério — insistiu Mike, tomando um gole de seu *Irish coffee*. — Mas essa nem foi a pior parte. Fiz uma cirurgia numa menina de dezesseis anos e, quando lhe dei a receita de um remédio controlado, ela riu e disse que já tinha o bastante em casa.

Evie relaxou enquanto tomava sua bebida. Mike estava ficando cada vez mais divertido à medida que o álcool entrava em sua corrente sanguínea. Seu rosto ficou borrado quando ela olhou para ele através do fundo do copo. Ela começou a preencher mentalmente seus cabelos ralos e arrancar com a pinça alguns pelos de suas sobrancelhas que estavam fora do lugar. Evie achou que ele tinha aquele tipo de rosto que poderia estar na embalagem de pasta de dente cara: "Creme Dental Natural Antigengivite Colgate. Recomendado pelos melhores dentistas, inclusive pelo dr. Jones."

— E você, Evie? Gosta do seu trabalho no Baker Smith? — perguntou Mike na hora certa, à beira de começar a falar demais dele mesmo. Não que ela estivesse muito ansiosa para ter o foco voltado na sua direção.

— Bem — começou Evie, coçando a cabeça deliberadamente —, saí de lá recentemente. Então acho que não sou mais advogada. Ou pelo menos não uma advogada empregada. Mas, de todo modo, estou começando a achar que não gostava realmente de lá. Era simplesmente o que eu fazia. Isso faz sentido? — Para Evie fazia, mas provavelmente era a primeira vez que articulava seus sentimentos pelo antigo emprego de forma tão clara e em voz alta, até mesmo para ela.

— Faz todo o sentido — respondeu Mike, e Evie se lembrou então de que estava conversando com um ortodontista. Provavelmente ele também não era tão apaixonado por passar seus dias moldando aparelhos. Ela soube pelo Google que os pais dele também eram dentistas, então ele provavelmente seguiu essa carreira automaticamente, em vez de procurá-la.

Enquanto bebiam e dividiam uma fatia de torta de limão (que Evie desajeitadamente dividiu ao meio e colocou em pratos separados), eles conversaram durante quase duas horas até a garçonete começar a rondar a mesa.

— Bem, espero que possamos fazer isso de novo — disse Mike, enquanto pagava a conta. — Semana que vem estarei fora da cidade para uma reunião de ex-alunos na minha faculdade, mas quem sabe no fim de semana seguinte? — Ele olhou para Evie com esperança.

— Parece ótimo — respondeu ela, genuinamente contente. — É tão legal ainda estar envolvido com a faculdade. Imagino que tenha gostado da Penn, então?

— Não estudei na Penn. Por que achou isso? — perguntou ele, parecendo confuso, talvez até um pouco incomodado.

Evie vasculhou seu cérebro. Por que achava que ele havia estudado lá? Será que ele não contara isso ao longo da noite? Obviamente não. Foi então que ela se deu conta de que lera aquele fato na internet. Ela enrolou tentando disfarçar.

— É... não sei, acho que talvez Annie tenha me falado — mentiu.

— Duvido. Estudei na Arizona State com o irmão de Annie, Jordan.

Evie corou ainda mais.

— Tem outro ortodontista em Manhattan chamado Michael Jones. Ele estudou na Penn — explicou Mike. — Sempre recebo ligações no meu consultório de pacientes atrás dele. Evie, você me stalkeou no Google? — Ele não assinou o recibo do cartão de crédito que haviam deixado na frente dele. Evie se perguntou se Mike poderia estar desistindo de pagar pelo encontro.

A única opção viável era negar.

— Não, não. Devo só ter me confundido. Ah! Minha amiga estava falando da Penn hoje. Deve ter me confundido por causa do rum do meu drinque. Então, nos vemos de novo em duas semanas? — perguntou Evie, sem fazer contato visual.

— Eu ligo para você — respondeu Mike num tom de voz que só poderia ser descrito como evasivo. Ele assinou o recibo e se levantou de repente. — Prazer em conhecê-la — completou ele, fazendo o impensável: estendeu uma das mãos. Quando a noite começou, ele beijara seu rosto. Agora tudo que ele queria era um aperto de mãos. Evie nunca estivera num encontro que capotara tão rápido.

De volta em seu apartamento e jogada na cama assistindo episódios antigos de *Seinfeld*, Evie relembrou a noite. Estava com vergonha do que havia acontecido, mesmo que no fundo soubesse que stalkear alguém com quem você vai sair era rotina e uma necessidade no mundo atual dos encontros. Ela entendia que gerações passadas tinham se conhecido e vivido felizes para sempre sem fazerem colonoscopias digitais umas nas outras antes do primeiro encontro. Mas hoje em dia as coisas eram diferentes. Havia tanta informação disponível na internet que era irresponsabilidade *não* usá-la. No entanto, ser descoberta como stalker era outra história. E foi assim que Evie soube que nunca mais teria notícias de Mike Jones.

Pelo menos não era uma perda tão grande assim.

Evie comparava todo mundo que conhecia a Jack, criando conjuntos matemáticos na cabeça para analisar interseções. Claro que ela conheceu homens que se comparavam, ou que até mesmo superassem Jack quanto a beleza, humor e inteligência. Mas aquele *je ne sais quoi*, aquele "algo a mais", aquela parte do diagrama era mais difícil de ser preenchida por outro.

Durante seu tempo juntos, Jack abriu mais dois restaurantes — o Paris Spice, um *fusion* Ásia-França formal no Upper East Side, e um lounge de sobremesas chique em Tribeca chamado Eye Candy. Antes de Jack, ela não sabia quase nada a respeito de restaurantes a não ser onde a *Time Out New York* mandava comer e que novas culinárias o *New York Times* anunciava terem se juntado na loucura gourmet. Mas rapidamente ela estava falando coisas como "hostess" e "rotatividade de mesas" com *restaurateurs* e críticos em eventos de culinária e inaugurações.

Quando Evie saía com caras que trabalhavam com finanças, onipresentes em Manhattan, não ficava impressionada com aqueles papos sobre cobertura cambial ou patentes. Evie trabalhava naqueles mesmos acordos, eram tão interessantes em um encontro quanto no trabalho. Sua mãe certa vez insinuou que Evie gostava de Jack porque ele era conhecido — um convidado desejado em jantares e festas. Mas ele não era famoso de verdade. Era apenas um nome conhecido no raro círculo de Nova York com dinheiro suficiente para achar plausível pagar vinte e três dólares em uma fatia de cheesecake (o cardápio alegava que havia flocos de ouro nela, no entanto). Para Evie, é claro que Jack era muito mais que um nome influente, apesar de nunca se cansar da maneira como os clientes o olhavam quando ele saía da cozinha em seu uniforme. Além de bonito e bem-sucedido, Jack era um empreendedor ambicioso e amava sua profissão. Era o pacote completo. O que Evie não podia dizer prontamente a suas amigas, e o que tinha vergonha de dizer até mesmo para Fran, era que ela própria também era o pacote completo. Eles combinavam.

A contragosto, ela pegou seu computador para enviar um e-mail para Annie agradecendo por arranjar o encontro. Evie imaginou que Mike fosse contar a Annie sobre a situação do Google, mas não havia nada que pudesse fazer. Ela escreveu simplesmente que estava muito grata pela apresentação a Mike, mas que não achava que eles tinham muita "química". Sua avó sempre a aconselhava a agradecer por esses arranjos para que as pessoas não ficassem com a impressão errada de que ela não estava interessada em conhecer alguém. Bette ficaria orgulhosa por Evie estar pensando no todo, ainda que desesperada.

"Finalmente minha Evie está colocando suas *prriorridades* em ordem", diria, enquanto bebericava chá de ervas morno com o grupo de viúvas com quem jogava *mahjong* na Flórida.

Capítulo 4

Julho em Nova York era como o purgatório. Todo ano, quando essa época chegava, Evie imaginava se alguma fumaça de ônibus nociva a varreria de vez para o inferno das chamas de agosto ou se uma das raras brisas das árvores da Broadway a lançariam misericordiosamente direto para o outono. Este ano, especialmente, parecia mais inteligente ficar em casa. A cidade estava abandonada, de qualquer forma. A maioria dos nova-iorquinos foge da selva de pedra no verão, procurando refúgio no campo. Até mesmo virtualmente a vida parecia estar em suspensão. Ninguém novo aparecia no JDate. O feed do Facebook estava devagar quase parando.

O prédio de Evie tinha ar condicionado forte, do tipo que faz você esquecer em qual estação do ano está. Ela podia pedir comida a qualquer hora do dia, apesar de ser um hábito caro que precisaria eliminar. Sem um BlackBerry, seu laptop pessoal era sua ligação com o mundo exterior. Seu celular — praticamente uma antiguidade comparado aos padrões atuais (era de flip) — não tinha acesso à internet, e a tela de seu iPad estava rachada e irreconhecível após ela tê-lo deixado cair três dias antes enquanto tentava olhar o Instagram e escovar os dentes ao mesmo tempo. Ela realmente deveria sair de casa e comprar um iPhone, mas achava que não suportaria os olhares de repreensão das mães do Upper West Side equilibrando seus carrinhos de bebê e copos de *latte*, se perguntando ao olhar para ela: *Cadê seu bebê e sua cara dose de cafeína?* Tampouco conseguiria encarar as pessoas indo e voltando do trabalho, correndo apressadamente até o metrô ou brigando por táxis em seus ternos e saltos confortáveis. Ela imaginou que elas a reconheceriam por causa do artigo do *BigLaw-Sux* e pensariam apenas uma coisa: *patética*.

Quatro semanas haviam se passado desde sua demissão, mas a ferida ainda estava aberta como se tivesse sido ontem. Evie nunca mais veria o xadrez em tons de verde que cobria cada centímetro do piso do escritório de sua empresa, nem escutaria o falatório de Marianne sobre o "canalha" que era seu marido. Ela não se recostaria na cadeira ergonômica de sua mesa para alongar as costas enquanto uma associada mais nova se sentava à sua frente, perguntando com nervosismo se Evie estava satisfeita com seu resultado. Ela não faria mais parte de acordos que iriam parar nas manchetes do *Wall Street Journal*. Não assistiria à CNBC de manhã pensando para si mesma: *Eu trabalhei nisso*.

A pior parte de refletir sobre aqueles nunca-mais era sua ambivalência. Evie sentia falta da camaradagem do pessoal que virava a noite junto — as brigas com quem derrubava a pilha de embalagens de comida chinesa em cima da mesa de conferência, os biscoitos de três chocolates de Julia na sala do café e jogos de perguntas com os colegas à meia-noite enquanto a impressora cuspia prospectos de trezentas páginas. Ela sentia falta da sinfonia daquelas máquinas: o zumbido da copiadora, o ronco de seu computador sendo iniciado e o estalo do carrinho de entrega das correspondências haviam se tornado a trilha sonora de sua vida.

Mas ela não sentia falta das aulas contínuas e mentalmente entorpecentes sobre direito oferecidas no Baker Smith, nem das intermináveis horas supervisionando os mais novatos sentenciados à revisões de documentos numa cela sem janelas entupida de caixas de arquivos. Um tapinha nas costas pelo trabalho bem-feito — aquilo simplesmente não era suficiente para agradá-la em longo prazo.

Sair de seu apartamento pós-Baker Smith e ver as massas com seus jornais enfiados debaixo do braço correndo até o metrô a faria, inevitavelmente, pensar em seus próximos passos.

O isolamento de Evie em seu apartamento resultou em e-mails preocupados e ligações de suas amigas, incluindo Annie, que realmente provou ser mais que uma colega de trabalho casual.

— Sinto muito pelo encontro ter sido ruim — começou ela, fingindo não saber de toda a história do Google.

— Está tudo bem. O que tem acontecido no escritório?

— Isso que aconteceu com você foi uma brincadeira de mau gosto. Isto é, fico no Facebook o dia inteiro, assim como a maior parte dos outros associados. Acho que o truque é mantê-lo aberto o dia inteiro, em vez de abrir e fechar a página. Pelo menos foi isso que li no *BigLawSux*. Não há dúvidas de que foi uma injustiça. Eles simplesmente miraram em você porque estava prestes a se tornar sócia. Ouvi dizer que estão planejando demitir um monte de associados mais novos pelo mesmo motivo.

— Que seja. Com o post de bosta e aqueles comentários, estou condenada.

— Não é verdade. O artigo não está na lista dos mais compartilhados deles faz algum tempo. É passado. Vai conseguir outro emprego rapidinho.

— Se eu quiser um. Acordar depois das sete tem lá seus encantos.

— Nem sei mais o que é isso — disse Annie. — Talvez eu me junte a você pedindo aposentadoria antes da hora.

Evie notou seu suéter velho no espelho.

— Confie em mim, não é tão glamoroso quanto parece. Segure seu emprego.

A mãe de Evie começara a telefonar-lhe com mais frequência, geralmente do teatro, onde praticamente morava. Enquanto ela tentava transformar a demissão de Evie na melhor coisa que já lhe acontecera, Evie podia ouvir a soprano ensaiando "I Feel Pretty" nos bastidores. É claro que Fran, na verdade, não fazia ideia de por que Evie fora despedida, o que significava que ela também era obrigada a ouvir sua mãe reclamando da economia e dos terríveis futuros dos graduados americanos. Ela estava aliviada por não ter precisado contar os detalhes a seu pai. Henry Rosen havia trabalhado no mesmo escritório de Maryland do dia em que se formou na faculdade de direito até o dia em que morreu.

— Quem precisa daquele lugar miserável? — continuou Fran. — Quer que eu fale com alguém da Ogilvy para você?

Evie recusou.

— Tudo bem. Aposto que vai encontrar um emprego que ame.

— Isso é um oximoro, mãe.

A ideia de uma folha em branco a excitava e apavorava ao mesmo tempo. Sua carreira no Baker Smith tinha sido motivada principalmente por seu objetivo de se tornar sócia. A ideia de recomeçar do zero em outro escritótio, ou mesmo presumir que isso fosse uma possibilidade, era assustadora. Mais Mitchells para impressionar. Mais Mariannes para evitar.

— Pelo menos agora teremos mais tempo para nos ver.

Evie sentiu uma pontada de culpa com aquele comentário, seguida por uma onda de pânico. Ela definitivamente usou a desculpa de estar trabalhando em mais de uma ocasião para evitar eventos familiares — recentemente para faltar ao brunch com as gêmeas. Evie se sentia culpada por sua mãe nunca perceber que eram desculpas. Mas ao mesmo tempo em que experimentava essa culpa, percebeu que não tinha mais uma desculpa pronta para furar qualquer evento ao qual não estivesse a fim de ir.

Por que ela adiava as visitas à sua mãe? As gêmeas raramente estavam lá — tinham ido a um colégio interno e trabalhado em empregos comuns durante o verão (baristas em Aspen ano passado, guias em Martha's Vineyard no verão anterior). Também não era por causa de Winston, que era sempre cordial e nunca se metia em sua vida. Ele lhe dava um animado olá e um abraço paternal, e era sábio o bastante para voltar a seu porão para brincar com seu simulador de golfe enquanto Fran e Evie colocavam a conversa em dia e escolhiam frutas no mercado orgânico de Greenwich.

Assim que o pai de Evie faleceu, ela ficou preocupada por ser a única responsável por sua mãe. O que Fran faria para arranjar companhia? Evie era filha única. Ela começou a imaginar Fran indo para Yale nos fins de semana, dormindo no sofá do espaço público do dormitório, esperando por ela com uma caneca de chocolate quente na mão. Evie se sentia insensível por ter tanto horror àquela possibilidade. Mas talvez fosse sempre assim entre pais e filhos. Os pais são totalmente altruístas com seus filhos, e os filhos são totalmente egoístas com os pais.

Mas a solenidade de Fran durou até ela ter uma revelação, um ano depois da morte de Henry. Depois de uma visita ao cemitério, enquanto Evie ainda estava em transe fazendo "matemática de cemitério" — calculando tempos de vida somando e subtraindo os anos das lápides ao redor — a psique de Fran se acendeu como uma lâmpada. Ela se inscreveu numa aula de cerâmica, se matriculou para treinar krav magá em sua academia e voltou a frequentar seu adorado teatro comunitário. Na verdade, foi vestida dos pés à cabeça como Eliza Doolittle que Fran conheceu Winston, na fila de um Starbucks. Ele estava em Baltimore a negócios quando derramou metade de seu *latte* no vestido de renda e seda dela. Ele insistiu em pagar pela lavagem a seco. Ela lhe deu convites para a peça. Um ano depois, Evie tinha um padrasto e duas novas irmãs. Ela odiava pensar que se ressentia por sua mãe seguir em frente, por deixar sua filha sofrendo sozinha de luto. Mas Evie se ressentia, mesmo sabendo que não era justo. E provavelmente foi isso que aproximou tanto Bette e Evie — as duas ainda estavam lutando, enquanto Fran já conseguira avançar com sua vida.

A mãe de Evie se adaptara alegremente à sua nova vida em Connecticut, mergulhando no papel inesperado que assumira como madrasta de quarenta e poucos anos, seu único lamento era que os Pikesville Players eram bem melhores que os Greenwich Town Thespians. Era Evie que se sentia sozinha. Mas o quanto poderia conversar a respeito de encontros, solidão e sexo no século XXI com Fran, afinal? Evie esperava que sua mãe nunca descobrisse que ela estava aceitando sair com pedidos de SMS como "Tá de bobeira hj? Partiu sair?". A simples menção de Tinder a faria pensar em casamento.

Evie se perguntou se só conseguiria ficar em paz com a morte de seu pai no dia em que tivesse sua própria família. Ela estava com tanta vontade de procurar um relacionamento romântico quanto de procurar emprego. Uma advogada desempregada que matava tempo procurando fios de cabelo branco para arrancar e assistindo reprises de *Golden Girls* era a perfeita definição de nada sexy. Uma coisa era sair de um dia movimentado no escritório para uma hora de um café ou um drinque com alguém. Outra era passar um dia inteiro em casa se preparando, criando expectativas, e então voltando desapontada do encontro sem ao menos ter o trabalho para distraí-la. Esta simplesmente teria de ser uma fase de hibernação para Evie. Felizmente com seu computador e sua TV mantendo-a ocupada, ela tinha "suprimentos" suficientes.

# # #

— Vi no Facebook que você ainda está com Baker Smith na descrição de onde trabalha — disse Tracy assim que ela e Evie chegaram ao saguão do edifício de Evie.

Tinham acabado de voltar de uma caminhada em ritmo rápido. Evie percebeu que as coisas deveriam estar realmente ruins quando uma mulher grávida era quem chamava para fazer exercício. Tracy ligou para ela no sábado bem cedo dizendo que estava louca para sair de casa e ir para longe de Jake, que estava tocando sua guitarra sem a mínima consideração pela sua mulher grávida, nem pelo vizinho do andar de baixo, que já estava cutucando seu teto com um cabo de vassoura.

Quando Tracy ligou, Evie já estava acordada e ocupada na cama pesquisando "dormência nos braços e pernas" no Google, porque ela podia jurar que suas extremidades estavam adormecendo com mais frequência que o normal. Segundo o site WebMD, a melhor hipótese era algum dano nos nervos. As piores eram tumores cerebrais ou um derrame. Com aquelas doenças fatais tomando conta de seu cérebro tão facilmente, Evie ficou feliz com o convite de Tracy para um programa tão inofensivo.

Enquanto davam voltas no Reservatório do Central Park, Tracy concordou em acompanhar Evie ao Festival Internacional de Belas Artes & Antiguidades no Armory, que aconteceria em breve. Evie normalmente ia com sua avó, durante sua peregrinação anual a Nova York no outono, mas Bette ainda não havia comprado seu ingresso e pareceu evasiva quando Evie tocou no assunto. Ela e Bette ainda não tinham conversado muito desde que Evie saíra de seu emprego. Bette foi solidária quando Evie lhe contou sobre a demissão, mas reagiu como se Evie tivesse perdido uma pulseira, e não sua carreira inteira. Ela mentiu e disse que andava ocupada indo a entrevistas, com medo de que, se Bette soubesse que ela estava ficando em casa o dia todo, fosse ligar para que assistissem juntas *The Price Is Right* e discutissem "o situação" durante os intervalos.

O Festival de Antiguidades, mais de três mil metros quadrados de móveis e artigos de decoração de alta curadoria, a maior parte vinda da França, era simplesmente muito mais agradável de visitar acompanhada. Talvez finalmente estivesse ficando difícil demais para Bette viajar e ficar longe de seu habitat familiar — uma possibilidade que Evie sequer queria cogitar.

— Tem razão quanto ao Facebook — admitiu Evie. — Acho que estava meio que adiando isso. Como se pelo menos on-line eu pudesse fingir estar empregada. Mas realmente preciso tirar. O escritório provavelmente reagiria mal se alguém de lá percebesse.

— É melhor deixar o passado para trás — concordou Tracy. — Hoje em dia as pessoas usam o Facebook para arranjar emprego... Talvez outros escritórios entrem em contato com você se remover o Baker Smith de seu perfil.

— Não é exatamente assim que funciona — discordou Evie, se dando conta do quão pouco até mesmo suas melhores amigas sabiam sobre sua profissão.

— Nunca se sabe. Então, preciso correr para uma aula de parto. Me mata, por favor. Não ficou feliz de ter saído de casa? — perguntou ela, andando na outra direção sem esperar pela resposta.

De volta em seu apartamento, Evie tratou de deletar o Baker Smith de seus perfis on-line. Ela tinha algumas fotos do casamento de Paul que queria postar — Evie achava, inclusive, que uma delas seria uma boa opção de foto de perfil para um novo site chamado DateSmarter.com no qual havia feito cadastro e que supostamente ajudaria profissionais com um algoritmo à prova de erros para formar pares.

Sem planos pelo resto do dia, esperar curtidas, coraçõezinhos e elogios no Facebook e no Instagram parecia ser a melhor forma de passar sua tarde. Ela entrou no Facebook e começou a revisar sua página de informações pessoais. Estavam lá seus filmes preferidos (*O Pai da Noiva*, *Dias Incríveis*, *Casablanca*, *Cidadão Kane*), música (The Beatles, Rolling Stones, Sarah McLachlan), e livros (*As Vinhas da Ira*, *O Xará*, *O Retrato de Dorian Gray*). A página tinha fotos cuidadosamente selecionadas dela com todas as suas amigas, a cidade em que nascera, onde morava, sua idade, seu status de relacionamento, e resultados de testes aleatórios do Facebook que ela fizera ao longo dos anos. Era uma fusão de verdades e meias-verdades, coisas que ela realmente amava e coisas que queria que os outros achassem que ela amava.

Sua foto era igualmente ambígua. Uma imagem favorável de lado, exibindo cabelos reluzentes e um olho verde brilhante, mas sem revelar o suficiente de sua aparência para torná-la reconhecível se fosse vista de frente. Analisando-o bem, o perfil inteiro a fez se sentir como um camaleão.

Ela se dispersou um pouco ao procurar por antigos namorados e caras com quem havia tido encontros casuais — tentando descobrir pelas suas fotos o que andavam fazendo. Ela também procurou várias garotas que conhecera em Nova York e velhas amigas de verão e da escola com quem não falava há anos. Nada de muito significativo parecia ter acontecido desde que olhara pela última vez. E Jack não tinha Facebook — ela sabia que ele achava redes sociais baixas demais para ele. Ele tinha seu próprio site. Não precisava postar fotos de si mesmo de férias em South Beach para que o mundo todo visse que ele estava prosperando.

Depois de voltar à sua própria página para apagar de vez o Baker Smith, ela resolveu clicar na página do escritório uma última vez. Alguém de lá organizara um grupo não oficial do Baker Smith e todos os advogados no Facebook podiam entrar se quisessem. Eram basicamente jovens associados, e Evie começou a revirar suas páginas. Quando saísse da lista, não conseguiria mais ver os perfis dessas pessoas a não ser que fosse amiga delas fora dali. Ela ficou absorta, vendo suas fotos de viagens chiques, casamentos dos sonhos e bebês que pareciam ilustrar revistas. Uma nova funcionária, que Evie reconheceu dos corredores do escritório, postou fotos de uma recente viagem à Turquia, onde Evie e Jack pensaram em ir quando pudessem dar uma escapada de seus trabalhos.

Ela estudou as fotos, inserindo-se mentalmente nas paisagens. A garota visitara todos os pontos principais, incluindo Éfeso, Capadócia e Istambul. Depois de uma dúzia de fotos em pontos turísticos, Evie chegou a um álbum de fotos de casamento. O evento parecia luxuoso, e Evie ficou em transe olhando os vestidos chiques e joias coloridas. Alguns convidados tinham complexas tatuagens de henna subindo por seus braços definidos. Havia diversas fotos só das comidas. Pratos de delícias turcas coloridas que fizeram Evie salivar.

Ela começou a clicar nas fotos mais rapidamente para ver o noivo e a noiva. Evie encontrou uma foto impressionante deles de costas. O véu de bordas arredondadas da noiva podia ser comparado ao da princesa Diana nos quesitos comprimento e detalhes. O noivo era mais ou menos trinta centímetros mais alto que ela e tinha cabelos castanhos ondulados ao redor de um pequeno círculo calvo. Evie ficou curiosa para vê-los de frente. As fotos seguintes mostravam o casal a uma distância, embaixo de um toldo. Finalmente, a última foto do álbum mostrava o noivo e a noiva, recém-casados, caminhando felizes e de mãos dadas, voltando do altar. A noiva estava radiante. Ela era exótica — incrivelmente magra, com pele mediterrânea e cabelos pretos lisos presos em um coque chique sobre um dos ombros. Seus dentes brancos pareciam cartas perfeitamente enfileiradas. Seu vestido conseguia ser ao mesmo tempo atual e elegante. Evie ficou tão concentrada em analisar a noiva que mal olhou para o noivo.

Quando ela finalmente prestou atenção nele, viu que era Jack. O noivo era Jack Kipling.

Evie vomitou tudo que havia comido naquele dia bem ali na sua cama, em cima de seu laptop.

# # #

Passaram-se cinco minutos até que Evie conseguisse sair da cama. Ela ficou sentada tremendo, congelada de susto, mesmo que a garganta queimasse. Quando ela finalmente descongelou, limpou a tela do computador com alguns lenços de papel amassados e a aproximou dos olhos para ter certeza de que não era algum tipo de truque cruel da sua imaginação. O noivo era Jack. O homem que disse a ela no primeiro encontro que o divórcio turbulento de seus pais o tinha feito decidir nunca se casar. O homem que continuava acreditando naquilo depois de dois anos num relacionamento cheio de amor e apoio. O término havia causado uma dor quase como a de perder seu pai. Ela se conformara basicamente afirmando a si mesma que pelo menos Jack morreria sozinho.

Quem é essa garota?

Evie precisava saber de cada mínimo detalhe sobre ela. Não havia dúvidas de que a esposa de Jack era linda. Só faltava ter uma carreira incrível para completar. Talvez estivesse grávida. Um bebê explicaria tudo. Evie ficou olhando a tela, inclinando-a para trás e de lado para ver se um vislumbre de barriga aparecia por baixo do vestido de seda da noiva. A única coisa que conseguiu identificar por baixo do corpete, no entanto, foram costelas salientes. Se a noiva não estava grávida, provavelmente era alguma princesa turca. Evie não poderia competir com a realeza. Mas ela não sabia nem mesmo se a Turquia era uma monarquia. Jack saberia. Aparentemente, ele realizou o sonho de ir até lá.

Evie deslizou da cama e foi até a cozinha buscar toalhas de papel para limpar seu teclado. O rolo vazio a encarou do topo da lixeira. Então, foi até o banheiro e pegou um bolo de papel higiênico. Evie sentou-se na cama novamente e se encarregou de limpar os cantos e botões de seu teclado. Depois de limpar tudo, tentou entrar no Google. Demorou um minuto para carregar — muito mais que o normal, mas pelo menos parecia estar funcionando. Sem olhar a tela, ela digitou "Jack Kipling" e "princesa turca" e apertou Enter. Mais uma vez, pensou: Quem era essa garota? Que feitiço ela jogara em Jack? Que qualidades ela tinha que a faziam ser "para casar", enquanto Evie era apenas uma "parada na estrada"?

Ela olhou os resultados e não viu o nome de Jack em lugar algum. Evie se perguntou se não teria acidentalmente digitado as palavras erradas em seu estado de nervos. Verificando a caixa de busca, ela viu uma série de números aleatórios e letras sem ordem aparente. A dormência recente em suas pernas deveria, então, ser um sintoma de tumor cerebral. Os delírios estavam começando.

Ela fechou o navegador e clicou duas vezes de novo no ícone para reabri-lo. Nada aconteceu. Ela clicou três vezes. Quatro vezes. Nada. Ela tentou o Excel. Ele abriu sem problemas. Evie se sentiu temporariamente aliviada por seu computador não estar totalmente frito. E daí se ela não poderia mais pesquisar sobre nada? Podia fazer planilhas!

Sem hesitar muito, vestiu um short e uma regata, esperando que o tempo ainda estivesse quente, como estava durante sua caminhada matinal com Tracy. Normalmente ela estaria a um clique de distância de uma análise da umidade relativa do ar e de um gráfico de precipitação minuto a minuto. Sem BlackBerry, nem iPad, nem computador funcionando, ela teve que colocar a cabeça para fora da janela para saber se sua roupa servia.

Enquanto chamava o elevador, Evie se deu conta de que não fazia a mínima ideia de onde poderia consertar seu computador. Aquele era justamente o tipo de coisa que ela teria procurado na internet. Se ela não estivesse com tanto mau humor, teria rido da ironia. Em vez disso, ela ficou em pé no comprido corredor de seu prédio pensando em qual campainha poderia tocar. A maior parte dos vizinhos estaria no trabalho, onde Evie também estaria se sua vida não tivesse virado do avesso recentemente. Havia alguns moradores mais velhos no final do corredor, mas ela achava que não seriam muito acolhedores. A sra. Teitelbaum não ia com a cara de Evie desde que ela não assinara seu abaixo-assinado para proibir música depois das 21 horas. O sr. Warren, que tinha cheiro de charuto e fraldas geriátricas, também não serviria. Evie o evitava há seis meses, desde que ele sugerira arranjar um encontro entre ela e seu neto, um médico legista de Sioux Falls. Ela correu para o saguão, pensando em pedir ajuda a um dos porteiros.

— Nico! — exclamou Evie, puxando a manga do uniforme do porteiro com a mão que estava livre. — Onde posso consertar meu computador?

— Acho que tem um lugar na rua 72 — disse ele, gentilmente tentando soltar seu cotovelo. — Ah, espera, esquece, aquele lugar fechou. Ah... já sei. Tem uma loja de consertos perto da minha casa no Queens que faz o trabalho por metade do que cobram aqui por perto. Quer o endereço deles? O nome é Al's Technology World. Ou é Abe's? Quer saber, não tenho certeza. É melhor você pesquisar. Rockaway Boulevard.

— Eu não tenho como pesquisar! Esse é o problema — explicou Evie. — Obrigada, Nico, mas preciso ir.

Ela correu pelas portas giratórias e subiu a Broadway até finalmente encontrar uma Best Buy. O departamento de serviços ficava escondido dois andares abaixo do térreo. Ela esperava que não fosse surreal esperar que seu computador pudesse ser consertado em menos de uma hora. Felizmente havia apenas uma pessoa na sua frente. Era o meio da tarde de um dia útil, e ela não precisava mais resolver seus assuntos no fim de semana com o resto da massa empregada.

Enquanto esperava ser atendida, seu telefone tocou.

— Alô? — perguntou Evie cautelosamente, rezando para que não fosse sua mãe ou, pior ainda, Bette. Uma hora ela contaria a elas sobre Jack, mas esse dia não seria hoje.

— É Stasia. Onde você está? Não respondeu meu e-mail. Fiquei nervosa.

— Ufa, é você. Estou numa loja de eletrônicos... Meu computador quebrou.

— Caramba. Sabia que havia algo de errado quando não respondeu em dois minutos. Só estou ligando porque Rick achou que você poderia querer vir assistir a um filme com a gente hoje. Eu disse a ele que você estava virando uma eremita.

Evie suspirou, inalando profundamente pelo nariz e prendendo até ficar enjoada. Quer dizer que a ideia de convidá-la para ficar com eles e ter certeza de que ela estava bem fora de Rick. Talvez Stasia e Rick pudessem ter problemas de fertilidade e assim Evie teria uma trégua da inveja secreta que tinha deles. Deus, que pensamento horrível. Evie estremeceu com sua crueldade.

— Tá bom... talvez. Ligo para você mais tarde. Olha, tenho uma notícia importante. Jack se casou.

— O QUÊ? COM QUEM? COMO? TEM CERTEZA? — Pelo menos ela não sabia.

— Sim... tenho certeza. Descobri por acaso as fotos de seu casamento na internet. É uma longa história. — Antes de terminar de dizer aquilo, Evie já sabia que Stasia não acreditaria nela. Ela acharia que Evie estava bisbilhotando a vida de Jack. Não que fosse atípico dela fazer aquilo, mas nesse caso ela tinha mesmo encontrado as fotos por pura coincidência. — Ele se casou com algum tipo de princesa turca que parece anoréxica e pode estar grávida.

— Ela é anoréxica e está grávida? Evie, o que está dizendo?

Uma campainha soou indicando a vez de Evie ser atendida.

— Stas... preciso ir. Chegou minha vez. Ligo mais tarde para falar sobre o filme.

Evie se aproximou e colocou seu laptop em cima da mesa. O técnico enrugou o nariz de nojo. Obviamente o cheiro de vômito ainda não tinha sumido.

— Senhora, o que aconteceu aqui?

— Meu sobrinho de três meses vomitou no meu laptop e parece não estar mais funcionando direito. Pode consertar? — Pelo menos ela pensava rápido. Aquilo, junto com a capacidade de dobrar a língua, eram seus talentos especiais.

— Sinto muito, mas acho que não conseguimos consertar isso. Quando um computador é, é... ensopado assim, geralmente já era. Sugiro que suba e procure um novo. — Ele devolveu o laptop a ela junto com um cupom de desconto para um iMac.

Evie correu de volta para o andar de cima, subindo dois degraus da escada rolante de cada vez. Um vendedor com óculos trifocais e migalhas que, juntas, fariam um muffin inteiro presas na barba lhe ofereceu ajuda. Nerd Rangers, hora de morfar.

— Tem algum computador funcionando aí que eu possa usar... sabe, para testar?

— É claro, senhora. Este aqui está conectado à internet. — Ele prosseguiu tagarelando sobre o HD e megapixels, mas os dedos de Evie já estavam trabalhando à toda. Ela repetiu a pesquisa sobre Jack que tentara fazer antes. Uma porção de artigos sobre seus restaurantes apareceu, mas ela não encontrou nada sobre seu casamento. Seus olhos percorreram toda a tela em busca das palavras "noiva" e "cerimônia" ou qualquer outra coisa que tivesse a ver com casamento.

— Jack Kipling, hein? — comentou o atendente. — Acabei de levar a patroa em um de seus restaurantes no nosso aniversário. Comida boa.

Esse cara é casado? Sempre existe um chinelo velho para um pé cansado, como diria sua avó Bette.

— É mesmo? Uma vez ele subornou um inspetor da vigilância sanitária para não denunciar fezes de rato na cozinha.

Quantas vezes ela havia jurado nunca repetir aquilo? Pelo menos uma para cada vez que Jack jurou que nunca iria se casar. Lá se foram todas as promessas.

— Olha, acho que não posso me comprometer comprando um computador novo agora — acrescentou ela, pegando suas coisas e saindo em busca de um cybercafé onde pudesse continuar com mais privacidade.

Milagrosamente, ela encontrou um a algumas quadras da loja de eletrônicos, na sobreloja de um restaurante coreano. O lugar cheirava a uma mistura de desinfetante e *kimchi*, e estava quase completamente vazio, com exceção de um mendigo dormindo com sapatos feitos de toalhas de mão. Evie estremeceu ao se sentar na frente do computador mais longe do homem e colocou seu cartão de crédito na máquina. Uma mensagem de erro apareceu.

— Com licença — disse ela à atendente, uma adolescente gótica de batom preto e com palavras indecifráveis tatuadas no antebraço. Evie definitivamente *não* queria saber o que elas significavam. — Este computador não está funcionando.

— Desculpe, moça. Vai ter que usar aquele ali. — Ela apontou para o computador ao lado do mendigo. — Ao lado da Bela Adormecida.

Evie prendeu a respiração e ligou a máquina. Ela sacudia o joelho vigorosamente enquanto esperava o monitor acender. Quando estava prestes a entrar no Google, Evie congelou.

O que ela estava fazendo?

Estava sentada ao lado de um mendigo fedorento num cybercafé imundo para pesquisar sobre a esposa de Jack. Não ia lhe fazer bem algum ter mais informações. Ele estava casado. Descobrir qual escola sua esposa frequentou, ou se era uma empreendedora de sucesso, ou até mesmo se estava grávida dele não o tornaria menos casado.

Sua obsessão em saber tudo sobre todos atingiu níveis patológicos prejudiciais. Que bem stalkear pessoas on-line lhe trouxera? Ela rejeitara encontros perfeitamente aceitáveis por causa de coisas sem importância que descobrira na internet — uma profissão que não achou impressionante o bastante ou uma foto ruim. O último cara decente com quem saiu desistiu dela porque ela o stalkeou — e pior, stalkeou o cara errado.

Ela perdeu o emprego por causa de seu vício em internet. Aquilo deveria ter sido um alerta suficiente, mas não. Em vez disso, Evie estava gastando seu tempo desempregada na internet por mais de sete horas ao dia. Passava tempo demais pensando em suas fotos de perfil no Facebook, JDate e Match.com. Seus olhos estavam vermelhos de tanto tempo olhando fixamente para sua caixa de entrada, esperando e-mails de caras com quem saíra apenas uma vez. Se alguém realmente gostasse dela, poderia pegar a porcaria do telefone e ligar.

Ela resolveu sair da internet! Mas o que aquilo significava? Apenas coisas boas, pelo que podia presumir no momento:

Não stalkearia mais ninguém no Google.
Não veria mais seus ex no Facebook.
Não leria mais tweets.
Não postaria mais fotos e nem ficaria esperando curtidas.
Não atualizaria mais sua caixa de entrada do Gmail a cada trinta segundos.
Não usaria mais hashtags combinando palavras sem sentido.
Não postaria cada momento seu no Instagram.
Não faria mais *check-ins* no Foursquare.
Não mais daria lances no eBay só pela emoção de competir.
Não fingiria procurar emprego no Monster.
Não leria mais blogs. (Ela foi destruída em um, pelo amor de Deus!)
Não veria mais vídeos de crianças de dois anos de idade imitando Beyoncé no YouTube.
Não jogaria Scrabble contra autistas que não podiam sair de casa.
Não jogaria Candy Crush, aquela confusão psicodélica de bolas de açúcar sugadoras de alma.

E, o melhor de tudo, não existiria mais OkCupid, JDate, eHarmony nem Match.

Evie se sentiu empoderada. Ela flexionou os punhos, que agora estariam a salvo da síndrome do túnel do carpo — mais um bônus! Talvez seus órgãos reprodutores ganhassem mais alguns anos de vida sem as baterias de seu laptop queimando buracos neles. Ela tirou as mãos do teclado, simbolicamente, e as colocou no colo. Claro que ela também não poderia mais pedir os travesseiros divinos da Anthropologie que vira no site deles na noite anterior. Mas podia facilmente ir na loja e comprá-los, não podia? Era uma caminhada de meros vinte minutos do seu apartamento, e uma sessão de compras ao vivo provavelmente seria algo renovador.

A satisfação daquilo se espalhou por seu corpo como uma sauna a vapor, até ela olhar para suas pernas e se lembrar da verruga em sua coxa direita. Ela estava pretendendo fazer uma pesquisa sobre sinais de melanoma, porque podia jurar que a marca acima de seu joelho havia mudado de formato e de cor. Evie não lembrava se as cancerígenas eram redondas ou assimétricas. Talvez fosse melhor olhar só essa coisinha no WebMD — e depois poderia usar o Facebook para encontrar fotos suas de short e ver o quanto a pinta aumentara nos últimos meses. Quando estava prestes a abrir o browser, ela se forçou a parar. O WebMD a levara à muito improvável conclusão de que ela tivera um derrame semanas antes. E tuberculose na primavera passada, depois de pesquisar às três da manhã sobre tosse.

Agora ela só precisava avisar a seus amigos mais próximos que planejava ficar off-line. Ela abriu o Gmail, admirando as cores primárias de sua logo uma última vez, e começou a digitar uma mensagem para Tracy, Caroline, Stasia e Paul. Contaria à sua mãe na próxima vez que se encontrassem. Fran, com sua pré-histórica conta da AOL, não era grande mestre em e-mail. Ela recentemente perguntara a Evie como um príncipe nigeriano deposto precisando de dez mil dólares conseguira seu endereço de e-mail.

Ela digitou lenta e deliberadamente.

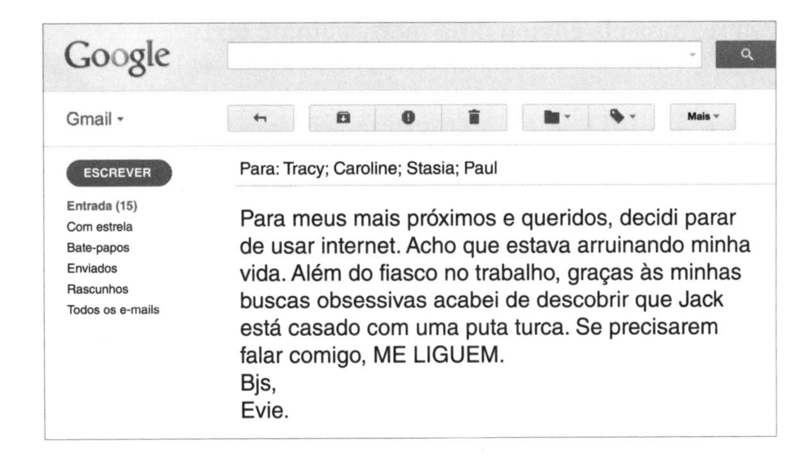
Para: Tracy; Caroline; Stasia; Paul

Para meus mais próximos e queridos, decidi parar de usar internet. Acho que estava arruinando minha vida. Além do fiasco no trabalho, graças às minhas buscas obsessivas acabei de descobrir que Jack está casado com uma puta turca. Se precisarem falar comigo, ME LIGUEM.
Bjs,
Evie.

Nem trinta segundos se passaram após ela apertar o botão de Enviar, e Evie já havia recebido três mensagens. A primeira era de Paul.

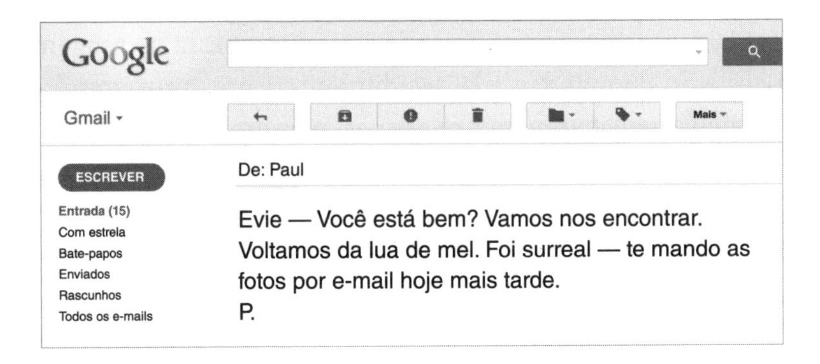
De: Paul

Evie — Você está bem? Vamos nos encontrar. Voltamos da lua de mel. Foi surreal — te mando as fotos por e-mail hoje mais tarde.
P.

Depois veio uma de Stasia.

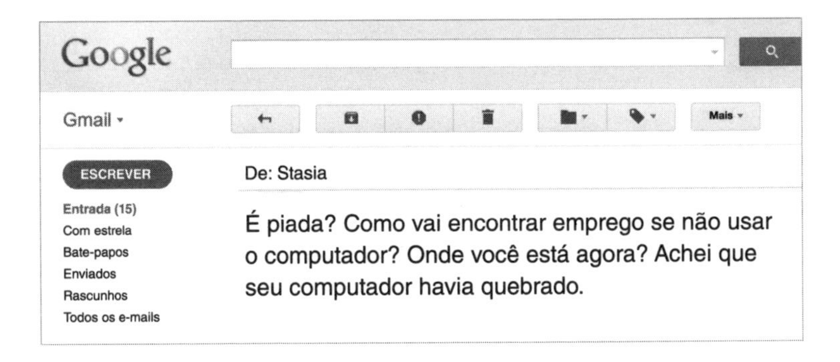
De: Stasia

É piada? Como vai encontrar emprego se não usar o computador? Onde você está agora? Achei que seu computador havia quebrado.

Em seguida ela enviou uma mensagem de texto:

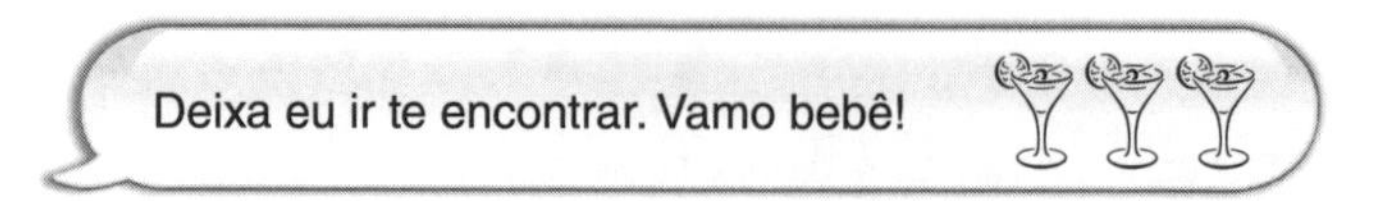

Segundos depois uma mensagem bem mais alarmante chegou de sua operadora:

VOCÊ ATINGIU O NÚMERO MÁXIMO DE MENSAGENS DE TEXTO DE SEU PACOTE DE DADOS. PARA CADA MENSAGEM ENVIADA E RECEBIDA A PARTIR DE AGORA SERÁ COBRADO O VALOR DE $1,99. PARA CONTRATAR UM NOVO PLANO, VISITE NOSSO SITE E CLIQUE EM PLANOS.

Era bom a operadora não estar cobrando por essa mensagem que tinha acabado de mandar. Ela decidiu de repente aproveitar e parar de usar mensagens também. Era apenas mais uma forma de comunicação falsa e truncada, em que uma vírgula fora do lugar podia sem querer causar a Terceira Guerra Mundial.

Um e-mail de Caroline veio em seguida:

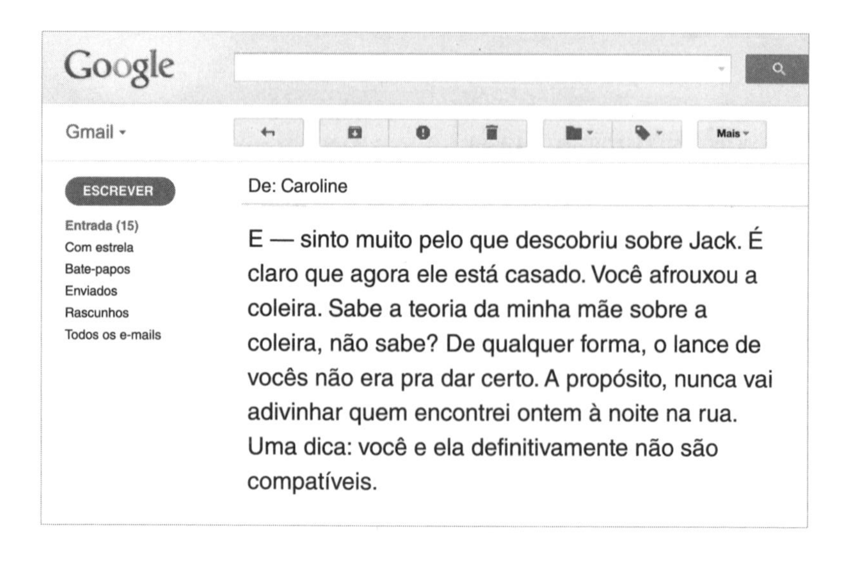
Google

Gmail

Mais

ESCREVER

Entrada (15)

Com estrela

Bate-papos

Enviados

Rascunhos

Todos os e-mails

De: Caroline

E — sinto muito pelo que descobriu sobre Jack. É claro que agora ele está casado. Você afrouxou a coleira. Sabe a teoria da minha mãe sobre a coleira, não sabe? De qualquer forma, o lance de vocês não era pra dar certo. A propósito, nunca vai adivinhar quem encontrei ontem à noite na rua. Uma dica: você e ela definitivamente não são compatíveis.

Naturalmente, Evie ficou curiosa. Podia ser aquela garota que Evie acusou de fazer xixi no chuveiro público de seu alojamento de caloura. Ou aquela menina vulgar das reservas do Paris Spice que sempre estava tentando transar com Jack. Ou talvez fosse Marianne. Ela orgulhosamente resistiu a responder com um "QUEM?".

Apenas Tracy teve o bom senso de ligar em vez de mandar um e-mail. Evie deixou cair na caixa postal, estando ocupada demais com a saída da internet para conversar.

Ela enviou um e-mail para o grupo.

Evie segurou seu cartão de crédito e observou a tela ficar preta. Ela não tinha exatamente um plano em mente. Mas Stasia trouxera à tona um ponto importante quanto à sua busca por um novo emprego. Sem poder mandar seu currículo por e-mail e acessar sua agenda de contatos on-line, ela não sabia direito como conseguiria um trabalho.

E nesse tempo em que ela ficara sem emprego, seus esforços para encontrar um poderiam ser definidos com a palavra “inexistentes”.

De alguma maneira, parar de usar a internet parecia a coisa certa a se fazer. Como se fosse um modo de tirar vantagem dos golpes que andava sofrendo ultimamente. Pelo menos isso a tornaria diferente dos outros, mas original do que mais uma advogada sem rosto num grande escritório, ou uma solteira em Manhattan em busca do amor. Pelo menos teria um assunto sobre o qual falar num encontro, se fosse a mais algum na vida. Mas era exatamente aquilo. Ela estava contando com a internet para arranjar namorado — agora ela sairia por aí e conheceria pessoas ao vivo e a cores.

Ela pegou suas coisas e saiu, para onde o eterno som das sirenes e dos pedestres apressados a faziam se sentir mais leve e menos sobrecarregada. Até mesmo seu estômago parecia estar melhor. Era como se um limpa-neve estivesse passando de sua cabeça a seus pés, removendo as impurezas. Como sua atividade de praxe — ficar de pijama na internet o dia todo — agora estava fora de cogitação, Evie resolveu dar um longo passeio no parque. Não havia nenhuma pressa para chegar em casa — nenhum e-mail para olhar, nenhum blog para ler, nem perfis para administrar. Talvez apenas uma noite vendo filmes com Stasia e Rick. Ela andou entre o labirinto de árvores, playgrounds e pistas de corrida e acabou de volta no Reservatório do Central Park, onde estivera com Tracy naquela manhã. Ela parou para admirar a calma da água.

E então jogou seu laptop dentro dele e observou enquanto aquela calma água escura ondulava com o inesperado mergulho de um MacBook Pro.

Capítulo 5

Durante as semanas seguintes, caminhadas demoradas pelo parque tornaram-se parte do ritual diário de Evie. Ela observava os eventos do Dia do Trabalho não tendo trabalho algum. Um ritmo de vida mais lento estava começando a se instalar, apesar de seu ser estar condicionado como um todo para resistir àquilo. Evie sempre tivera o perfil de quem passa direto e não cheira as rosas; de quem desce a página até o final dando apenas uma olhadinha e não lê cada palavra.

A princípio, a abstinência da internet foi insuportável. Ela se sentia ansiosa o tempo todo e suas mãos tremiam de verdade. Toda vez que Evie via alguém usando um smartphone ficava com vontade de pegá-lo e dar um último trago. Ela ouvira falar que ler e-mails liberava algum tipo de dopamina — e agora sabia que isso era totalmente verdade. Era inquietante estar tão desconectada do mundo — de seus amigos, das notícias, de tudo.

Mas havia uma inegável calma em não estar atrelada a um pequeno dispositivo que exigia que ela estivesse disponível 24 horas por dia, sete dias por semana. Ela se sentia em paz só de não ter que fazer tantas coisas ao mesmo tempo — escrever mensagens enquanto atravessava a rua ou enviar e-mails carregando sacolas de compras já tinha lhe causado dores de cabeça e pancadas suficientes. No dia em que descobriu que Jack havia se casado, Stasia ficou chocada por Evie não responder seu e-mail imediatamente. Tem alguma coisa errada em um mundo onde as pessoas esperam uma resposta a um convite para ver um filme em menos de cinco minutos. O ritmo em Nova York já era acelerado o suficiente sem a pressa adicional da comunicação instantânea.

Mesmo assim, seu corpo estava acostumado a estar sempre conectado, e quando alguém passava correndo por ela no Big Loop, a vibração a fazia se lembrar da vibração de seu BlackBerry e ela involuntariamente olhava dentro de sua bolsa para pegá-lo. Cada galho estalando no Ramble a lembrava do barulho de uma nova mensagem. E então ela se lembrava de que não havia e-mails para ler nem mensagens para responder e continuava sua caminhada, forçando-se a admirar uma grande árvore ou a notar um passarinho chilreando no alto. O que estava perdendo realmente? Uma mensagem de Tracy com o ultrassom de seu bebê parecendo um extraterrestre branco e embaçado? Um e-mail de Paul contando que viu alguma celebridade ajeitando a calcinha no restaurante Tao?

Em casa era definitivamente mais difícil ficar off-line. Lá ela tratava de se ocupar de forma quase profissional, escolhendo uma nova gaveta ou armário para arrumar toda vez que se lembrava da imagem de Jack em seu casamento. Mas não foi preciso muito tempo para arrumar seus suéteres pela cor ou seus sapatos pela altura do salto. Ela teria de fato amado usar aquele tempo livre para redecorar seu apartamento. Cadeiras Barcelona de couro branco deixariam tudo muito mais chique que suas poltronas antigas. E seu solitário colchão ficaria muito mais realizado se fosse encostado numa cabeceira de chagrém cor de lavanda feita sob encomenda, só que aquilo era impossível devido à sua cada vez mais diminuta poupança.

Era hora de Evie voltar ao trabalho. Ver pessoas. Usar seu cérebro. Juntar-se uma vez mais à sociedade real, considerando que ela abandonara totalmente a virtual. Mas ela não se sentia pronta. Jack — seu Jack — estava casado. O mundo como ela conhecia havia mudado para sempre, e ela não estava nem perto de se acostumar com aquela nova realidade.

# # #

— Evie, me deixe entrar. — A voz de Caroline chegou até o quarto de Evie. — Tenho uma surpresa para você.

Evie levou um susto com a batida em sua porta às oito da manhã. Do lado de fora, o mundo estava caindo e os pedestres se atrapalhavam com seus guarda-chuvas baratos determinados a inverterem com o vento. Ela não conseguia imaginar por que Caroline atravessaria a cidade toda naquela tempestade.

Pelo olho mágico, Evie viu Grace, filha mais velha de Caroline, através da estreita faixa de luz formada entre as pernas da mãe. Evie normalmente amava crianças, mas em seu estado sentimental atual, um dia com uma delas não se qualificava exatamente como uma boa surpresa. Ela destrancou a porta.

— Oi, Evie — disse Caroline, forçando Grace a entrar no apartamento com um puxão em seu pulso gorducho. — Reservei um dia inteiro para a gente no spa do hotel Plaza. Você nem precisa se arrumar. Jorge está lá embaixo pronto para nos levar. — Caroline baixou a voz. — E não pareça tão aflita. Vou deixar Grace na escola no caminho.

— Mas eu amo a Grace — protestou Evie, e Caroline ergueu uma das mãos para que se calasse.

Um dia de beleza era um luxo que Evie jamais consideraria, nem mesmo quando ganhava seu atraente salário, quanto mais desempregada. Ela aceitou a generosidade de Caroline, entrando alegremente na SUV com motorista que as levou para Midtown, passando pelos trabalhadores agitados a caminho de seus escritórios e braços esticados ao máximo tentando chamar táxis.

Trinta minutos mais tarde, as duas estavam aninhadas num oásis de tranquilidade a apenas vinte quadras do apartamento de Evie, mas que parecia um universo diferente. Evie levou um susto quando sua manicure começou a derramar óleo morno em seus pés e a esfregá-los com divinos movimentos circulares até seus joelhos.

— Assim é que deve ser uma pedicure? — murmurou Evie para Caroline, que estava sentada na cadeira acolchoada de couro branco ao lado da dela. O lugar parecia-se mais com um showroom de móveis italianos do que com um spa. O fundo musical era de Enya, o único som além do que saía da cascata derramando-se ritmicamente nas paredes. — A minha pedicure de sempre simplesmente comenta sobre minhas bolhas em coreano para as outras. Mas ganho uma depilação de buço às segundas-feiras.

— Shhh — cochichou Caroline, com um olhar de esguelha que fez Evie sentir que merecia mesmo ser alvo de fofocas em línguas estrangeiras. — Apenas aproveite.

— Tem razão. Obrigada mais uma vez por isso — disse Evie, e como estava desesperada para não ser uma chata completa, ela acrescentou: — Assistiu a *Preggers* ontem à noite? Não acredito que Jolie vai voltar com Todd.

— Não brinca. Ela merecia algo melhor. Além disso, Todd nunca vai se casar com ela. — Caroline baixou o olhar para admirar o tom sexy de ameixa que tinha escolhido para as unhas dos pés, ou talvez para evitar olhar para Evie. — Desculpe, eu não deveria ter dito isso.

— Tudo bem. Pelo menos não tenho quinze anos nem estou grávida de gêmeos — brincou Evie.

— Esse é o espírito — disse Caroline, sendo levada da sala por uma mulher pequena de quimono que viera buscá-la para uma esfoliação com sal. Instantes depois outra mulher num quimono igual levou Evie até uma sala com uma banheira de pedra e uma mesa de massagem.

Ainda assim era difícil para Evie se desligar, mesmo com a experiente massagista fazendo mágica em seus músculos tensos. Quando as mãos fortes da mulher apertaram suas têmporas, o único efeito foi aguçar ainda mais sua mente quanto a seu desesperador estado atual. Sem trabalho. Sem homem. Sem BlackBerry. Em breve sem um tostão. Havia uma placa no spa dizendo DESLIGUE O CELULAR, mas, se ela ainda tivesse seu BlackBerry, sem dúvidas teria dado um jeito de levá-lo para a sala e estaria lendo seus e-mails enquanto seu rosto estava apertado naquele travesseiro com um buraco no meio da mesa de massagem. Pelo menos a constante chegada de novos e-mails a desviaria da distração mais perigosa que eram seus próprios pensamentos.

Depois de diversos tratamentos ainda mais indulgentes, incluindo uma massagem africana na cabeça e uma massagem modeladora de eficácia duvidosa na barriga, Caroline e ela se reuniram na luxuosa sala de espera tomando água com infusão de pepinos e açaí.

— Quer ir ao Oak Bar para um drinque de verdade? — perguntou Evie, erguendo seu copo para mostrar como seu conteúdo era inadequado. Depois dos tratamentos no spa, muitos deles sujos e melados, um profissional de beleza havia dado um retoque de dez minutos no cabelo e na maquiagem de Evie. Os resultados compensaram sua nada atraente roupa e eram bons demais para desperdiçar indo para casa.

Caroline olhou seu relógio.

— Eu adoraria, mas preciso ir para casa e fazer alguma coisa para o jantar de Jerome. — Seu sotaque do Texas sempre aparecia quando ela estava mentindo. Evie estava agradecida demais pelo dia no spa para perguntar a Caroline o que seu chef ia fazer enquanto ela preparava o jantar. — Mas deixe eu levar você em casa.

— Obrigada. Vamos tomar esses drinques outro dia.

Evie foi até seu armário, onde sua calça de moletom e a capa de chuva estavam guardadas. A combinação era a mesma que ela sempre usava — 04-04-46 — dia do nascimento de seu pai. Por algum motivo, aqueles seis dígitos sempre tinham sido a senha de sua família para tudo; o cofre, o alarme, qualquer coisa. Mesmo sentindo uma pontada de dor toda vez que usava aqueles números, ela não conseguia não usá-los. Hoje aquilo a estava abalando mais que o normal. Tendo saído de seu isolamento, a ideia de voltar para casa de repente lhe pareceu insuportável. Em seu modesto apartamento, ela se sentia um manequim sentenciado a assistir à vida real através de uma janela. Ela se sentou no banco de trás do SUV de Caroline notando que uma de suas unhas recém-feitas já estava descascada.

Evie pensou no dia que tivera. Apesar de ter sido mais curto do que ela gostaria, havia sido o melhor em muito tempo. Enquanto o carro passava pelo Central Park na direção do West Side, Evie se perguntou se uma vida caseira e quieta, temperada com bons momentos com suas amigas, poderia apoiá-la até ela pensar nos seus próximos passos. Ela provavelmente poderia sobreviver mais pelo menos seis meses sem trabalho se fosse cautelosa com suas despesas. O Baker Smith a havia indenizado bem. O problema era o aluguel ridiculamente alto que ela pagava todo mês por seu apartamento de quarenta e seis metros quadrados, mas ela já tinha visto episódios de *Law & Order: SVU* suficientes para nem pensar em viver num prédio sem porteiro. Sair do Upper West Side, seu amado pedacinho da cidade, também estava fora de cogitação. Seria preciso cortar gastos em outra área.

De repente o motorista de Caroline pisou no freio. Os pneus guincharam e Evie baixou a janela para ver o que tinha acontecido. Um táxi tinha fechado o carro de Caroline, um incidente de trânsito corriqueiro em Manhattan, mas o susto fora grande o bastante para ela olhar para a rua, onde seus olhos pousaram num cartaz numa vitrine vazia embaixo do hotel Ritz-Carlton. Numa fonte pequena e sofisticada, estava escrito: DEGUSTATION: O NOVO RESTAURANTE DE JACK KIPLING — INAUGURAÇÃO NESTE OUTONO. PARA INFORMAÇÕES, VISITE WWW.JACKKIPLINGCUISINE.COM.

— Me dá seu telefone — disse Evie, pegando a bolsa de Caroline.

— Não — repreendeu Caroline. — Não vou te emprestar meu iPhone para você ler sobre o restaurante dele. De que isso vai adiantar? Vai ver algumas fotos bem tiradas do cara. Talvez ler sobre seu ponto de vista hipócrita sobre culinária caseira. E daí? Está casado agora. E você merece alguém que seja totalmente louco por você.

Era estranha a maneira com que Caroline tinha dito aquilo. *Você merece alguém que seja totalmente louco por você.* Era isso que suas amigas achavam? Que Jack não a pedira em casamento porque não estava realmente apaixonado? Aquilo doeu, mesmo que ela não acreditasse que fosse verdade. Alguma outra coisa deveria ter acontecido para Jack mudar totalmente de opinião sobre casamento. Alguma dependência dos feromônios dessa turca. Um bebê. Falência iminente. *Alguma coisa.*

Suas amigas certamente pareciam animadas quando ela estava namorando Jack. Nunca reclamaram dos jantares grátis nos restaurantes dele nem do acesso VIP ao NYC Food & Wine Festival. Algumas vezes Stasia fizera comentários depreciativos sobre "esses tipos que não acreditam em casamento", mas Evie os ignorou e a perdoou, considerando que nenhuma de suas amigas sabia dos detalhes sórdidos do divórcio dos pais dele. Quando Evie conheceu Jack, ela aceitou seus dentes da frente separados como um estereótipo dos ingleses e seus dentes. Depois descobriu que seus dentes tinham sido apenas uma das muitas negligências de seus anos pré-adolescentes enquanto seus pais passavam por quatro anos de um divórcio amargo e uma disputa pela guarda. Ela passou a amar a vulnerabilidade que o casamento turbulento dos pais de Jack fizera crescer nele. Tornava-o mais acessível a ela e dependente de sua aprovação quando ele estava emocionalmente indisponível. Ela assumiu como tarefa sua mostrar a ele que um relacionamento amável e estável era possível. Como o que os pais dela tinham.

A reta para o altar que Stasia teve foi sorte, mas a maioria dos casais que Evie conhecia passava por estradas muito mais turbulentas até lá. Sem falar que a tenda montada não era nenhuma garantia de uma vida feliz para sempre. Evie tinha uma porção de amigos e conhecidos com noivados desfeitos e divórcios em seus currículos.

Caroline nunca tinha falado muito a respeito da falta de vontade de Jack de se comprometer. Se Jack tinha medo da ideia de casamento, Jerome a celebrava. Caroline era sua terceira esposa. Era madrasta de um monte de seus filhos, alguns com quase a idade dela, então ela basicamente não falava no assunto.

Paul gostava tanto da comida e da fama de Jack que seu entusiasmo pelo relacionamento dos dois na verdade era excessivo. Quando eles terminaram, Paul resmungou sobre ter que voltar a depender de conseguir reservas. Depois da separação, todos os seus amigos e confidentes mais próximos do trabalho ofereceram os consolos de sempre como "vai encontrar alguém melhor" e "não era para ser", mas eles falavam com visível moderação, pensando que, se os dois voltassem, Evie poderia contar as coisas horríveis que tinham dito sobre ele. Apesar de toda a hesitação em dizerem o que pensavam, Evie se lembrava das palavras "narcisista" e "autoengrandecimento" sendo usadas em mais de uma ocasião.

— Tem razão — concordou ela, em vez de discutir. — Estou muito grata por este dia fabuloso. — Ela abraçou Caroline e desceu do carro. — Obrigada, Jorge.

Deitada no sofá de seu apartamento, Evie se sentia fisicamente rejuvenescida, mas emocionalmente esgotada. Ela queria que a esteticista pudesse ter apertado um pouco mais fundo, extraindo suas lembranças de Jack junto com seus cravos. Evie não conseguia esquecer a imagem do cartaz de seu novo restaurante.

Durante os dois anos deles juntos, tinham ido a quatro noivados e seis casamentos. Por mais que Jack aceitasse perfeitamente desejar felicidades, jogar arroz, dar presentes, e toda essa coisa, Evie mal podia esperar para ser a noiva.

Ele dizia que adoraria ter filhos, porém "mais para frente", quando sua carreira estivesse mais estável e ele não precisasse viajar tanto. Aquilo confundia Evie, pois todos os seus restaurantes eram acessíveis de metrô, mas ela imaginou que ele tivesse ambições maiores e estivesse simplesmente se antecipando. Ainda assim, às vezes Jack comentava como eles tinham sorte de não estarem presos por crianças. Não era como se Evie tivesse algo contra dormir tarde nem a favor de trocar fraldas. Ela sabia que ser mãe dava um trabalho do diabo, a não ser que você fosse Caroline e usasse um vilarejo inteiro das Filipinas como babás. Não ter filhos era uma chance de ter uma vida autoindulgente. Mas *ela* era Evie Rosen, uma boa judia de Baltimore que não topava coisas como pegar o primeiro avião para Paris e festejar até amanhecer. Ela queria ter uma família como aquela em que cresceu — os três Rosen contra o mundo. Ela não sabia se virar dona de casa servia para ela, mas se sentia mais animada com a maternidade de que com fusões corporativas.

Quanto ao casamento, Jack era muito mais convicto. Quando Evie manifestava algum sinal de decepção, ele — como um disco arranhado — repetia: "Evie, eu amo você. Mas simplesmente não quero me casar. Espero que isso baste para você." Evie mandou tudo para o espaço alguns dias antes do Natal. Jack havia anunciado que iria viajar para ver sua mãe, que estava doente, e disse que Evie poderia ir junto se ela "estivesse a fim". Não havia, aparentemente, nenhuma expectativa da parte dele de que precisassem se comportar como gêmeos siameses toda vez que envolvesse obrigações de família. Não eram de fato casados, nem mais unidos que um par de adolescentes que poderia terminar via mensagem de texto. Ela resolveu insistir, encorajada pelo vestido decotado que estava usando e pelas duas taças de vinho que consumira no bar do JAK, esperando que ele pudesse sair e ir para casa. Na verdade, ela não parou de pensar naquilo nem quando estavam de volta no apartamento dele e começaram a fazer amor. Ela se soltou dele, sentou-se com as cobertas ao seu redor como se fossem um escudo, e deu a Jack um ultimato: ou eles ficavam noivos no ano que estava por vir, ou estavam terminados.

De alguma maneira ele conseguiu escapar da conversa, assegurando a ela que duas da manhã não era hora para uma discussão séria daquelas. Mas de manhã, os dois perceberam que uma coisa monumental havia acontecido — tinham chegado a um ponto sem retorno. Quando Jack embarcou em seu voo da Virgin Atlantic, os dois não eram mais um casal. Ela nunca se perdoou por ter escolhido aquele momento para ser o "vai ou racha" de seu relacionamento. Afinal, ele havia acabado de descobrir que sua mãe tivera um pequeno ataque cardíaco. Seu restaurante novo estava tendo dificuldades em conseguir o alvará para bebidas alcoólicas por causa de sua proximidade com uma escola. E, além disso tudo, Jack não queria ser forçado a um compromisso firme, e ela não queria fazê-lo aceitar aquilo com ameaças.

Caroline estava certa em não deixar Evie usar seu telefone. Ler sobre o crescente sucesso de Jack, logo depois de ter sua própria catástrofe profissional, era como experimentar biquíni em provadores com luzes fluorescentes: nada bom.

# # #

Com uma cópia do *Wall Street Journal* aberta no colo, Evie franziu a testa e pensou no que acabara de ler. O escritório londrino McQualin, Craft & Breslow estava querendo dobrar sua presença em Nova York, especificamente seu departamento de Fusões e Aquisições. Evie roubara o jornal de um vizinho que ela tinha *quase certeza* de que estava viajando depois de a manchete na primeira página chamar sua atenção.

Segundo o artigo, o escritório estava querendo contratar pelo menos cinco sócios e vinte advogados com esse tipo de experiência corporativa. Diversos escritórios sediados em Nova York tinham os abordado a respeito de uma fusão, mas eles resistiram, esperando crescer internamente. Essa poderia ser a oportunidade perfeita para ela voltar ao trabalho. Então por que já não estava no telefone com o departamento de RH tentando conseguir uma entrevista? O que a impedia?

Era um dia perfeito de setembro. Se ela realmente quisesse voltar à vida num escritório de advocacia, suas oportunidades de explorar a cidade em breve chegariam ao fim. Além de suas caminhadas no parque e algumas matinês no The Paris, ela não fizera muito para aproveitar a cultura da cidade que amava tanto. Então, antes de ligar para a McQualin, Evie resolveu fazer uma coisa tão atípica quanto atirar seu computador nas águas turvas do Central Park: ir a um museu apenas por ir. Não para contar a algum cara metido a artista que tinha ido à nova exposição do Kooning. Não para provar a si mesma que era multifacetada. Não, ela iria ao Metropolitan porque morava em Nova York há doze anos e jamais pisara lá dentro. E aquilo, na sua cabeça, de repente pareceu horrível. Sem as amarras do Baker Smith e o apelo de seu laptop a deixando prostrada no sofá, Evie não tinha mais desculpas.

Usando leggings escuras e uma camisa de manga comprida com uma echarpe estampada para dar um toque a mais ela partiu para o Met, feliz ao descobrir que o clima de outono ideal pelo qual ansiava estava ainda melhor do que imaginara. Durante sua caminhada de meia hora ela passou por cinco Starbucks diferentes. O aroma dos *machiattos* e cafés era o acompanhamento perfeito para o cheiro das castanhas torradas das barraquinhas de rua. Apesar de ainda estar cheia do café da manhã, ela absorveu faminta o cheiro de Nova York. Era lá que ela devia estar — na rua, absorvendo a luz do sol e respirando ar puro em vez da recirculação de um ar-condicionado. A trilha das primeiras folhas caídas da estação, cada uma mais vibrante que a outra, formava um caminho muito melhor que o padrão vertiginoso do carpete do Baker Smith. Tudo parecia mais nítido quando seu rosto não estava grudado num monitor de plástico.

Sua mãe ligou enquanto ela estava caminhando, mas Evie deixou tocar. Ela ainda não contara sobre o casamento de Jack. Tampouco fora muito sincera quanto ao pouco esforço que estava fazendo para arranjar um novo emprego. O aparelho apitou com uma nova mensagem de voz na hora em que ela alcançou os degraus de granito do museu. O coração de Evie se apertou enquanto ela ouvia a mensagem.

"Evie, é sua mãe. Por favor me ligue de volta."

Pelo tom de voz, na hora Evie soube que a mensagem era ruim. Sua mãe não estava ligando para contar sobre o musical de primavera dos Greenwich Town Thespians nem para convidar Evie para o brunch de Columbus Day entre mães e filhas no clube. Não, sua mãe tinha notícias. Más notícias.

Evie ligou de volta, seus dedos tremendo ao digitar os números. Ela precisou tentar três vezes até conseguir discar corretamente.

— Sou eu. O que está havendo? — Evie nem tentou disfarçar a preocupação em seu tom de voz.

— Querida, vovó Bette está doente. Ela tem câncer.

Evie sentiu-se enjoada. Seus joelhos fraquejaram e ela teve de se sentar.

— Que tipo de câncer? Ela está bem? — perguntou Evie.

— É câncer de mama.

Evie sentiu um pouco de sua tensão diminuir.

— Bem, existe tratamento, não? Ela vai ficar bem, certo? — perguntou, tentando transmitir à sua mãe o quanto ela precisava que a resposta para aquela pergunta fossem sim.

— Bem... — respondeu Fran, sua voz enfraquecendo, e imediatamente Evie soube que havia mais por trás da história.

Evie não era nenhuma estranha a más notícias — não mesmo, e sabia melhor do que ninguém que um único telefonema era capaz de virar o mundo de alguém do avesso. Ela estava no primeiro ano da faculdade quando seu pai faleceu, depois de ter um ataque cardíaco no trabalho. Evie lembrava do telefone de seu dormitório tocando enquanto ela estava com suas amigas, aumentando as circunferências de suas cinturas com pizza e cerveja para comemorar o fim das provas. Ela quase ignorou o telefone, mas por algum motivo sentiu um inexplicável impulso para atendê-lo. Talvez tivesse algum tipo de percepção extrassensorial para tragédias.

Não houve nenhum sinal de alerta com seu pai, nenhuma condição médica prévia, nenhum episódio de estresse excessivo. Seu equilíbrio entre a vida profissional e a pessoal era um dos motivos pelos quais Evie se sentia otimista quanto à faculdade de Direito, apesar de rapidamente ter descoberto que a vida em um grande escritório de Manhattan não tinha nada a ver com a carreira de seu pai. Henry jantava com sua família quase todas as noites, os punhos das mangas para cima revelando o relógio digital barato do qual ele tanto gostava, e comia tudo, não importando o que fosse servido. Ele perguntava a Evie sobre suas aulas e lamentava não ter se tornado professor de História. Toda noite, ele ia para o sofá assistir ESPN. Às vezes ela assistia com ele apesar de sua falta de interesse em esportes, apenas porque a presença dele era muito reconfortante. Sua morte inesperada faria Evie acreditar para sempre que más notícias preferem espreitar em lugares inesperados. Não que aquilo a tivesse impedido de procurar por elas.

O que Evie mais lembrava a respeito daquele telefonema na faculdade era sua total sensação de impotência. Não havia ambulância para chamar, nenhum médico para interrogar, sequer um milagre pelo qual rezar. Ele se fora. Foi a primeira vez na vida de Evie em que não havia nem uma remota chance de mudar as coisas. A morte era, na verdade, a única coisa verdadeiramente permanente que ela jamais experimentara. Todo o resto que lhe acontecera até aquele ponto era brincadeira de criança.

Dessa vez tinha que ser diferente. Ela não iria, ela não poderia, perder vovó Bette.

— Bem o quê? — pressionou Evie. — Vovó vai ficar bem?

— Bem, ainda não sabemos o quão sério é. — A voz de sua mãe, como um afago quente no ombro, a preencheu depois de uma longa pausa. — Mas, Evie, vamos superar isso. Vou contar tudo a você quando nos encontrarmos. Bette está em Greenwich conosco agora. Ela está fazendo tratamento na Sloan Kettering e vai se mudar para um apartamento na cidade em breve, perto do hospital.

O telefone escorregou das mãos suadas de Evie e ela correu para resgatá-lo antes que deslizasse para mais perto de uma pilha de cocô de cachorro no degrau abaixo. Alunos barulhentos numa excursão escolar se alinharam na escada ao mesmo tempo.

— Você está com a vovó em Nova York? — gritou Evie por cima da arruaça das crianças. Por que sua mãe não lhe contara que estava na cidade? Fran não precisava de sua ajuda ou ao menos queria que ela visitasse Bette? Sua mãe sem dúvidas estava sobrecarregada cuidando de Bette. E todo mundo sabia que Evie estava simplesmente sentada em casa sem fazer nada há dias.

— Querida, Bette não queria preocupar você. Acho que ela tinha esperanças de que fosse um alarme falso. Que os médicos daqui dissessem que não era um tumor, apenas uma calcificação.

— Você devia ter me ligado imediatamente!

— Que diferença faz? Bette foi bem clara ao dizer que não queria que você se preocupasse até termos mais informações. Sabemos que você está com muita coisa na cabeça — completou Fran cautelosamente.

O que ela queria dizer com aquilo? Ela não estava com nada na cabeça. Literalmente nada. Era como se a ausência de coisas na sua vida a tornasse essa pessoa frágil que todos tinham medo de desmantelar. Será que seu nada era tão grande que estava se tornando "algo"?

— Enfim, por que então não pega um trem e vem nos ver hoje se puder? Sua avó adoraria ver você.

— É claro, vou para a Grand Central agora — respondeu Evie. Ela pulou num táxi, pensando inapropriadamente em como as circunstâncias continuavam conspirando contra ela toda vez que queria visitar um museu.

# # #

Felizmente, o trem não estava lotado, então Evie conseguiu ficar com um assento inteiro para si. Ela não estava com humor para tolerar viajantes suados derramando molho de seus sanduíches de almôndegas ou fazendo barulho com seus canudos. Sem a distração de um vizinho, Evie pôde processar o que acabara de descobrir. A imagem do dedo anelar de Bette se agitando na sua frente veio à sua cabeça. Como ela nunca esperou que um dia pensaria naquilo com nostalgia? Ela adoraria entrar de supetão pelas portas da casa de Fran e Winston e dizer: "Surpresa, vovó, estou noiva! Você pode estar com câncer, mas olha só o tamanho do meu diamante!" Bette provavelmente responderia: "Evie-le, se eu soubesse que ficar com câncer faria você se casar, teria ficado doente muito tempo atrás." E ela estaria falando sério.

Bette e Evie sempre foram muito próximas, tanto que Fran acusava sua filha de ser toda Rosen e nada Applebaum. Mas Lola Applebaum, de Great Neck, mãe de Fran, nunca teve tempo de conhecer Evie. Ela estava sempre ocupada demais com os Kleins e Cantors para prestar muita atenção em coisas que não fossem a hora de conseguir uma nova Mercedes para estacionar na sua entrada circular. Bette era totalmente diferente. Ela muitas vezes levava Evie à escola quando Fran estava trabalhando, e se sentava na primeira fila em todas as apresentações de dança e recitais de piano da neta (apesar de sua evidente falta de talento). No primário, Bette enchia Evie de pirulitos (geralmente na caminhada até a escola às oito da manhã) e de Barbies, depois de notas de vinte dólares no colegial e finalmente de pérolas de sabedoria como "ninguém vai *comprrar* o vaca se puder ter a leite de *grraça*" na faculdade. Quando o namorado do colegial de Evie terminou com ela no dia anterior à formatura, Bette afagou suas costas e assistiu a reprises de *Family Ties* com ela até que adormecesse. Quando seus primeiros resultados do exame de admissão voltaram com cem pontos a menos, Bette a enfiou no carro e dirigiu até a cidade para distraí-la com uma atividade que Evie adorava: fingir estar comprando para uma cliente muito importante no prédio de Design & Decoração da Terceira Avenida.

Durante as quatro horas de viagem, elas inventaram uma história de que eram as duas diretoras da formidável equipe de design da Rosen & Rosen, em Baltimore, e foram incumbidas de achar uma seda de damasco importada com pedras preciosas de verdade para uma cliente celebridade de alta categoria. Depois de contarem sua mentira algumas vezes mantendo a expressão séria, elas caíram na gargalhada no Scalamandré, um fornecedor de papéis e decorações de parede tão luxuoso que deixava os joelhos de Evie trêmulos, e subitamente seu desempenho fraco na parte de matemática do teste pareceu importar bem menos.

Mas depois que Henry morreu, o laço entre as duas realmente ficou mais forte. Elas — as duas pontas geracionais — se agarravam uma à outra como boias salva-vidas, e a ideia de perder sua avó agora fazia Evie sentir como se estivesse se afogando. Ela tremeu com o ar condicionado forte do trem, apertando mais sua echarpe em volta do corpo.

Na parada de New Rochelle, duas mulheres subiram os degraus do trem. Com o vagão completamente vazio, elas escolheram os assentos bem atrás de Evie. As mulheres aparentavam ter a idade de Bette. Elas anunciaram sua entrada no trem com o cheiro forte de Chanel No. 5 e o barulho de suas pulseiras de ouro.

— Estou preocupada com ela, Gladys — disse uma delas. — Ela não é mais nenhuma garotinha.

— Edith, relaxe. Quantos anos ela tem mesmo? Trinta e dois?

Evie sentiu seus ombros ficarem tensos. Sabia que deveria se levantar imediatamente e mudar de lugar, mas alguma tendência masoquista a forçou a permanecer no mesmo lugar.

— Está com quase trinta e três. E não teve nenhum namorado no ano passado. Imagina minha Gayle, linda daquele jeito, uma velha solteirona. Olhe só essa foto.

Evie escutou Edith remexendo em sua enorme bolsa. Ela ficou curiosa para ver a foto, curiosa para saber se Gayle era mais ou menos bonita que ela.

— Ela é uma beleza mesmo. Pele linda — comentou Gladys, quando sua amiga provavelmente achou e lhe mostrou a foto. — E ela não vai ser uma velha solteirona. Ninguém ousaria chamá-la disso até ela ter pelo menos quarenta anos.

— Está louca. As pessoas provavelmente já estão a chamando assim. Ou irão em breve — discordou Edith. — Ela é exigente demais. É claro, acha que ela me escuta? É lógico que não. Sou apenas uma *bubbe* antiquada que fala demais.

Evie se sentiu tentada a se virar e convidar essas mulheres para almoçar em Greenwich. Elas poderiam ter uma boa conversa com Bette comendo *rugelachs* e tomando chá gelado.

— Nenhuma delas escuta. Estão ocupadas demais naquele tal de Blueberry para escutar qualquer um — concordou Gladys.

— Se chama BlackBerry. Aqueles seus nove netos não ensinaram nada a você? — perguntou Edith. Evie não conseguiu prender um sorriso.

Quando desceu do trem em Greenwich, Evie foi ao banheiro da estação para ver como estava. Ela beliscou suas bochechas para lhes dar uma cor e procurou um batom perdido em sua bolsa. Não havia mais nenhuma maquiagem nela, então ela passou um pouco de gloss nas pálpebras. Era um truque sobre o qual lera numa revista de moda. Que besteira. Aquele grude tornava impossível piscar naturalmente. Ela tirou o prendedor de seu rabo de cavalo e ajeitou o cabelo o melhor possível sem uma escova. Pelo menos Bette não reclamaria que sua única neta estava andando por Manhattan igual a uma boneca de trapos.

Winston e Fran moravam a uma curta caminhada da estação de trem. Quando ela bateu na porta, ficou surpresa ao ver May do outro lado. Evie não havia contado com a possibilidade de uma daquelas malditas gêmeas estarem lá.

— Oi — disse Evie casualmente, tentando esconder sua irritação. — Achei que vocês duas já estariam na faculdade. A orientação educacional já deve ter acabado.

May torceu seu comprido rabo de cavalo loiro, que estava preso com uma fita de gorgorão amarelo com mais ou menos três centímetros de largura. Laços no cabelo, depois da escola primária, aparentemente eram moda. Evie descobriu isso na faculdade, quando viu as jogadoras de hóquei sobre a grama alinhadas com rabos de cavalo presos em laços de diferentes cores.

— April está lá, mas eu vim para casa no fim de semana fazer umas compras — esclareceu May. — Ah, e para ver Bette — acrescentou, no que só poderia ser descrito como o que surge depois de um P.S. — Sinto muito pela doença dela.

— Obrigada. Onde ela está?

— Ahn? — May já estava distraída com seu telefone. Era difícil imaginar dedos mais ágeis que aqueles.

Evie mudou o peso para a outra perna. As duas ainda estavam na entrada da casa.

— Perguntei onde está minha avó.

— Ah, desculpa — respondeu May, sem levantar o olhar da tela do telefone. — Minha amiga Lonny acabou de colocar no Snapchat que está fazendo as unhas ao lado da Scarlett Johansson. Disse que os pés dela são feios e cheios de bolhas. Arg, que inveja. Tipo, em Vineyard, April viu Justin Timberlake tirando meleca do nariz, mas ela não conseguiu se aproximar o bastante para tirar uma foto. Ela provavelmente poderia ganhar um bom dinheiro mandando a foto para a *US Weekly* ou algo do tipo. Acha que minha amiga deve tirar uma foto dos pés da Scarlett?

— May, onde está a minha avó?

— Desculpa, ela está no quarto de hóspedes.

Evie subiu as escadas dois degraus de cada vez, mas parou no alto. Era sempre estranho para ela chegar no segundo andar. Tecnicamente ela tinha um quarto lá, um quarto perfeitamente confortável no final do corredor, na frente da suíte principal. Ao longo dos anos ela havia sutilmente substituído as mantas de crochê e abajures florais que odiava. Mas notavelmente ausentes, para ela, estavam os prêmios acadêmicos e fotos emolduradas de suas amigas que tinham enfeitado as paredes e preenchido o tampo da escrivaninha de seu quarto de infância. Os quartos das gêmeas, indicados com seus nomes pintados na porta, eram totalmente diferentes. Em vez de parecerem quartos de hóspedes como os de uma pensão, estavam cheios de lembrancinhas e entranhados com seus gostos pessoais.

A porta para o pequeno quarto de hóspedes estava aberta, e Bette estava sentada numa cadeira, olhando pela janela. Estava bem vestida com um casaquinho vermelho por cima de uma blusa creme e com uma saia azul-marinho. Vovó Bette nunca usava calça. Haviam diversas correntes em volta de seu pescoço, incluindo um colar com a silhueta de uma menininha que Evie sabia que a simbolizava. A única coisa diferente em sua aparência era seu cabelo, que estava penteado em seu bufante de sempre, mas tinha dois centímetros de raiz grisalha separando sua testa e a tinta preta azulada à qual Evie estava acostumada.

— Vó — disse Evie, jogando os braços em volta dela.

— Evie, *bubbela*, estou bem. — Num tom de voz mais abafado, ela continuou: — Sinto muito ela estar aqui. Catorze anos depois e ainda não sei qual dos duas é qual.

— Vovó, April e May não são nem idênticas — repreendeu Evie num tom de brincadeira, mas Bette abanou as mãos como que dizendo: *Os duas* são iguais *para mim.*

— Oi, querida — disse Fran, parada na porta do quarto. Ela foi até Evie e beijou seu rosto, e de perto Evie notou as olheiras ao redor dos olhos de sua mãe. — Está tudo bem? Por que está tão sumida? Estive pensando em visitá-la na cidade essa semana.

Não era o momento de explicar sua decisão de parar de usar a internet. Aquilo era irrelevante comparado à doença de Bette. Ela estava completando sete dias de detox digital, seis dias e quatro horas mais do que durara numa dieta do suco que começara com Tracy no ano anterior.

— Ah, isso. Meu computador quebrou. Vai demorar para consertar. — Evie olhou arrependida para sua avó. Ela sabia que Bette não aprovaria sua saída do mundo on-line, agora que sabia do que se tratava o JDate. Muito obrigada, neto de Louise Hammerman.

— Então, Evie, alguma novidade? — perguntou sua avó, exibindo seu dedo anelar.

— Vovó! Como pode estar pensando numa coisa dessas agora?

Bette resfolegou.

— Ah, me poupe. Se Hitler não conseguiu me matar, não é um câncer de mama que vai.

Mas minha solteirice conseguiria?

— Então, quando recebeu o diagnóstico? — perguntou Evie, recusando-se a mudar de assunto. — Que tipo de tratamento vai precisar fazer?

— Não se preocupe comigo. Vou ficar bem. — Seu rosto, no entanto, mostrava sinais de sonolência, e Evie achou difícil não se sentir ainda mais preocupada com a atípica falta de energia de sua avó. Ela não conseguia se lembrar da última vez em que Bette não saltara de sua cadeira para abraçá-la assim que ela chegava para visitar.

— Pare, vovó. Quero ajudar você.

— Bem, uma coisa que pode fazer é vir comigo quando eu for no cirurgiã de mama. Sua mãe já ajudou tanto e você já está em Manhattan — concedeu Bette.

— É claro, vó. É sua primeira vez indo a esse médico?

— Não. Eu fui em dois cirurgiãs *diferrentes* quando vim a Nova York, e soube na hora qual eu queria.

— Por quê? O que havia de errado com o outro? — perguntou Evie.

— Nada. Ele era *adorrável* — respondeu Bette distraidamente, deixando Evie assustada.

— Evie, vamos deixar sua avó descansar um pouco. Ela já se deslocou muito na última semana para suas consultas e exames. Vamos conversar lá na cozinha — sugeriu Fran.

— Pode ser, vovó? Quer que fiquemos aqui? — indagou Evie, mas os olhos de Bette já tinham cedido ao peso de suas pálpebras. Ela quis abraçar Bette mais uma vez, envolver com seus braços jovens o corpo enrugado de sua avó e sentir o cheiro de seu laquê, seu perfume e seu hálito de chá de hortelã, mas também não queria perturbar seu repouso.

Evie e Fran estavam quase alcançando as escadas quando a voz de Bette soou atrás delas.

— Evie-le, volte aqui.

— Sim, vovó? Quer alguma coisa da cozinha?

— Não, não, estou bem. Não posso mais comer nenhum desses muffins gordas que sua mãe está sempre fazendo.

— O que é, então?

— Você não me respondeu antes. Está namorando alguém?

Evie sentiu seu coração apertar ao lembrar da imagem de Jack casando num exuberante jardim turco se pixelando em seu cérebro de novo.

— Não, no momento não.

— Bem, eu não vou ficar aqui *parra semprre* — disse Bette. — Mas se for *parra* dançar a *hora* no sua casamento, vou juntar forças para lutar com essa câncer.

Evie mordeu a língua. Bette "Culpa" Rosen ataca novamente.

5 20 15

Capítulo 6

Quando Fran e Evie voltaram de uma rápida ida à cidade para comprar comida e buscar os remédios de Bette, Winston estava na cozinha, usando sua camisa de botão cor-de-rosa de sempre e calças cáqui, entregando um maço de notas de vinte dólares a May.

— Bem-vinda, Evie — disse ele, abraçando-a. Ele foi gentil como sempre, mas aquele "bem-vinda" só serviu para lembrá-la de que era apenas uma hóspede em Greenwich. Ela se sentou à mesa, ao lado de May, e a observou beber um Red Bull enquanto digitava no telefone. Evie se perguntou o que sua meia-irmã bem mais nova pensava a respeito dela: Velha? Provavelmente. Bem-sucedida? Possivelmente. Solteira? Obviamente.

— Então, May, como está a faculdade? Gosta da sua colega de quarto? — Evie forçou aquela interação, mesmo que May não tivesse feito até hoje uma única pergunta a ela sobre Yale. Aquele fato tinha passado de surpreendente para mais ofensivo que um tapa na cara. — Me lembro de estar tão nervosa antes de começar. Até fui a Yale algumas semanas antes para saber como andar por lá no primeiro dia. Não que tenha ajudado muito.

May olhou para Evie sem expressão e respondeu:

— Não estou nervosa. Já conheço um monte de gente.

— Da orientação? — perguntou Evie, corrigindo a si mesma em seguida. — Ah, quer dizer do seu colégio. Deve ter vários ex-alunos lá com você também.

— É, um monte. Mas conheço tipo, todos os calouros de Yale. Tipo uns mil e cem deles. Dos mil e trezentos no total.

— Como isso é possível? — perguntou Evie, confusa.

— Somos amigos no Facebook. Algum nerd criou um grupo chamado New Bulldogs e conseguiu que, tipo, quase a classe inteira entrasse. Acho que já sei quem serão meus amigos lá. Alguns de nós combinamos de nos encontrar hoje no Toad's Place para beber — disse May, olhando em seguida para Evie e se desculpando: — Ah, desculpa, Toad's Place é meio que o melhor lugar pra sair agora. Não sei se era na sua época.

Evie queria estrangular aquela patricinha imbecil, mas o pai dela estava bem ali. Ela convocou sua voz mais condescendente e rebateu:

— Sim, conheço o Toad's. Ele existe desde os anos 1970. Os Rolling Stones tocaram lá.

— Ah, bem, não sabia disso. Agora é só tipo um lugar legal para beber e dançar. Acho que está diferente.

— Não, também era isso quando eu estava na faculdade... enfim. Deixa pra lá.

— Alguém na Dartmouth fez a mesma coisa. April disse que uma garota engraçada de Hotchkiss está postando no Instagram todas as coisas que compra para seu dormitório. É legal.

Evie pensou em perguntar por que alguém se importaria com o fato de uma pessoa que sequer conhece ter comprado uma luminária de pé da IKEA. Se existisse Facebook quando ela começou a faculdade, ela provavelmente teria ficado longe das mesmas garotas que viraram suas melhores amigas.

A página do Facebook de Tracy fazia com que parecesse uma viciada em livros maluca, com sua foto de perfil de Emily Dickinson, críticas não solicitadas sobre qualquer coisa na lista de best-sellers do *New York Times* e presença no grupo "Eu viraria lésbica por Jane Austen".

O perfil de Stasia não era muito melhor. Ela havia postado pelo menos uma dúzia de fotos suas cumprimentando o presidente no escritório do seu pai no Capitólio assim como resultados de testes como "Qual elemento da tabela periódica é você?".

Já o perfil de Caroline era uma declaração de amor virtual ao Texas. Ela era a milionésima fã do grupo "Tudo fica melhor frito no óleo".

A própria presença de Evie no Facebook também deixava a desejar. Tinha fotos bonitas e links de artigos interessantes, mas na constante tentativa de não desagradar potenciais romances ou causar alguma polêmica no escritório, mantinha-se relativamente neutra. Para usar menos eufemismo, era deprimente, incluindo sua reservada e segura foto de perfil — literalmente de perfil. Ela não estava no grupo "Pessoas que não recolhem as fezes de seu cachorro deveriam levar choque", apesar de apoiar fortemente a causa. Ela não deu "like" na página do *Jerry Springer Show*, apesar de nunca mudar de canal quando estava passando. Ela nunca postou sobre ter ficado embasbacada quando viu Miley Cyrus na fila do banheiro de um Dunkin' Donuts. Não era seu eu verdadeiro ali; mas quanto um perfil virtual podia realmente retratar uma pessoa?

Evie ficou tentada a dizer tudo isso para May, a alertá-la sobre o hábito de escolher amigos baseando-se num resumo de 140 caracteres e uma escolha de descrições pessoais padrão no Facebook. Mas Evie sabia que não adiantava usar a velha história de "no meu tempo", especialmente com as gêmeas. Ela simplesmente agradeceu por smartphones não serem onipresentes na época em que ela fizera faculdade. Havia sido ruim o suficiente ter que encarar as pessoas que viram seus peitos quando seu tomara que caia escorregou durante uma festa de calouros. E se aquilo tivesse sido registrado na internet, sair da faculdade teria sido a única opção. Ela podia ter inveja da juventude das gêmeas, mas não gostaria de trocar de lugar com elas.

— May, querida — disse Fran —, muito obrigada por ter vindo visitar Bette. Não precisava fazer isso.

Precisava sim, pensou Evie. Winston basicamente a pagou para vir.

Fran deu um beijo e um abraço nela e Evie se surpreendeu sentindo ciúmes. Quando sua mãe se casara com Winston, as gêmeas tinham apenas quatro anos de idade, e, por mais que vivessem a maior parte do tempo com sua mãe em Westchester, Fran havia sido uma grande parte de suas vidas. Evie se sentiu de fora. Ficou esperando que sua mãe reclamasse delas quando as duas foram à cidade e Winston não estava por perto, mas ela não o fez.

— May, deixe que a ajudo a levar suas coisas para o carro — ofereceu Winston, pegando as chaves em cima da bancada da cozinha.

A meia-irmã de Evie não precisou ouvir duas vezes que estava liberada. Depois que ela foi embora, Evie se sentiu mais à vontade na cadeira de vinil verde e amarela da mesa da cozinha. A casa de Winston parecia ter sido congelada no tempo. Fran não ligava muito para decoração de interiores, motivo pelo qual estava perfeitamente de acordo com os móveis dos anos 1970. A casa dos Rosen em Baltimore era uma construção colonial de dois andares com uma varanda que dava a volta na casa, um lugar charmoso cuja porta da frente azul ainda dava saudades em Evie. Ela sentia falta do cheiro de pot-pourri vindo do lavabo até o saguão. Já a casa de Winston cheirava a charuto.

Fran se acomodou na cadeira na frente de Evie e tirou algumas uvas de um cacho numa tigela de cerâmica sobre a mesa. Evie olhou os muffins em cima da bancada, mas se absteve. Não parecia justo sua avó estar contando calorias e ela não.

— Foi uma longa semana — começou Fran, depois de um suspiro.

— Uma semana inteira já? — Evie arfou. — Como pôde não me contar antes?

— Você está com muita coisa na cabeça, Evie.

Lá estava aquela frase mais uma vez. Ela não estava gostando nem um pouco.

— Sinceramente — continuou Fran —, acho que se Bette não estivesse fazendo o tratamento em Nova York, não gostaria nem que você soubesse de sua doença. Depois de perder seu pai, você sabe. Ela sabe como você é sensível.

Então amar alguém — esperando estar com esse alguém o máximo de tempo possível — significava que essa pessoa era especialmente sensível? Não podia ser. *Qualquer pessoa* teria ficado mal em perder alguém da família que amasse. Ela sempre achou que Bette seria uma daquelas velhinhas tendo seu centésimo aniversário anunciado no programa *Today*. Willard Scott, ou qualquer um que se tornasse seu substituto, diria: "Feliz Aniversário para Bette Rosen, do sul da Flórida. Ela atribui sua longevidade a bons hábitos alimentares, a fazer as pessoas se sentirem culpadas, e a dizer a verdade sem rodeios."

— Vovó não queria que eu viesse?

— Na verdade, ela falou que o único motivo pelo qual uma jovem como você deveria visitar um hospital era para levar o almoço a seu marido médico. — Fran e Evie caíram na gargalhada.

— Vovó é uma boba. Mas falando sério, qual é o prognóstico? E, por favor, fale a verdade.

— Câncer de mama tem uma alta taxa de sobrevivência se o diagnóstico for precoce, o que infelizmente não foi o caso de Bette. Isso também não significa que ela não vai ficar bem. Só queria que tivesse sido descoberto antes. Ela não fazia uma mamografia há mais de três anos. — Evie notou os olhos de sua mãe se encherem de lágrimas e ela desviar o olhar para o tampo da mesa.

— Mãe! Isso não é culpa sua! Você é ex-nora, se parar para pensar. Não é responsável por ela. — Evie se sentiu ficando emotiva. —

A idiota da tia Susan com suas malditas colchas de retalho no deserto é que deveria estar cuidando dela.

— Está certa — disse Fran. — Mas ela não está.

Um pensamento assustador ocorreu a Evie. Ela mesma podia ter lembrado Bette de fazer suas mamografias assim como sua avó ligava todo dia primeiro de outubro para insistir que Evie tomasse a vacina da gripe. Bette era a meteorologista pessoal de Evie no inverno. Ligava da ensolarada Boca Raton para dizer: "Evie, vi no noticiário que há uma frente fria chegando em Nova York. Não se esqueça de sair de cachecol e luvas."

Fran leu seu pensamento.

— Nem pense em se sentir culpada, Evie. Isso não é culpa sua. Bette tem seus defeitos, mas sempre foi uma boa sogra para mim. Henry ficaria grato se soubesse que cuido dela. Ele era tão bom filho quanto era bom marido e pai. E nós duas sabemos que não podemos contar com Susan, então nem faz sentido discutir isso.

Naquele momento, Winston entrou e se junto a elas. Fran se voltou para ele.

— Evie está achando que pode ser culpada por Bette não ter se cuidado melhor.

— Isso é loucura. Se for para culpar alguém, é Sam. Pelo menos segundo Bette — opinou ele.

Fran lançou um inconfundível olhar de "cala a boca" para Winston.

— Quem é Sam? — perguntou Evie, genuinamente confusa. — E por que ele seria responsável?

Fran manteve seu olhar gélido em Winston, que assumiu o semblante de um homem fadado a dormir no sofá naquela noite.

— Quem é Sam? — repetiu ela.

— Sam é, é... Sam é o companheiro de Bette — disse Fran, rolando uma uva entre seu polegar e dedo indicador.

Evie estava em choque.

— Vovó está namorando? — Todo mundo sabe que "companheiro" é um código para namorado ou namorada de quem tem mais de setenta anos, a mesma geração que se referia a casais como um "item".

— Não é nada sério, Evie. Por isso Bette, não queria que contássemos a você sobre ele.

— É mesmo? Não é sério? Pensei que talvez vovó e ele pudessem estar pensando em começar uma família.

Winston riu.

— Seria muito louco — disse ele.

— É só que, eu não sei, Bette apenas pediu para não mencionarmos a você. De qualquer maneira não importa, porque agora todos sabem, graças a... ah, deixa pra lá. — Fran balançou a cabeça frustrada para Winston.

— Sei por que vovó não queria que eu soubesse sobre esse tal de Sam — devolveu Evie, amassando seu guardanapo com força. — Ela não quer que eu me sinta mal por minha avó ter um namorado e eu não. Bem, ela está errada. Estou feliz por ela!

Nem Winston nem Fran disseram uma só palavra. Eles se entreolharam, como se esperassem que a telepatia fosse a solução daquela conversa.

— E perdoem-me pela curiosidade mórbida, mas por que vovó estar doente seria culpa de Sam, de qualquer maneira? — insistiu Evie.

— Bem, segundo Bette, quando o caroço foi detectado, já estava do tamanho de uma pequena uva — explicou Fran. O olhar de todos na cozinha foi direto para a tigela de cerâmica em cima da mesa. — Quase dois centímetros.

— E? — perguntou Evie, sem muita certeza do rumo que a conversa tomaria.

— Acho que Bette não entende como Sam pode, bem, nunca ter sentido. Você sabe, quando eles estavam na sua intimidade. — Fran corou, sem conseguir olhar Evie nos olhos. Winston enfiou uma das mãos na gola de sua camisa de golfe e coçou a nuca desconfortavelmente, mas Evie notou uma sombra de um sorriso. *Sam, aquele danado*, ele deveria estar pensando.

— Jesus Cristo. Vovó está sendo apalpada por um velho? Acho que precisamos fazer com que ela more aqui indefinidamente. Onde ele está agora, afinal?

Fran apertou a mandíbula.

— Na verdade Bette está um pouco chateada por ele não ter entrado em contato. Ela acha que ele está terminando com ela por causa do câncer. Supostamente, há várias outras mulheres interessadas nele.

Evie sacudiu a cabeça sem conseguir acreditar.

— Deixe-me adivinhar. Ele ainda tem os dentes originais. Espera, espera, melhor ainda, ele consegue enxergar à noite.

Winston deu uma risadinha, mas Fran permaneceu séria.

— Bem, a vizinha de Bette o viu jogando *shuffleboard* ontem com uma das mulheres de pior reputação do condomínio.

Evie resolveu pegar um muffin. Ela deu uma mordida grande e mastigou lentamente, achando difícil engolir.

— OK, acho que está na hora de mudar de assunto. Na verdade, passou da hora. Apenas me diga mais sobre o tratamento que ela vai precisar fazer.

— Bem, ela definitivamente vai precisar fazer uma cirurgia para retirada do tumor. Depois da cirurgia, haverá radioterapia e possivelmente quimioterapia, dependendo do câncer ter se espalhado para os nódulos linfáticos ou não. O cirurgião dará mais detalhes quando você conversar com ele.

— Isso quer dizer que ela vai perder o cabelo? — perguntou Evie. Aquilo mataria Bette, que amava suas idas semanais ao salão de beleza para fazer seu penteado com aqueles bobes gigantes.

— Não tenho tanta certeza — admitiu Fran. — A quimio está bem melhor hoje em dia. Aparentemente conseguiram reduzir alguns dos piores efeitos colaterais... a náusea não é tão forte, e a queda de cabelo não acontece sempre. Graças a Deus, certo? Bette, iria, bem, você sabe. Ela é vaidosa como eu. Não como você, Evie.

— O que está insinuando?

Agora foi Winston que olhou para Fran com uma expressão que dizia: "Cuidado com o que fala." Fran não pareceu perceber.

— Querida, você sabe que acho você simplesmente estonteante. — Fran sorriu, como se reconhecendo o crédito pela beleza de sua filha. — Mas você está de pijama. De dia. Eu nunca conseguiria fazer isso, foi só isso que quis dizer. E sabe como é Bette. Achei que você teria pensado em se trocar antes de vir.

Evie sabia que, por mais que tentasse, nunca conseguiria convencer Fran de que leggings da Lululemon e top da Juicy não eram pijama, e que sua roupa estava decente o bastante, considerando que fazer aquela visita a pegara de surpresa. Por que Bette não podia usar agasalhos de moletom em cores pastéis como todas as outras avós? Como conseguia estar tão impecável uma semana depois de um diagnóstico de câncer?

Ela fez um biquinho inocente e disse:

— Ah, me desculpe se esqueci completamente de fazer uma escova antes de visitar minha avó doente. Eu deveria ter chamado o *Esquadrão da Moda*.

Winston interviu, forçando uma trégua:

— Vamos deixar isso para lá. Evie, quero saber o que há de novo em sua vida. Está procurando emprego? Ainda não posso acreditar que seu escritório a demitiu. Fran disse que é o mercado... todo mundo está pagando.

— Não há nenhuma novidade sobre mim. Li a respeito de uma oportunidade na McQualin, que posso tentar conseguir, mas não tenho certeza. Acho que não pude respirar com calma nem uma vez sequer durante todos os meus anos no Baker Smith. Sempre havia um problema com algum cliente ou um prazo me pressionando. E toda a corrida para subir de posição foi simplesmente exaustiva. Preciso me recuperar.

— Faz sentido — concordou Winston. — Já pensou em consultoria domiciliar? O pessoal do meu trabalho parece ter uma boa demanda. — Winston trabalhava como planejador financeiro num banco comercial de médio porte. Evie havia visto várias colegas suas fazendo a transição para coisas parecidas, oferecendo horários melhores e salários menores que o Baker Smith. Essas situações normalmente eram tachadas de "melhorias na qualidade de vida", uma coisa sobre a qual ela antes não entendia, mas que agora estava começando a compreender.

— Talvez. Não quero me precipitar, no entanto. Mas, na verdade, tenho algo interessante para contar. Tem a ver com o motivo pelo qual não estou mais no Baker Smith.

Fran e Winston se aproximaram.

— Parei de usar a internet. — Ela esperou uma reação dramática à sua declaração.

Fran e Winston pareceram apenas confusos.

— Como alguém para de usar internet? — perguntou sua mãe.

— E por quê? — acrescentou Winston.

— A internet estava dominando minha vida. De um jeito ruim. Eu estava desperdiçando intermináveis horas fuxicando sobre a vida de pessoas que não significavam nada para mim, olhando fotos de casamentos e de bebês. Tentando descobrir onde pessoas moravam e onde tinham estudado e quem conheciam. Era uma perda de tempo idiota. E deprimente. Então parei de ficar on-line. Nem vejo mais meus e-mails ou mando mensagens de texto. Também larguei o Facebook e o JDate.

— Por que era deprimente? — perguntou Fran, parecendo alarmada. — Evie, você é incrível, e não vou suportar saber que não percebe isso.

— Mas mãe, pense nisso. O que as pessoas postam on-line? Todos os seus melhores momentos. Suas fotos mais glamorosas, férias maravilhosas, fotos suas com celebridades em eventos famosos. Vídeos de seus filhos com camisas de marca em dias ensolarados aprendendo a andar com suas bicicletas. Ninguém posta uma foto em que parece gordo no Facebook. Nenhuma de minhas amigas ousaria postar suas brigas matrimoniais no YouTube. Não, elas postam vídeos de suas alegres festas surpresa. Deve haver dez tweets sobre promoções no trabalho para cada um sobre uma demissão. Não é o mundo real. E embora intelectualmente eu saiba que aquilo tudo não é a realidade, ainda me chateava toda vez que eu ficava on-line.

Winston e Fran continuaram com uma expressão intrigada. Claramente eram da geração errada para entender a gravidade de sua decisão.

— Acho que entendo — concedeu Winston finalmente. — Queria que as meninas saíssem de suas geringonças estúpidas de vez em quando. Bunny acha que deveríamos arremessá-las pela janela. — Ele sorriu. — As geringonças, quis dizer. Não as meninas.

Bunny era a ex-mulher de Winston. Evie a vira apenas algumas vezes. Bárbara, como Fran a chamava, porque se recusava a usar seu apelido bobo, era corretora de imóveis em Manhattan. Fran contara a Evie que Bunny traíra Winston com seu atual marido, Albert, que ela conheceu numa social. No intervalo entre assinar o contrato e fechar o negócio, Bunny deixou Winston e foi morar com Albert no apartamento que vendera para ele. Alguns anos depois eles se mudaram para Rye, para que as gêmeas tivessem mais espaço. As garotas eram ríspidas ao falar do divórcio quando eram pequenas, mas quando viraram adolescentes, relevaram o fato de que Albert havia separado sua família porque ele era um alto executivo da Ralph Lauren que lhes arranjava incríveis descontos e convites para desfiles.

— Winston entende! — exclamou Evie animadamente. — Para não falar que eu estava constantemente atualizando meus setenta e cinco perfis de sites de relacionamento com fotos novas. Eu mudava minha lista de interesses e filmes favoritos regularmente, como se algum cara pudesse de repente notar que eu gosto dos filmes de Woody Allen e fosse me chamar para sair. Bem, veja aonde isso me levou.

Fran esticou o braço por cima da mesa e colocou uma das mãos no braço de Evie.

— Evie, como falei, vai conhecer alguém muito em breve. Os homens apenas sentem-se intimidados porque acham que é boa demais para eles.

— Obrigada, mãe. Vou me lembrar de colocá-la como referência. Mas não é essa a questão. Há mais por trás dessa história. Houve um catalisador para minha greve de internet. Mas não estou a fim de entrar em detalhes agora. — O dia já fora extenuante demais sem ter que incluir Jack nele.

— Mas o que isso tem a ver com seu emprego? — perguntou Fran.

Evie suspirou pesadamente.

— Resumindo, o comitê de sociedade não gostou da quantidade de e-mails pessoais que eu andava enviando. E, sinceramente, tinham razão. Mas também não quero falar sobre isso. Já estou envergonhada o bastante.

Felizmente Winston e Fran não a pressionaram. Eles apenas a encararam surpresos, confusos e preocupados.

— Chega de falar de mim. Winston, ainda está tentando reformar o porão? — perguntou Evie, ressuscitando a conversa.

Winston alegremente aceitou a mudança de tom.

— Sim, apesar de ter tido um pequeno acidente com a nova lixadeira elétrica — contou ele, mostrando a Evie um curativo embaixo de sua manga. — Acho que sua mãe vai surtar se tiver que cuidar de mais um de meus machucados autoinfligidos.

A voz de Winston pareceu sumir à medida que Evie se concentrava num papel em cima da mesa. Era uma carta de Yale endereçada a May, explicando como funcionava a "temporada de compras" da classe e informando-lhe sobre o site onde ela poderia ler as descrições de todos os cursos oferecidos. Evie se lembrou dos dias em que recebia seu catálogo de cursos. Na época era um livro azul e grosso, cheio de possibilidades. Ela se lembrava de enchê-lo de orelhas. Quando começavam as aulas, seu catálogo já estava cheio de post-its amarelos e marcações de marca-texto. O resultado era um cronograma sem aulas muito cedo e sextas-feiras livres. Apesar de ter muito mais anos de experiência nas costas, a Evie atual não estava muito longe da garota esperançosa começando seu ano de caloura. Ela escolheu a Columbia em vez da Harvard para o curso de Direito porque achou que Nova York seria um lugar melhor para conhecer caras, algo que nunca admitiu para ninguém. Quando resolvia se exercitar, ia ao Reebok Sports Club, a mais dez quadras de seu apartamento, porque tinha um grande número de ligas esportivas amadoras que atraíam vários profissionais jovens.

Todas essas estratégias a faziam se sentir uma traidora do feminismo. Ela estava vendo como era bom fazer o exato oposto dessa vez. Mesmo que apenas no mundo virtual, ela estava orgulhosa por sair intencionalmente do caminho dos homens, para variar.

Capítulo 7

A plaquinha na porta dizia EDWARD GOLD, M.D., PH.D, AMA, ASA, CDC, MPH. Alfabeticamente, com certeza ele parecia qualificado. Evie bateu gentilmente na porta para avisar que havia chegado.

O médico alto de cabelos claros se levantou para cumprimentá-la. Sua pele bronzeada tinha sardas claras, do tipo que parecem ter aparecido em férias recentes. Olhos azuis emoldurados por uma luxuosa fileira de cílios escuros pontuavam seu rosto. Ela presumiu que ele tivesse cerca de quarenta anos. Estava esperando ver um homem muito mais velho, e definitivamente não tão bonito. Ele estava usando jaleco branco com seu nome bordado no bolso em vermelho. Estava abotoado, então tudo que Evie via do restante de sua roupa era o nó da gravata laranja e as pernas de sua calça marrom. Ela amaldiçoou sua própria roupa, um cardigã de cashmere até o joelho por cima de uma regata que não tinha nada a ver e calça de ioga. Se a consulta não estivesse marcada para as oito, ela poderia ter se esforçado mais.

Quando eles se cumprimentaram, Evie se sentiu reconfortada por seu aperto de mão. Ele era firme e estável, como deveria ser o aperto de mão de um cirurgião, mas suas mãos eram maiores do que ela esperava. Ela teria imaginado as mãos de um cirurgião tendo dedos magros e delicados.

— Onde está minha avó? — perguntou Evie, surpresa ao não vê-la numa das cadeiras à frente da mesa cheia de papéis. Além das volumosas pilhas de arquivos, seu consultório não era muito decorado, com exceção de alguns móveis básicos de escritório, diversos diplomas e certificados, e uma única bola de beisebol numa prateleira. Ela viu dois porta-retratos. Um estava na sua estante de livros com a foto de uma menininha angelical, de provavelmente uns quatro anos de idade, usando vestido branco com o logotipo de jacaré e uma faixa de cabelo larga demais. Ela estava num balanço, rindo. Evie achou que deveria ser sua filha. A outra foto, em cima da mesa, estava voltada para o médico, então Evie não conseguiu ver o que havia nela. Provavelmente a esposa dele.

— Bette disse que estava mal do estômago, então nos falamos por telefone hoje cedo para discutir sobre a cirurgia com mais detalhes. Como ela deve se preparar e o que esperar em relação à recuperação — respondeu o dr. Gold.

— Ah, então devo ir embora? — perguntou Evie, dando alguns passos para trás na direção da porta, onde notou que um dos diplomas emoldurados dizia que o dr. Gold havia sido professor no Mount Sinai, o mesmo hospital em que o marido de Stasia, Rick, fizera sua residência.

— Não, não. Por favor, fique. Vou colocá-la a par de tudo.

— Está bem, obrigada — disse Evie, se sentando. Ela colocou uma mecha de cabelo atrás da orelha.

— Sua avó é uma mulher admirável. Ela certamente não teve uma vida fácil. Soube a respeito de seu pai. Não é assim que as coisas deveriam acontecer, apesar de na medicina vermos muito isso. E ela parece estar levando esse novo desafio numa boa.

— Ela é incrível — concordou Evie.

— Ela me contou sobre você. Obviamente são muito próximas.

O dr. Gold deu um meio sorriso, revelando linhas de expressão que pareciam vírgulas e uma covinha na bochecha esquerda grande o bastante para abrigar uma noz. A expressão no seu rosto fez Evie imaginar o que exatamente Bette havia compartilhado com ele a seu respeito. Se outra pessoa fosse resumi-la rapidamente, provavelmente diria que ela era bonita, inteligente, esperta, neurótica, talvez até engraçada. Mas se vovó Bette tivesse trinta segundos para descrevê-la, bem, seria uma história completamente diferente. Evie temia que a conversa tivesse sido mais ou menos assim: "Dr. Gold, sei que estou com câncer, mas se você realmente querer me ajudar, pode por favor achar alguém para meu neta? Deve conhecer algumas médicos *solteirros querrendo* se casar. De *preferrência* sem filhos ou outras casamentos, mas sou flexível."

— Bem, espero que ela não tenha dito nada muito embaraçoso.

— Apenas coisas boas, prometo — garantiu dr. Gold, desta vez oferecendo um sorriso mais amplo. Evie não deve ter parecido convencida, porque ele continuou falando. — Ela me disse como você é inteligente, esperta e doce. Você sabe... típicos elogios de avó judia. Minha avó contava para todo mundo que eu era o orador de turma em Princeton, o que era uma mentira deslavada.

— Acho que elas são todas iguais — respondeu Evie, com uma risada. — O que pode me dizer sobre a cirurgia e o tratamento? Ela vai superar isso? — Ela notou que seu joelho estava tremendo e tentou imobilizá-lo.

— Como eu disse, Bette tem sido incrivelmente corajosa. Francamente, ela está com mais medo de ser um fardo para vocês.

— Isso é a cara dela.

— Revi a biópsia guiada por ultrassom que Bette fez na Flórida, e sua avó tem uma coisa chamada carcinoma ductal invasivo. É o tipo mais comum de câncer de mama, mas você provavelmente já deve saber disso se tiver feito alguma pesquisa.

Evie ficou com vergonha de não ter pesquisado nada, apesar de não ser por falta de preocupação. Os sites sobre câncer a teriam deixado enlouquecida pela quantidade de informação e tudo que ela registraria seriam as potenciais complicações e estatísticas de mortalidade.

— Ela definitivamente precisa retirar o tumor por meio de cirurgia. Ofereci a Bette a escolha de fazer uma lumpectomia, em que eu removeria o tumor e o tecido adjacente, ou uma mastectomia, na qual todo o seio seria removido — explicou ele. — Os tratamentos pós-cirurgia são diferentes, e muitos pacientes optam pela mastectomia para terem certeza de que todas as células afetadas foram retiradas.

— Bette escolheu a lumpectomia — supôs Evie. — Estou certa, não estou?

Gold riu, e quando o fez, a pele ao redor de seus olhos se enrugou de um jeito cativante. Evie gostou do fato de ele usar todo o rosto para rir.

— Está. Fiquei surpreso. A maior parte das mulheres da idade dela opta pela mastectomia, que historicamente é considerada um tratamento mais eficiente para prevenir qualquer recorrência. Felizmente, há novos estudos mostrando que a lumpectomia junto com radioterapia pode ser tão eficiente quanto, com taxas de sobrevivência possivelmente mais altas que uma mastectomia. Na verdade estou liderando um estudo de acompanhamento que esperamos confirmar essas descobertas. De qualquer forma, Bette foi muito categórica independentemente disso.

— Bem, ela está namorando. Acabei de descobrir.

— Sam?

Puxa, ela realmente havia sido a última a saber.

— Sam. Então, e depois, após o tumor ser removido? — perguntou Evie.

— Deixe-me explicar a você um pouco sobre a anatomia do seio. — Dr. Gold se levantou e deu alguns passos na direção dela. Ela não entendeu se deveria desabotoar seu cardigã. — O seio é cercado por nódulos linfáticos que drenam fluido para as axilas — começou ele, apontando para um cartaz de anatomia atrás da cadeira de Evie e indicando que ela o olhasse junto com ele. Ela se sentiu uma idiota em pensar que ele usaria seu corpo para ensinar aquilo.

Quando ela se levantou de sua cadeira, o telefone do consultório tocou.

— Desculpe, preciso atender. Estou esperando uma ligação importante.

— É claro — disse Evie, distanciando-se ligeiramente da imagem de seios fartos na parede.

— Edward Gold — atendeu ele, com o telefone encaixado entre seu rosto e seu ombro, suas mãos passando pelas torres de papéis em sua mesa. Ele parou para colocar os óculos que estavam ao lado de seu computador. — Que bom que ligou rápido. É claro, é claro... Sim, sim. Posso ir a Washington mês que vem — respondeu ele com um enorme sorriso no rosto. — Bem, que notícia ótima. Concordo, acho que uma cariotipagem espectral é essencial. — O dr. Gold passou a mão que estava livre em seus cabelos loiros escuros e espessos e o bagunçou num estilo de gênio louco. — O primeiro teste foi muito bem-sucedido... Agradeço... Sim, o estudo do tamoxifeno poderia seguir adiante. Minha equipe vai ficar muito feliz... No escritório da NIH, certamente. Obrigado por ligar.

Ele baixou o telefone e se voltou para Evie.

— Desculpe-me por isso. De qualquer forma, como eu estava falando antes, quando eu retirar o caroço, também vou retirar os primeiros nódulos linfáticos e testá-los em busca de células cancerígenas. Espero muito que depois da cirurgia a conclusão seja de que o câncer não se espalhou para os linfonodos.

Ele se sentou ao lado de Evie em vez de voltar para sua cadeira. Ela se sentia importante na presença dele, especialmente depois daquela ligação misteriosa, para a qual ele não deu nenhuma explicação.

— Evie, vou ajudar Bette nessa luta. Ela terá uma equipe de primeira no Centro de Câncer Sloan Kettering. Quero que relaxe e apenas esteja lá para apoiá-la. E estou sempre aqui quando precisar. Não hesite em me ligar a qualquer hora com suas perguntas — disse ele.

Ele deu mais alguns detalhes sobre a cirurgia e o que Bette poderia esperar em relação a sua recuperação. Evie esperava que ele apreciasse o fato de que ela estava simplesmente ouvindo tudo o que ele dizia em vez de tentar ser mais esperta que ele com seu diploma em Medicina de Internet. Ela sabia que Rick e Stasia ficavam loucos quando as pessoas agiam como médicos instantâneos depois de visitarem algum site qualquer.

— Eu realmente agradeço tudo que está fazendo.

— É meu trabalho. Tem alguma pergunta?

— Se não se importar em responder, por que decidiu seguir por esse ramo da medicina? — perguntou Evie, surpreendendo a si mesma com seu interrogatório completamente aleatório. O cara acabara de mencionar o National Institutes of Health num telefonema. Por que ela não estava mais intimidada, nem respeitando o tempo dele?

— Minha namorada na faculdade morreu de câncer de mama. Achei que eu seria cirurgião cardíaco ou talvez neurologista. Mas quando ela morreu, aos vinte e oito anos de idade, me senti compelido a mudar de direção. Eu também havia perdido uma tia para o câncer de mama no ano anterior. É uma coisa que afeta mulheres de todas as idades, de todos os lugares. E até mesmo homens.

— Nossa, sinto muito. Deve ter sido terrível.

— Foi horrível — confirmou ele. — Sabe, já lidei com muitos pacientes e suas famílias, mas poucos me perguntaram por que faço o que faço.

— Ah — disse Evie, incerta quanto ao que ele tinha achado de sua curiosidade. — Espero que não se importe que eu tenha perguntado, dr. Gold.

— De maneira alguma, estou gostando de conversar com você. Por favor, me chame de Edward.

— OK, chamarei — respondeu Evie, sem saber se iria chamar mesmo.

— De qualquer maneira, realmente acho que a experiência de perder alguém que eu amava me ajudou a ter uma conexão muito melhor com os pacientes.

— Entendo isso totalmente. Fui despedida e agora tenho uma conexão com desempregados muito melhor que antes — disse Evie. — É tudo uma questão de experiência humana.

Que merda que ela estava dizendo?

Edward assentiu concordando, possivelmente apenas para poupá-la da vergonha.

— Então essa é sua filha? — perguntou Evie, apontando para a foto na prateleira.

— Sim. Olívia tem quatro anos — disse ele, derretendo-se visivelmente. — Ela é adorável. E está indo muito bem agora.

Por que o "agora"? Será que estava doente também?

— Bem, ela é linda. Vejo que puxou sua covinha — disse Evie. — Eu amo crianças — acrescentou ela, meio que gratuitamente. Mas ela realmente amava criancinhas, e bebês também, especialmente os gorduchos com coxas grossas e pulsos cheios de dobras. A filha mais nova de Caroline tinha bochechas parecidas com marshmallows, branquíssimas e macias, dava vontade de morder.

— Melhor coisa do mundo — concordou o médico, e Evie adorou a simplicidade de seu ponto de vista.

— Ah, notei ali na parede que você também ensina no Mount Sinai. — Evie apontou para os diversos certificados em latim atrás dela. Edward corou visivelmente. — O marido da minha amiga treinou lá. Conhece Rick Howell?

— Sim. Foi meu primeiro aluno. Conheci Rick no meu seminário de cirurgia. Marido de sua amiga, você disse? Não sabia que ele era casado.

— Ah, sim, ele é casado com uma amiga minha da faculdade há três anos. São o casal mais perfeito. Na verdade é meio irritante. — Evie achava que nunca havia dito aquilo antes, apesar de ocupar espaço fixo em seu cérebro. Que lugar e hora ridículos para aquela confissão.

— Duvido que sejam perfeitos.

— Não, eles são, confie em mim — afirmou Evie, surpresa com a mudança de direção que a conversa havia tomado.

— Você se parece com sua avó, eu acho — disse o dr. Gold, mudando o rumo mais uma vez.

— Mesmo? — perguntou Evie, surpreendentemente lisonjeada, considerando que estava sendo comparada a uma octogenária.

— Sim, os olhos verdes — disse ele, apesar de não estar nem mais olhando para ela. Parecia ocupado ajeitando as fichas de seus pacientes que ele tirara de um gaveteiro.

— Mesmos genes — confirmou Evie, sentindo-se boba por querer explicar a um médico que ela e sua avó tinham DNA em comum. — Falando nisso, aliás — disse Evie —, tenho me perguntado se deveria fazer alguns exames também. Você sabe, para ver se há caroços?

Agora o dr. Gold encarou seu rosto diretamente, quase como com medo de que pudesse olhar para o peito de Evie quando ela mencionou seus seios.

— Se está se sentindo preocupada, então sim. Apesar de eu achar que você, provavelmente, pode esperar até ter quarenta anos. Poderia ser útil fazer uma mamografia de base aos 35.

— Na verdade tenho estado bastante preocupada desde que Bette descobriu que estava doente. Tentei o autoexame, mas não tinha ideia do que estava fazendo. Você poderia fazer isso? Isto é, eu marcaria uma consulta, naturalmente. — Ela não queria que o dr. Gold achasse que ela estava tentando um exame grátis.

— É... não acho que seja boa ideia. Mas posso indicar você para alguém muito bom.

— Ah, está bem. Eu entendo. — Talvez pedir a ele que examinasse seus seios fosse como parar Chico Buarque na rua e pedir que ele escrevesse uma música sobre você. — Sei que você deve ter coisas mais importantes para fazer.

— Não, não é isso — respondeu ele. — Deixe-me dar a você o cartão do médico para quem normalmente encaminho pacientes. Mas, realmente, não se preocupe. Considerando a idade de Bette, não acho que sua doença seja por causa de genética.

Evie relaxou, aceitando o cartão que ele pegou em sua mesa e guardando-o em sua bolsa, uma sacola gigante da Columbia Law School na qual ela levava seus livros de estudo. Ela esperava que Gold tivesse reparado na bolsa porque estava sentindo como se tivesse falado inúmeras besteiras durante a consulta.

— Como tenho certeza de que Bette já lhe contou, a cirurgia está marcada para daqui a três semanas; seis de outubro. É minha brecha na agenda.

— Tão longe? — perguntou Evie, surpresa. — Não há ninguém disponível para fazer antes? — O dr. Gold parecia muito competente, e certamente era um colírio para os olhos, mas não fazia mais sentido retirar o tumor o quanto antes?

— Bette consultou alguns cirurgiões, mas escolheu fazer a cirurgia comigo. Infelizmente tenho outras cirurgias marcadas todos os dias e vou tirar uma semana de férias nesse meio-tempo. Não se preocupe; é seguro esperar três semanas para retirarmos seu tumor — assegurou ele. — Pacientes muitas vezes preferem escolher um médico em especial, até mesmo por causa de suas próprias programações.

Seu último comentário fez Evie pensar em Patrícia Douglas, a advogada do Baker Smith que virou sócia depois de apenas sete anos como associada e a mais jovem integrante dos comitês de gerência, parceria e recrutamento do escritório. Sua subida de posição havia sido quase apócrifa. Será que se Patrícia recebesse de um médico o diagnóstico de câncer de mama esperaria que um caso se encerrasse para marcar sua cirurgia? Quase com certeza. Só de pensar naquilo Evie ficou grata por não estar mais naquele lugar.

— OK, então, dr. Gold, acho que nos vemos em outubro — disse Evie, apesar de continuar sentada em sua cadeira. Ela não estava pronta para o fim daquela conversa, mas não conseguia pensar num motivo para prolongar sua visita.

Evie achou que simplesmente sentia falta da companhia de homens. Tinha saudades dos homens do escritório — com quem flertava de brincadeira e que geralmente flertavam de volta. Estava com saudades até mesmo de ir a encontros, não que fosse particularmente boa neles. Conversar com amigos era fácil para ela, e a troca de opiniões e histórias também lhe era algo natural. Mas, em encontros, especialmente nos primeiros, ela frequentemente não sabia bem o que dizer e o quanto perguntar. Às vezes embarcava numa expedição para descobrir todos os fatos, e os caras pareciam suspeitos de algum crime, suando debaixo das luzes fortes de uma sala de interrogatório. Em outras, ela tagarelava sem parar, apresentando oralmente suas memórias de vida para um companheiro de jantar entediado. Nenhuma das duas fórmulas mostrara-se ser vencedora.

A essa altura, haviam se passado alguns meses desde a última vez em que ela resumira sua história de vida para um perfeito estranho. Ela não se sentara mais ao lado de um cara num bar barulhento nem na frente de um em algum restaurante da moda esperando aquela faísca que nunca parecia surgir. Normalmente ela voltava de encontros exausta, pulava na cama e ficava revisando seus erros. Da antecipação à preparação à conversação à reprise em casa, o processo todo podia ser excruciante.

Como era possível que, apesar do inferno que era o mundo de encontros, ela tivesse vontade de fazer parte dele de novo?

O médico se levantou.

— Tenho alguns plantões para fazer agora — explicou ele. — Mas aqui está meu cartão. Me ligue sempre que quiser tirar suas dúvidas.

— Obrigada mesmo. Na verdade eu gostaria de pedir a você que me mantenha informada de tudo... qualquer novidade ou decisões que precisem ser tomadas. Não acho que minha avó vá se opor.

— Pode deixar. Foi realmente bom conhecer você. Sinto muito que tenha sido nessas circunstâncias, mas estou ansioso para nos falarmos novamente.

— Agradeço por seu tempo, dr. Gold.

— Edward, por favor — disse o médico, e sua considerável covinha fez mais uma entrada triunfal.

# # #

De volta a seu apartamento, Evie se pegou pensando no dr. Gold. Estava surpreendentemente intrigada por ele, tanto que acabara esquecendo de fazer uma série de perguntas sobre Bette. Não sabia quanto tempo duraria o tratamento de sua avó, nem se era possível saber disso no momento. Nunca chegaram a falar sobre as chances de sobrevivência. Talvez ela tenha evitado fazer essa pergunta inconscientemente.

Ela resolveu ligar para Stasia no laboratório. Stasia estava fazendo uma pesquisa sobre Alzheimer, mas certamente saberia mais do que Evie a respeito de câncer de mama. Evie ligou para seu trabalho, mas sua assistente disse que ela ligara naquela manhã dizendo que estava doente e não fora trabalhar. Evie tentou achá-la em casa e ficou surpresa quando Rick atendeu.

— Evie, oi. Que bom ter ligado. Como está?

— Melhorando. Stasia está aí?

Rick fez uma pausa antes de responder e Evie escutou o barulho de passos no apartamento.

— Não, ela foi visitar a irmã em Boston.

— Ah, está bem. No laboratório disseram que ela estava doente. Deixa para lá. Espera... o que está fazendo em casa no meio do dia? Ninguém anda mais com sinusite?

Rick respondeu imediatamente:

— Vim em casa porque esqueci as fichas de alguns pacientes que estava revisando ontem à noite. Vou voltar para o consultório daqui a pouco. Você não parece muito bem, Evie. Posso ajudar?

Ela hesitou. Conversar com Rick sem a companhia de Stasia era novidade para ela, apesar de não ser inapropriado.

— É minha avó, Bette. Está com câncer de mama. Estou bem assustada. Sei que já é mais velha, mas ainda não consigo imaginar perdê-la. — Evie sentiu seus olhos se enchendo de lágrimas, mas se forçou a manter a compostura. — Você sabe que perdi meu pai na faculdade. Já lidei com perdas suficientes. Não é justo.

— Em primeiro lugar, tenho certeza de que sua avó ficará bem. Não é minha área, mas, honestamente, acho que geralmente é tratável quando detectado cedo. Estou aqui se precisar de alguma coisa.

Ouvir aquelas palavras — *Evie, estou aqui se precisar* — a fez ansiar pelo tipo de conforto que realmente procurava quando olhava o panorama geral. Mãos fortes esfregando suas costas. Um ouvido sempre a postos. Morder os lábios e engolir em seco não estava mais dando certo. Ela forçou uma inspiração profunda.

— Não foi detectado cedo — revelou Evie, finalmente cedendo às lágrimas. — Ela não fazia uma mamografia há três anos porque estava sempre se preocupando mais comigo.

— Tenho certeza de que não é verdade. Olha, Evie, você não deveria estar sozinha. Está no West Side, não está? Perto da Columbus Avenue? Posso passar aí daqui a pouco. Ou Stasia, quando voltar para casa.

Pelo menos ela significava mais para ele do que apenas a amiga de faculdade de sua esposa que às vezes segurava vela nas noites dos dois juntos. Ainda assim, ela recusou.

— Obrigada, é muito gentil. Mas estou bem. Sério. — Ele protestou e ela quase decidiu aceitar sua oferta, mas então o pager dele tocou e, enquanto ele pedia que ela esperasse, Evie resolveu que era melhor ficar sozinha.

— Pronto, voltei — disse Rick. — Apesar de ter que voltar ao consultório. Tem algo mais que eu possa fazer?

— Na verdade sim. O que sabe sobre o dr. Edward Gold? Acabo de voltar do consultório dele e ele disse que vocês se conhecem.

— Gold? Ah, o cirurgião. Ele guiou um grupo numa laparoscopia da qual participei. Muito inteligente. Consegue muito financiamento. Na verdade tenho quase certeza de que ele entrou na lista para o Conselho de Ciências do presidente. Bette teve sorte de conseguir um encaixe com ele.

Parecia estranhamente íntimo escutar Rick dizendo o nome de sua avó. Deve ser toda aquela coisa psicológica de lidar com pacientes que os médicos se orgulham de ter. Stasia contara que tivera até uma aula daquilo na faculdade de medicina. A fez se sentir menos especial em relação à maneira como o dr. Gold a havia tratado. Era apenas procedimento padrão, supôs Evie, fazer com que os pacientes e seus parentes se sintam mais à vontade. Pelo menos ela entendeu do que se tratava a ligação que o dr. Gold havia atendido. Deveria estar recebendo mais uma doação.

— Gold é muito bom — continuou Rick. — Na verdade, me lembro de sua esposa e seu bebê assistindo suas palestras algumas vezes. Era adorável.

— Bem, que ótimo ouvir isso — respondeu Evie, mesmo que, por algum motivo, tivesse sentido uma coisa estranha quando Rick mencionara a esposa de Gold.

— Olhe, preciso voltar ao consultório, mas, Evie, anote meu celular.

Ela pegou uma caneta e um pedaço de papel e anotou o número, sem saber se realmente chegaria a usá-lo.

— Obrigada, Rick.

— Imagine. Ah, e vou pedir a Stasia para ligar de volta.

Rick não podia ter sido mais gentil, mas ela estava se sentindo pior do que nunca quando desligou o telefone. Evie só conseguia pensar que enfrentar a doença de sua avó e seus problemas profissionais seria muito mais fácil se tivesse alguém fixo para apoiá-la. Stasia tinha o ombro de Rick sempre que alguma coisa dava errado, fosse perder uma promoção no laboratório, ou mesmo algo trivial, como perder um brinco no metrô. Evie tinha suas amigas, mas não podia depender delas indefinidamente, podia? E se suas vidas ocupadas cuidando de carreiras, filhos e maridos acabassem ficando mais fortes que aquele laço de faculdade? Se aquilo acontecesse, Evie não sabia o que seria dela.

Capítulo 8

Dias se passaram e Stasia não retornou a ligação de Evie. Aquilo, combinado à sua ausência do laboratório e sua revelação no casamento de Paul, deixou Evie intrigada. Stasia deveria estar grávida. Evie já esperava por isso há um tempo. Na verdade, era mais como se estivesse se preparando.

Agora estava tudo evidente. Rick estava em casa no meio da tarde para cuidar de sua esposa. Stasia odiava sua irmã passiva-agressiva de Boston. Não havia possibilidade de ela ter ido visitá-la no meio da semana sem motivo algum. Rick não levava fichas de pacientes para olhar em casa. Estavam lá no meio da tarde porque Stasia estava com um feto novinho em folha e ela e Rick precisavam ir ao médico e ler livros sobre nomes de bebês no sofá e encenar brigas sobre qual papel de parede escolher para o quarto da criança.

Como ela foi tola em sequer considerar aquela visita de Rick. Ele estava ocupado com Stasia — segurando seus cabelos loiros e lisos, mas não escorridos, enquanto ela vomitava agachada na frente da privada. Rick provavelmente tinha revirado os olhos durante a ligação para sinalizar a Stasia que Evie não estava o deixando desligar.

Quando Stasia contasse sobre sua gravidez — ela provavelmente manteria em segredo até passar o primeiro trimestre — seria oficial. Evie seria não apenas a única solteira e única desempregada, como também seria a única sem filhos. Caroline já tinha duas menininhas e um time de beisebol completo de enteados. Tracy daria à luz em novembro. Ela calculou que Stasia deveria ter seu bebê na primavera. Que maneira de comemorar seus 35 anos em maio. Seu aniversário provavelmente cairia no dia do batizado da criança ou da festa de uma das filhas de Caroline. Enquanto todos aproveitariam o bolo e sorririam para as fotos, Evie estaria num canto usando uma faca de plástico para cortar os pulsos (apesar de Caroline e Jerome geralmente alugarem um espaço no hotel Plaza para festas de aniversário, então pelo menos ela teria acesso a uma faca de verdade).

Evie respirou profunda e solenemente. Não que ela necessariamente quisesse um filho naquele momento. Mas sabia que era algo que queria num futuro não tão distante. Se tivesse se casado com Jack, já teria começado uma família àquela altura. Era melhor engravidar mais nova mesmo, quando havia menos riscos. Evie se lembrou de algo que lera há diversos anos, antes de conhecer Jack. Ela estava no trabalho olhando o Match.com quando uma janela abriu de repente no seu monitor dizendo: "CONGELE SEUS ÓVULOS!" Seu instinto foi fechar o pop-up, mas algo a compeliu a ler o que havia embaixo em letras menores:

Na época, Evie se sentira ultrajada. Como ousa aquela companhia, obviamente em conluio com o Match.com, analisar seu perfil e abordá-la para algum tipo de esquema suspeito sobre congelamento de óvulos? O que iriam fazer quando ela precisasse de seus "óvulos bons" de volta — enfiá-los num microondas? Mas agora que três anos haviam se passado, e ela não estava nada mais perto de começar uma família do que naquela época, desejou que tivesse se informado mais a respeito daquele serviço. Com sua sorte, quando finalmente conseguisse se casar e engravidar, seus ovos teriam salmonela.

Agora ela queria ter seu computador, e não apenas para pesquisar sobre os detalhes de congelamento de óvulos. Ela tinha diversas outras coisas para pesquisar:

1. Ler mais sobre a história da McQualin.
2. Descobrir se Luke Glasscock saiu do país.
3. Descobrir onde Jack e sua nova esposa estavam morando (será que era no seu studio no West Village que ele insistia em chamar de “flat”?) e passar lá na frente por acaso.
4. Ver quanto dinheiro ainda havia na sua poupança.

Ela tinha uma vaga ideia de quanto tinha guardado; deveria ser o bastante para durar, desde que fosse prudente. Mas era mais fácil falar do que fazer. As oportunidades de gastar dinheiro eram intermináveis agora que ela não tinha a mesma rotina dos últimos oito anos. Sem muito dinheiro para gastar com bobagens, ela teria que olhar e não consumir as melhores coisas da cidade.

Além dessas questões, havia muitas outras coceirinhas que apenas a internet poderia aliviar. Quando ela atirou seu computador no Reservatório, largou no meio uma partida de *Words with Friends* em que estava ganhando de Stasia com uma vantagem significativa. Perdeu cobiçados itens em promoção salvos em seu carrinho de compras no Net-a-Porter. E ela não lembrava quem eram os senadores de Nova York, mas tinha vergonha demais de perguntar a alguém. Como diabos poderia descobrir aquilo sem a internet? Talvez na biblioteca. Mas ela não sabia onde ficava a biblioteca sem seu computador, exceto pela imponente matriz na rua 42, com suas enormes esculturas de leão guardando a entrada.

Sacudida pela possibilidade de Stasia estar grávida e exausta por não conseguir se informar mais quanto ao congelamento de óvulos, Evie se jogou na cama, determinada a identificar algum lado bom na sua vida.

Sushi.

Era isso. Grávidas não podem comer peixe cru. Mas ela podia. Ela pegou o telefone para ligar para seu restaurante japonês favorito, Haru. Jack nunca queria pedir comida de lá — estava sempre reclamando da falta de criatividade deles e ridicularizando qualquer lugar que fizesse parte de uma cadeia de restaurantes.

Ela discou o número do Haru, que felizmente sabia de cabeça.

— Oi, eu gostaria de fazer um pedido.

— Para quantos?

— Um. Quero um rolinho de salmão com abacate, um de enguia, um de atum picante e três sushis de atum, mais a salada da casa. — Ela de repente se sentiu faminta e em êxtase pensando em devorar sushi sem Jack criticando a apresentação das fatias de abacate em sua salada.

— Disse uma pessoa?

Evie suspirou.

— Sim, uma pessoa. Quanto vai ser?

— Quarenta e oito dólares e dezesseis centavos.

Era meio caro para um almoço sozinha em casa. Ela resolveu diminuir o pedido.

— Qual é aquele tipo de peixe que tem muito mercúrio... a enguia, o salmão ou o atum?

— Você quer acrescentar um Mercury Roll. Agora são 55 dólares. Chega em quinze minutos.

— Não, não. Não quero um Mercury Roll. Estava perguntando qual dos peixes tem altos níveis de mercúrio. É a enguia, não é?

— OK, mais um de enguia. Sessenta e um dólares. Obrigada. — A mulher desligou, deixando Evie sozinha em seu apartamento esperando uma refeição banhada em mercúrio que não podia pagar. Agora podia também acrescentar a inconveniência de não poder pesquisar a respeito de taxas de mercúrio em cada peixe para sua lista de desvantagens de uma vida sem Google.

Sem dúvidas estava ficando cada vez mais difícil para Evie ignorar as crescentes inconveniências de não ter computador. Mas ainda assim ela não dava o braço a torcer e mantinha a abstinência. Apesar de que lentamente, parar de usar a internet estava purificando sua mente, assim como tomar sucos verdes desintoxica o corpo. Sem o feed de notícias do Facebook invadindo sua mente como um soro intravenoso, ela se sentia mais livre do que se sentira em anos. Sem precisar ler coisas como "Alice Saltz (uma funcionária do Baker Smith incrivelmente puxa-saco de Bill Black) foi promovida" e "Henry Shamos (ex-namorado de Evie no colegial, o que terminara com ela antes do baile) postou fotos novas em seu álbum 'As gêmeas Shamos: 6 meses'". Ela estava livre da sensação de ter que postar algo para competir com essas coisas. Livre dos detalhes da vida das pessoas. Livre da caça nos sites de relacionamentos em busca de carne fresca. E isso compensava não saber quem eram os senadores de Nova York por pelo menos mais um tempinho.

# # #

Mesmo que Tracy fosse a única abertamente grávida, e sua enorme barriga atraísse a atenção e as carícias não solicitadas em todo lugar que ia, Evie não conseguia eliminar sua fixação quanto ao fato de Stasia também estar grávida ou não. Ela sentia um aperto no coração toda vez que se perguntava se suas outras amigas sabiam sobre o bebê, mas não contavam a ela por medo de ela ter um colapso nervoso. Na maioria das vezes, Evie tentava parecer forte, mas quem estava enganando? Ela havia sucumbido a um estado de espírito triste no minuto em que Jack e ela terminaram, e suas tentativas medíocres de esconder aquilo não eram particularmente convincentes.

Depois de uma semana se torturando de curiosidade, ela resolveu ligar para Caroline para sondá-la.

Uma voz familiar com sotaque atendeu o telefone da casa de Caroline.

— Residência dos Michaels, posso ajudar?

Ao fundo, Evie escutou as meninas rindo e Jerome gritando: "É melhor correrem. Vou pegar vocês!" Era estranho pensar nele daquele jeito, o titã de Wall Street brincando com criancinhas.

— Posso falar com Caroline? É Evie Rosen. — Era frustrante precisar se identificar, mas ela já sabia que a próxima pergunta seria "Quem devo anunciar?" se ela não o fizesse.

Ela escutou a governanta dizendo "Sra. Michaels, está disponível para atender uma chamada da srta. Rosen?". Até mesmo a maldita governanta sabia que ela era uma "senhorita", e não uma "senhora".

Caroline e Jerome provavelmente conversavam sobre sua desafortunada amiga solteira Evie enquanto folheavam as páginas de seu álbum de casamento, de quatro volumes. E toda aquela coisa de "sra. Michaels" era tão pretensiosa. Se isso tivesse sido cinco anos atrás, a conversa seria mais como: "Sra. Michaels, está disponível para que a srta. Rosen a levante do chão do banheiro masculino do Automatic Slims? Chamamos o segurança." Caroline Michaels (nome de solteira Murphy) achava que ser texana e descendente de irlandeses a fazia saber beber. Não fazia.

Caroline atendeu rapidamente e disse sem fôlego:

— Evie, que bom que ligou. Tenho ótimas notícias. Primeiro, como está sua avó? Jerome disse que conhece alguns dos administradores do Sloan Kettering se precisar mexer alguns pauzinhos.

— Obrigada, mas tudo parece estar sob controle. Minha avó está estranhamente calma, o que não consigo entender. Então, que grande notícia é essa?

— Apenas que achei o melhor cara do mundo para sair com você.

Evie segurou o telefone com mais força. Caroline não se oferecia para lhe arranjar encontros com muita frequência. Se fosse Tracy, ela suspeitaria de que seria algum amigo hipster do seu marido e ficaria totalmente desinteressada. As tentativas aleatórias de Stasia ao longos dos anos fizeram Evie achar que o único critério dela era que fossem homens e solteiros. Paul e Marco alegavam conhecer pouquíssimos homens heteros e frequentemente pediam desculpas por não encontrarem ninguém para sair com ela. O que não representava um problema para Evie, porque ela simplesmente não estava procurando alguém.

— Ele é muito bonito — continuou Caroline. — Cabelo preto, ondulado e cheio. Olhos escuros. E é alto.

— Continue.

— Inteligente, bem-sucedido. Ele trabalha para — ou melhor — com o Jerome na JCM Capital. Começou há seis meses. Acabei de conhecê-lo na convenção corporativa. Estudou em lugares bons e toda essa porcaria que sei que importa para você.

Será que ela ligava tanto assim para pedigree? Ou era impressão? Evie supunha que fossem as duas coisas. Caroline estava lhe dizendo que esse cara era inteligente, então ela não precisava de provas, precisava? Ela se sentiu chateada por ser tão transparente para suas amigas. Falava frequentemente sobre querer conhecer um cara ótimo e alegava não se importar com currículos — "desde que ele seja gentil e inteligente" era seu lema —, mas aqui estava Caroline chamando sua atenção sem sequer hesitar. E chamando aquilo de porcaria.

— Eu não me importo com onde ele estudou — negou Evie envergonhadamente. — Conte mais.

— Bem, seu nome é Harry Persophenis. Seus pais são gregos.

Agora ela conseguia visualizar o ator John Stamos completamente.

— Enfim, ele já está com seu número e vai ligar para você. Ele pediu seu e-mail, mas falei que seu computador havia sido hackeado. Não queria que ele achasse que você era uma aberração.

Evie ficou grata. Já era difícil o bastante suas amigas entenderem por que ela havia se desconectado — ela não queria ter que explicar aquilo em encontros. Ela desligou depois de agradecer a Caroline, resolvendo evitar fazer perguntas sobre Stasia por enquanto. Evie passou o resto do dia se sentindo otimista quanto ao seu novo encontro arranjado. Ela se deixou viajar em histórias ridículas — como para daqui a dois anos, quando se casassem numa ilha grega numa cerimônia bem mais pitoresca que o casamento turco de Jack, para então Harry deixar o escritório de Jerome e abrir o seu próprio, onde ela lideraria uma equipe genial de advogados como a presidente do conselho.

Revigorada, ela se deu um suéter novo de presente numa lojinha fofa perto de sua casa e depois ligou para Bette para ver como ela estava se sentindo. Evie casualmente deixou escapar que teria um encontro em breve. Foi um movimento arriscado compartilhar essa informação com Bette, que provavelmente perguntaria: "Já conheceu suas pais? O que elas fazem da vida?" Era difícil para Evie atravessar as duas gerações que as separavam e explicar que mesmo se ela estivesse saindo com alguém, conhecer a família estava fora de cogitação por pelo menos seis meses.

Era mais seguro no caso de Evie, pelo menos.

Quando Bette conheceu Jack, pediu para que ele repetisse seu sobrenome umas três vezes. "Disse Kiplitz?" "Não, vovó, ele falou Kipling." Em seguida Bette soltou diversas expressões iídiches na conversa entre os dois, esperando para ver se desconcertavam Jack. Não satisfeita, ou pelo menos incerta quanto à reação dele, ela perguntou sem rodeios qual era a sinagoga que seus pais frequentavam em Londres. Ela quase engasgara com sua *babka* quando Jack explicou que era apenas metade judeu. Evie achou que Bette teria um ataque cardíaco bem ali, até ele esclarecer que era pelo lado de sua mãe, o chamado lado certo.

— Muito bem, *bubbela* — respondeu Bette. — Apenas aproveite.

Oi? Sua avó sofreu lobotomia forçada?

— Diga-me, Evie, como foi o consulta com a dr. Gold? Estou em *bons* mãos?

— Definitivamente. E verifiquei com o marido da minha amiga que estudou com ele e ele afirmou que é um ótimo cirurgião.

— Passou um tempo com ela? Não saiu correndo pelo porta *parra* um de suas aulas inúteis de ginástica?

— A viciada em Zumba Gold é você. E sim, conversei com ele bastante tempo, e por melhor que ele pareça, ainda acho que esperar para operar é ridículo. Não quer saber a patologia logo? — Evie orgulhou-se de si mesma por ter usado um termo médico.

— Não, já decidi — respondeu Bette, firmemente, e Evie entendeu então que era um caso encerrado.

Depois de desligar, ela foi até o Livrossauro, um negócio de família na rua 78 West. Tudo, com exceção das grandes lojas, estava se tornando extinto no Upper West Side, e Evie se perguntou se os donos tinham noção de como o nome de sua loja era adequado atualmente. Ela acenou para Stella, a jovem filha dos donos que tinha conhecido melhor nas últimas semanas, e se sentou num pufe laranja com as últimas edições da *New York Spaces*, *Elle Décor* e *Veranda*. Evie havia se acostumado a ler ali, observando Stella abrir as caixas de mercadoria que chegavam ou escutando os clientes da redondeza reclamando sobre a construção de um novo condomínio que obstruiria suas vistas. Esses pedacinhos de comércios e assuntos a faziam se sentir ligada ao bairro — o mesmo que ela alegava amar, mas que talvez não tivesse conhecido tão bem quando estava sempre no trabalho.

Observando as revistas, Evie ficou surpresa em notar como sua mente montava com facilidade um quadro abrangente com as imagens de que gostava, mesmo sem ajuda do Pinterest. As fotos de um apartamento no estilo art déco da Park Avenue eram tão inebriantes que Evie resolveu na hora fazer um pequeno retoque em seu apartamento. Seria o prêmio de consolação por não ter conseguido pagar pelo apartamento de um quarto em que estava de olho quando o sonho de se tornar sócia ainda estava vivo. Ela pintaria sua cozinha (talvez de azul cerúleo?) e compraria um móvel bom. Fran certamente não recusaria receber antecipadamente seu presente de Hanucá.

Depois de comer uma fatia de pizza, Evie voltou para casa com sua sacola de revistas e se trocou para dormir. Ocorreu a ela, enquanto mudava de canal para canal, que não sabia qual era a idade de Harry, o Grego. Caroline fora ambígua quanto ao relacionamento profissional dele com Jerome. Ela se perguntou se ele teria acabado de terminar os estudos ou se era alguém que Jerome havia reencontrado na sua reunião de cem anos de formatura. De repente John Stamos virou Tony Ramos. Ela ligou para Tracy, esperando que ela fizesse a sondagem em seu lugar.

Jake, marido de Tracy, atendeu no que pareceu ser o nono toque, apesar de ela ter parado de contar depois do quinto.

— Alô? — Ele parecia confuso.

— É a Evie. Está tudo bem?

— Sim, só estou trabalhando. Acho que estou tendo um *boom* de criatividade.

— Ah é? Com o quê? — Ela se perguntou o que seria dessa vez. Competição de poesia? Tambores africanos?

— Acho que meu último roteiro tem muito potencial, sabe. Acabei de revisar uma cena-chave em que a vulnerabilidade do meu protagonista realmente vem à tona. É quando é revelado que seu professor de piano o molestou na despensa da cozinha de sua mãe. Preciso encontrar um bom diretor para esse projeto.

Roteiros. Ela não pensara naquilo.

— Bem, boa sorte. — Evie não ousou perguntar sobre as músicas infantis que ele supostamente estava produzindo alguns meses atrás. — Tracy está aí?

— Evie, exatamente com quem eu queria falar — gritou Tracy no telefone. Era a segunda vez que ela ouvia aquilo naquele dia. Sem poder falar com ela por e-mail, parecia que suas amigas tinham guardado diversas informações para lhe contar.

— Ah é? E por quê? E qual é a de Jake? Não sabia que agora ele era roteirista.

— Bem, agora é. Ele está com diversos projetos diferentes em andamento — respondeu Tracy defensivamente.

— Entendi. Eu só não sabia. Então, sobre o que queria falar comigo?

— Bem, o motivo é que tenho um emprego para você. Como está desempregada e se recusando a usar o computador, eu não sabia exatamente quais eram seus planos para encontrar, bem, outra fonte de renda. Mas você deu sorte.

Evie olhou por sua janela. Estava escuro, mas no prédio à frente podia-se ver a silhueta de um homem curvado na frente de seu computador com pilhas de papéis de cada lado. Ele parecia tão produtivo, assim como a maior parte dos moradores que ela viu ao olhar o prédio de cima a baixo. Sua atividade mais comercial dos últimos meses tinha sido ir ao banco para depositar um cheque. Ela precisava voltar a trabalhar. Sem emprego, havia se fixado demais em Bette, ao mesmo tempo preocupada com a possibilidade de ela morrer de câncer e querendo matá-la por aborrecê-la tanto por causa de sua vida amorosa.

— OK, qual empresa? Como ficou sabendo?

— Bem, você vai trabalhar com futuros advogados, não é bem um escritório. — Tracy parou e pediu três bolas de sorvete napolitano para Jake. Evie invejou Tracy poder comer qualquer coisa que tivesse vontade agora, mesmo que apenas durante nove meses e que fosse estar do tamanho de uma casa depois de dar à luz. Os picolés sem açúcar de quarenta calorias no freezer de Evie eram um insulto ao conceito de sobremesa.

— Então é como professora? Eu aceitaria ser assistente de professor se alguma faculdade de direito quisesse. Mas não tenho nenhuma experiência ensinando.

— Não. Muito melhor. Trabalhando comigo. Na Brighton. — Tracy literalmente guinchou.

— Do que é que está falando? Não posso ser professora de colegial.

— Professora não. Advocacia, ou seja lá o que você faz. O advogado interno da Brighton acabou de ser acusado de sonegação e eles precisam de alguém para substituí-lo temporariamente até que façam a votação apropriada para um substituto permanente. E eu indiquei você. — Tracy deixou a afirmação sair como se estivesse vomitando.

— Não acho que eu seja qualificada, Tracy. Não sei nada sobre representar uma escola.

— Aparentemente a maior parte do trabalho legal é feita *pro bono* por grandes escritórios onde a escola tem contatos. Você seria uma espécie de ligação entre a escola e eles. Além disso, o diretor pareceu ter adorado quando sugeri uma funcionária com oito anos de Baker Smith. Ele quer conhecer você imediatamente.

Evie não ficou totalmente surpresa. O nome de seu ex-escritório tinha sempre muito impacto. Poder se gabar era uma das coisas que ela mais sentia falta.

— Agradeço muito por isso. De verdade. E acredite, estou precisando do dinheiro. Mas nem sei mais se quero continuar sendo advogada. Talvez esta seja uma chance de começar outra coisa. Você sabe, mudar de direção.

— E fazer o quê?

Evie não tinha resposta.

— Então está resolvido. Vai ligar para o diretor e marcar uma entrevista. Vai ser tão legal nos vermos o tempo todo. Embora eu não saiba quanto tempo mais conseguirei trabalhar.

— Por quê?

Tracy pigarreou.

— Algo sobre encurtamento do colo do útero. Ou amolecimento, e minha vagina está encurtando. Eu não sei. Jake está surtando. Meu médico disse que posso precisar ficar de cama.

— Poxa, querida, que droga. Tem certeza de que está bem? — Se o médico de Evie dissesse uma coisa daquelas a ela, ela passaria o resto de sua gravidez de cabeça para baixo. Hipocondria e gravidez sem dúvidas não eram uma boa combinação.

— Ficarei bem. Muitas mulheres precisam ficar de cama. Só espero ainda poder fazer sexo.

Tracy estava insaciável a esta altura da gravidez, uma boa mudança em relação aos vômitos intermináveis do primeiro trimestre. Na primavera passada, ela dissera às meninas de sua classe que elas nunca deveriam transar porque dava enjoo matinal. Ela ensinou abstinência de uma forma não convencional, mas Tracy vomitou tantas vezes durante a aula que Evie não se surpreenderia se algumas de suas alunas realmente pensassem duas vezes antes de ir até o final, o que era bom, considerando que, segundo Tracy, esses jovens da cidade grande atualmente estavam quatro anos adiantados em todos os aspectos.

— Vou cruzar os dedos. Ah, e antes de desligarmos, preciso que você dê uma pesquisada num cara chamado Harry Persophonis, ou Persophole, ou algo assim. Você me arranjou um trabalho e Caroline, aparentemente, um homem. Ele trabalha no escritório de Jerome. Tente descobrir qual a idade dele. Estou com medo de ele ser uma antiguidade.

— Evie, eu amo você, e apoio sua decisão de desistir da internet. Francamente, é um experimento de vida que não sei se eu teria forças para completar. Mas se vai fazer isso, precisa fazer certo. Não vou ser sua stalker de plantão.

Evie grunhiu.

— Tudo bem, não seja. Mas se esse cara aparecer com um segundo conjunto de dentes no bolso, você morreu para mim.

— Sabe, tiro pontos dos meus alunos quando eles exageram demais. Talvez eu faça você repetir de ano — brincou Tracy. — A propósito, durante quanto tempo pretende ficar sem internet? Isso é muito radical.

— Nem tanto. Já leu *A Geração Superficial: O que a internet está fazendo com nossos cérebros*?

— Hum, não. Você leu?

Evie podia até ver o olhar de esguelha de Tracy pelo telefone.

— Bom, ainda não. Mas sei que vou adorar quando ler. — Stella, da Livrossauro, havia lhe recomendado aquele livro.

— Bem, vai precisar me contar. Falando sério agora, está esperando que o *New York Times* faça uma reportagem sobre você?

— De jeito nenhum. Vou ficar off-line até completar 35 anos — anunciou Evie, espantada com a naturalidade da sua resposta. Ela não sabia se conseguiria sobreviver até 29 de maio, seu aniversário, mas parecia um objetivo lógico. Afinal, ela ficara arrasada no seu último aniversário, quando recebera apenas 33 posts de parabéns na sua timeline do Facebook. E havia parado de usar a internet em junho. Aquilo faria seu hiato durar quase um ano, o que trazia um certo conforto de um círculo completo.

Quando desligou o telefone, Evie se enfiou debaixo do edredom, passando seus pés pela beirada no banco de pele de cobra falsa ao pé de sua cama. Se ela conseguisse o emprego na Brighton, mesmo que temporariamente, talvez conseguisse comprar as mesinhas de cabeceira cinza laqueadas que ela adorava. A modesta transformação de sua casa certamente teria mais um empurrãozinho. Ela apertou as cobertas em volta de seu corpo. Sua pele parecia eletrificada contra os lençóis macios como pele de bebê. Ela perdera seu emprego, perdera Jack, e poderia estar perdendo sua amada avó. Ela eliminara o mundo virtual — seu BlackBerry (se alguém o tivesse apanhado na lixeira) agora estava nas mãos de um advogado novo, louco pelo escritório, e seu computador, no fundo das águas turvas do Reservatório. Mas Evie ainda sentia um leve otimismo indo de seus dedos formigantes a seu rosto quente enquanto adormecia.

Capítulo 9

Trrriiimmm. Trrriiimmm. Trrriiimmm. Os toques eram incessantes. Evie entrou em pânico olhando a campainha de bronze tremendo contra a tinta amarela descascada da parede. Ela segurou seu lápis com mais força, mas teve câimbra nos dedos. Ela tentou mexê-los para previr os espasmos.

A pergunta no alto da página em cima de sua mesa dizia:

> *Discuta o simbolismo do marfim em* O Coração das trevas. *Acha que esse simbolismo foi intenção de*

Joseph Conrad? Quais são outras possíveis interpretações quanto ao papel do marfim e como isso se encaixaria nos temas gerais do livro?

Merda! Ela nem leu o livro. Na verdade, nem se lembrava de pedirem para que o lesse. Todos os seus colegas de turma estavam com cópias cheias de orelhas em cima de suas mesas. Como era possível? Ela só tirava nota máxima.

Estavam pedindo a Evie para descrever o simbolismo num livro que ela sequer havia tocado. E o maldito sinal estava tocando. Como era possível que a aula já tivesse acabado? Ela olhou para a folha de papel na sua frente. Estava em branco. Normalmente Evie preenchia de três a quatro páginas durante os sessenta minutos que havia numa prova. Ela iria tirar zero.

A campainha parecia cada vez mais alta. Por que não parava? O professor estava passando por todas as fileiras para recolher as provas. Como ela explicaria ao sr. Londino, seu professor favorito, sobre seu desempenho abismal na última prova? Talvez pudesse mentir e dizer que estava com um integrante da família doente. Espera, aquilo era mesmo verdade.

O sinal continuou tocando infernalmente. Mas, em vez de o sr. Londino ir até ela para recolher a prova, ela viu Jack. Não fazia sentido ele estar ali, mas todos os seus colegas de classe estavam confortavelmente lhe entregando seus testes, jogando conversa fora com ele quando passava por suas mesas. Havia um band-aid em volta de seu dedo indicador. Deve ter se cortado de novo fatiando alguma coisa. Havia um peru suculento em cima de sua mesa com uma medalha de primeiro lugar pendurada na asa.

— Evie, terminou? Acabou o tempo. — Jack estava em pé na frente da sua mesa, usando calça jeans clara e uma camisa de flanela. Havia um avental amassado saindo de seu bolso de trás cheio de manchas marrons. — Precisa largar seu lápis.

Evie não queria olhar para cima. Ela estava sem maquiagem. Suas roupas não estavam combinando. Ela se lembrava de ficar acordada até uma da manhã com Jack, fazendo amor e rindo sem parar. Então por que ele estava agindo como um estranho, pedindo sua prova como se ela fosse apenas mais uma aluna?

— Sinto muito, Jack, preciso de mais tempo. Por favor, volte para mim. — Ela ainda não o havia olhado. Estava sussurrando, e pareceu que Jack não conseguiu ouvir acima da campainha estridente.

— Acho que quis dizer sr. Londino. Evie, acabou o tempo. — Evie levantou o olhar e viu seu rosto. Não era Jack afinal de contas. Era seu professor de inglês do segundo grau, falando com um sotaque britânico, uma distorção bizarra do sotaque de Jack. O sr. Londino estendeu seu braço e ela notou uma tatuagem de um poema em seu bíceps, visível através da manga, mas ela não conseguiu identificar nenhuma palavra a não ser ANGÚSTIA. Ele começou a puxar a prova da mão de Evie e, apesar de ela desesperadamente tentar segurar o papel, seus dedos e pulso estavam moles.

E o sinal continuava tocando tão forte que ela não conseguia pedir em voz alta o bastante para o sr. Londino lhe dar mais cinco minutos.

De repente ela ouviu uma mulher de voz rouca dizendo que os futuros da Dow Jones estavam em alta, o que era incomum, considerando que o outono era conhecido como uma época brutal para o mercado de ações. Mas aquilo não fazia sentido. As provas finais eram sempre na primavera. Então por que aquela mulher estava falando de setembro no noticiário?

O pânico de Evie virou confusão e depois de dois demorados minutos de delírio tudo ficou claro. Ela sentiu sua mão, enterrada abaixo do travesseiro embaixo de sua cabeça. Estava formigando por falta de circulação sanguínea. A campainha que ela tinha escutado era seu despertador, que depois de cinco minutos aumentando de volume automaticamente ligava o rádio na estação local.

Era tudo um sonho. Que alívio não estar repetindo Inglês Avançado. Na verdade, ela tinha tirado nota máxima naquela matéria e no seu exame avançado, tudo graças à sua profunda explicação sobre *O Coração das Trevas*. Mas ver Jack, ainda que em seu subconsciente, ainda a fazia se sentir enjoada. Ela não via seu rosto tão vividamente desde a noite em que eles terminaram, quase um ano atrás. As fotos dele no Facebook — onde ela o vira como o sorridente noivo — estavam embaçadas em sua mente. Mas seu rosto de verdade, com o rosto magro e a cicatriz de um acidente de esqui que dividia uma de suas sobrancelhas ao meio, apareceu para ela em seu sono. E ele estava bonito, com sua linda noiva imaginada como um suculento pássaro. O peru turco.

Nem havia necessidade das explicações de Freud, pensou Evie, enquanto se obrigava a sair da cama. Ela ia para uma entrevista com o diretor da escola Brighton, Thomas Thane, ex-aluno e elogiado estudioso em Shakespeare. A parte de Jack aparecendo como seu professor — examinando-a, testando-a, fazendo-a se sentir pequena, aquele fora apenas mais um desvio do sono R.E.M., na realidade.

Ela se vestiu rapidamente num vestido envelope conservador com uma estampa xadrez sutil, engoliu algumas colheradas de cereal de aveia e chamou um táxi da rua. Seu celular tocou na hora em que estava dando o endereço da Brighton ao motorista.

— Oi, Tracy. Estou a caminho da entrevista.

— Eu sei. Só queria desejar boa sorte.

— Obrigada, estou me sentindo bem. Não imagino o que ele vai me perguntar. Não sei se minha experiência em aquisições vai ser relevante.

Evie se sentiu surpreendentemente nostálgica ao mencionar seu trabalho na Baker Smith. Ela imaginou se Marianne estaria gostando mais da nova advogada para quem trabalhava agora e se a fusão da Calico haveria descarrilado pela crise de commodities na Venezuela. Da última vez que Annie ligou, Evie sondara em busca de fofocas, mas não conseguiu arrancar muito de volta. ("Não tenho passado pela mesa de Marianne... Não faço ideia se os associados do escritório da Califórnia se tornaram sócios... A máquina de frozen yogurt está quebrada há duas semanas e ninguém dá a mínima.") Uma ligação parecida para Pierce, seu amigo do escritório e fã de *Gossip Girl*, não lhe fornecera nada digno de destaque. ("Desculpe, Evie, o chefe está a um metro de distância... Não posso fofocar agora.")

— Ah, vai dar tudo certo — reassegurou Tracy. — O diretor é tão bonzinho que o chamam de O Megero Domado.

— Bom para mim, acho. Ligo para você depois.

— Espera, tem uma coisa. Tenho certeza de que não vai precisar tocar no assunto, mas, se precisar, eu não mencionaria a história de estar off-line na entrevista.

— É, posso imaginar o que isso implica se eu tiver que pesquisar alguma coisa. — Evie já havia se estressado pensando como manteria seu celibato de internet tendo um emprego. Ela jurou só usar a internet para trabalho e se fosse estritamente necessário. Se um pop-up tentador sequer aparecesse, ela desligaria o computador e descobriria como ser advogada à moda antiga.

— Tem isso, e a Brighton gira em torno do preparo tecnológico. Eles fazem umas palestras com nomes como "Ensine seus filhos a achar um futuro brilhante no Google" e "Será que seu filho é o próximo Mark Zuckerberg?". Acho que talvez seja para os pais não se sentirem mal por estarem sempre olhando seus telefones.

— Nossa.

— É. A administração até sugere que os membros do corpo docente se familiarizem com a lista de confirmados, o que tenho quase certeza que significa stalkear os pais. Parece horrível, eu sei. Mas, se não fosse por algumas poucas famílias generosas, a escola não conseguiria dar nenhuma bolsa ou desconto. Queria poder ajudar meus alunos de Nova Orleans com um pouco desse dinheiro.

Evie se lembrou de Jerome e Caroline terem feito uma generosa doação a uma creche de prestígio para que Grace pudesse se juntar a outros titãs de noventa centímetros nascidos em berço de ouro. E aquilo era apenas para aprender a pintar com os dedos. Evie mal podia imaginar o que era preciso para uma escola de Ensino Médio.

— Entendi. Tenho certeza de que não vai haver necessidade. Ligo para você assim que sair ou então passo na sua sala. Obrigada mais uma vez pela ajuda.

Evie jogou o telefone dentro da bolsa e focou a televisão no banco de trás do táxi, uma maravilhosa melhoria nas viagens pela geralmente engarrafada Manhattan. Na tela, viu uma animada apresentadora de notícias com um belo corte de cabelo e seminua sendo apalpada por um tipo meio avô de jaleco branco. Evie se inclinou para a tela para aumentar o volume, grata pela distração.

— E então você faz assim com as mãos — disse o homem de jaleco, estendendo dois dedos como se orientando o tráfego de aviões numa pista de voo —, e dá a volta no seio em sentido horário, em busca de algum inchaço novo ou caroços. Se preferir, pode fazer um movimento de cima para baixo. Isso só tomará um minuto do seu banho.

A âncora continuava com seu sorriso plástico firme enquanto o velho, que Evie se dera conta aliviada de que era um médico, apertava seus seios mal cobertos por um sutiã de renda em rede nacional.

— Obrigada, dr. Liman. Foi muito informativo. — Ela parou para abotoar sua blusa vermelha. Seu coapresentador, um homem cerca de dez anos mais velho que ela com cabelos espessos e prateados, se inclinou para a câmera com um sorriso tímido.

— É claro, Joanne, é ainda melhor se tiver alguém em casa que possa fazer o exame para você. — Os apresentadores riram juntos, enquanto o médico, claramente desacostumado a estar na frente das câmeras, ficou parado sem graça, observando a piada. Evie desligou a televisão, pensando que deveria mesmo ligar para o médico que o dr. Gold recomendara para um check-up.

A Brighton Montgomery ficava no norte do Upper East Side, de onde vinha a maior parte dos alunos, segundo Tracy. Ficava num bonito prédio de tijolos vermelhos com uma bandeira americana e uma bandeira dourada e azul-marinho com o rosto de um leão, penduradas no quarto andar. A entrada com degraus de mármore era emoldurada por um corrimão de intrincado ferro forjado, que ela admirou enquanto subia. O lugar parecia mais uma embaixada que uma escola.

Deveria estar em horário de aula, porque ela só viu um ou dois estudantes perambulando pelo corredor. Na recepção, a assistente do diretor, uma recém maior de idade chamada Keli ("Com i no final!", ela declarara orgulhosa), recebeu Evie. Ela explicou que o diretor Thane havia sido chamado de surpresa para um almoço com um "estimado" ex-aluno que viera de Paris, de modo que ela mesma conduziria a entrevista. A colagem de fotos de gatinhos na tela do computador de Keli e seu constante uso de "tipo" na conversa acalmou consideravelmente os nervos de Evie. Depois de analisar seu currículo por um minuto, Keli fez algumas perguntas de praxe sobre seu modo de trabalho e o que a animava quanto à possibilidade de trabalhar na Brighton.

Depois que a entrevista terminou, Evie ficou enrolando do lado de fora do prédio, se perguntando se deveria ou não esperar pelo horário de almoço de Tracy. Ela passou os dedos no metal gelado do corrimão, sentindo o ferro forjado. Tudo na Baker Smith era novo e moderno, com os melhores móveis italianos e modernos equipamentos de escritório, mas parecia mais satisfatório estar cercada por algo histórico. Depois que alguns professores saíram pela porta da frente e a olharam com suspeita curiosidade, Evie resolveu ir embora. Ela desceu as escadas e dobrou a esquina à esquerda, indo para o norte, pela Lexington.

A vizinhança se deteriorou rapidamente e logo Evie estava cercada por lojas de vinhos acabadas e conjuntos habitacionais. As ruas estavam sujas de latas de refrigerantes jogadas e papéis de bala que rodopiavam ao redor dos tornozelos magricelos de crianças que dançavam com o velho aparelho de som de alguém. Nova York era louca daquele jeito — algumas quadras em determinada direção podiam transportar você do auge do luxo a um lugar totalmente Dickensiano.

Evie se perguntou se os alunos da Brighton interagiam com aquela comunidade. Se não, talvez ela pudesse começar um programa — juntando jovens da classe alta com crianças de escola primária que moravam a poucos metros dos corredores chiques da Brighton. No Baker Smith, Evie fizera trabalho *pro bono* para organizações sem fins lucrativos, ajudando-as a tornarem-se isentas de impostos e revisando seus aluguéis e contratos. Definitivamente era um dos aspectos mais gratificantes de seu trabalho, e uma coisa da qual realmente sentia falta. Quando saiu da empresa, estava ajudando um abrigo para mulheres desabrigadas em Battery Park a entrar com um pedido de mais auxílio do governo. Ela pedira a Julia para que assumisse o projeto no seu lugar, e esperava que ela tivesse tido mais sucesso na batalha contra a burocracia. O abrigo provavelmente estaria em melhores mãos com Julia. Não apenas o lugar teria sua atenciosa dedicação, como ela também passaria lá com *scones* de cereja para todos nos fins de semana.

A planilha organizacional do programa de mentores da Brighton já estava tomando forma na sua cabeça quando seu telefone tocou. Ela esperava que fosse Tracy para contar a ideia que tivera, mas era Paul. Seu impulso por altruísmo precisaria esperar.

— Olá, sumida — cumprimentou Paul. — Que bom de fato ter algum contato com você.

— E com você também, meu amigo — respondeu ela, rindo. Andara preguiçosa para fazer planos recentemente, paradoxalmente se sentindo ainda menos motivada agora que tinha mais tempo nas mãos. Quando estava trabalhando, cada segundo de tempo livre era como um presente que precisava ser aproveitado ao máximo. Agora que ela podia socializar sempre que quisesse, havia menos pressão para procurar seus amigos.

— Como tem sido a vida entre os Amish? Mandei umas fotos picantes de nossa viagem para Ibiza e, como não recebi nenhum comentário depreciativo de volta, imaginei que ainda estivesse desconectada.

Ela suspirou.

— Sim, ainda off-line. Tem sido bom. Chato, terapêutico, catártico. Sentimentos mistos.

— Bem, admiro sua disciplina. O que há de novo?

— Bom, se é que dá para acreditar, é possível que eu vá trabalhar na Brighton. Estou preocupada com Tracy, entretanto, porque...

— Eu sei, a cérvix dela. Ela me mandou uma mensagem ainda do consultório médico. — Evie não podia negar o ciúme que sentiu sabendo que Paul estava sendo atualizado em tempo real.

— Ela parece estar levando numa boa, apesar disso. De qualquer maneira, a outra notícia é que minha avó está doente. Bette, mãe de meu pai. Você sabe, a de quem sou bem próxima e que visito na Flórida, e que vem me ver todo ano. Está com câncer de mama. — As palavras pareciam pesadas na sua boca, como melaço.

— Ah, querida. Sinto tanto. Há algo que Marco e eu possamos fazer?

Ela fez uma pausa antes de responder. Precisava de alguma coisa? Talvez um pouco de companhia. A época em que maratonas de reality shows conseguiam mantê-la aquecida à noite havia passado.

— Bem, talvez possamos sair para jantar. Adoraria tirar essas coisas da cabeça.

— Combinadíssimo. Na verdade eu estava ligando para marcar alguma coisa com você. Marco e eu estamos com saudades. Semana que vem não dá porque preciso ir para Los Angeles a trabalho. Alguma pirralha do Disney Channel foi pega usando cocaína no banheiro da escola primária da sua irmãzinha em Beverly Hills. Meu chefe acha que devemos convencê-la a virar porta-voz da abstinência ou alguma coisa assim até que a história vire pó. Sem trocadilho.

— Que babado. Mal posso esperar pelo jantar para saber mais detalhes. — Evie adorava aquelas fofocas. Sem acessar o Perez Hilton ou o The Superficial, sua única dose de drama Hollywoodiano vinha das revistas largadas no seu duvidoso salão de manicure, que ela estava desprezando cada vez mais desde que Caroline a expôs ao luxo do Plaza. — Mas lembre-se: estou sem computador. Vai precisar me ligar de novo para marcar. Não esqueça.

— Entendido. Você está vivendo numa caverna. Já saquei. Ah, e Evie, temos grandes notícias para contar quando eu voltar. Enormes.

— Deixe-me adivinhar. Vocês viram Hugh Jackman numa sauna gay, o que confirma o que vocês dizem desde sempre.

— Errado! Essa notícia, se é que se pode acreditar, é ainda maior. Mas quero contar pessoalmente.

— OK... bem, agora estou mais ansiosa pelo jantar do que nunca. Não se esqueça de me ligar. Nada de e-mail!

— Sim, esquisita. Eu vou ligar. E Evie, sua avó vai ficar bem. Não se preocupe.

Ela resolveu ir a pé para casa, deixando a leveza de Paul acalmá-la por enquanto. O sol brilhava forte e o ar era seco e frio. Evie adorava aquela claridade na atmosfera. O Central Park, como sempre, era o retrato de um belo dia — cheio de nova-iorquinos loucos para ver a luz do sol refletindo na grama em vez de no concreto. Ela passou por um playground barulhento no lado leste do parque e parou para observar as crianças correndo frenética e alegremente. Ela adorava o som de suas risadas. Os gritinhos, as gargalhadas e os guinchos. Eram todas muito puras.

Evie se concentrou num par de meninas idênticas de cabelos claros subindo um escorrega. A mãe das garotas, que parecia ter mais ou menos a sua idade, estava a três metros delas. A mulher, elegantemente vestida numa roupa toda cor de marfim e apoiada perigosamente numa cerca de metal, estava segurando seu smartphone com força, como se fosse uma bomba capaz de explodir se ela parasse de transmitir-lhe calor corporal. Ela só levantou a cabeça uma vez para olhar suas filhas, presumivelmente para checar se não tinham sido sequestradas enquanto ela estava ocupada postando fotos delas no Instagram. Que ironia.

— Mamãe, olha a London — gritou uma das gêmeas. — Está sentada de costas!

A mãe olhou por um milésimo de segundo e deu um sorriso para a filha utilizando o mínimo de músculos faciais necessários para erguer os cantos de sua boca.

— Bom trabalho, querida — disse ela. Se estivesse realmente prestando atenção, teria mandado sua filha sentar de frente e parar de aprontar. Em vez disso, ela voltou para seu casulo eletrônico, alheia ao olhar de desaprovação de Evie.

Evie sentiu-se grata por ter sido criada antes da conexão em tempo integral. A maior indulgência de Fran era levar uma cópia da *House and Garden* para folhear enquanto Evie brincava a seus pés no cercadinho de areia. Às vezes Evie pegava a revista dela, usando as fotos para inspirar seus castelos de areia imaginários. Fran trabalhava, mas, quando estava com Evie, estava verdadeiramente de folga.

Se um dia tivesse filhos, Evie jurava se dedicar a eles, e não perder esses preciosos primeiros anos com a cara enfiada em seu telefone. Caroline certamente a repreenderia pela hipocrisia. "Espere só até ficar duas horas sentada no chão tendo que brincar de princesa", diria. Mas Evie gostava de pensar que seria capaz de largar seu computador se seus filhos precisassem dela, especialmente se estivessem pendurados precariamente de um trepa-trepa como as gêmeas que ela observava estavam agora.

# # #

De volta em seu apartamento, Evie deitou no sofá e ligou a TV, esperando uma noite calma, quando seu telefone tocou. O número aparecia como confidencial.

— Alô?

— Evie, oi, é Edward Gold. Espero que não seja má hora.

— Não, não, estou só assistindo à TV — disse Evie. — Bette está bem?

— Ah, sim, ela está bem. Do mesmo jeito de antes. Não estarei no consultório essa semana e queria ver como você e sua família estavam. Ter certeza de que não tinham mais nenhuma pergunta — explicou.

— Estamos bem, quer dizer, eu estou bem. Essa pausa antes da cirurgia nos dá tempo para descansar, eu acho. Depois é que começa a parte mais difícil, né?

— Talvez. Tente permanecer otimista. De qualquer forma, tem meu telefone se precisar de mim. Vou deixar você voltar a seu programa — disse ele.

— Ah, tudo bem. É só o *Antiques Roadshow*. Sou meio que viciada — admitiu Evie.

— Adoro esse programa. Já viu *Pawn Stars*?

— Todos os episódios.

— Então, qual é o objeto hoje? Do *Antiques*?

— Neste momento é um vaso pavoroso que um cara está alegando ter sido dado a ele por sua tataravó, uma das amantes de Pedro I, da Rússia.

— E o que você acha?

— Bem, eu sei que é uma réplica. Mas só porque já vi esse episódio. Não sou tão esperta — disse Evie, rindo.

— Espera aí, deixa eu ligar a TV também. Vamos ver se sou bom.

Evie ouviu alguns ruídos e em seguida o eco da TV. *Que merda estava acontecendo?*

— Isso é o que eu chamo de feio — disse Gold, referindo-se a um piano que poderia ter vindo da coleção de Liberace sendo empurrado.

— Não gosta de imitações de diamante em instrumentos musicais?

— Só nos meus instrumentos médicos.

— Muito engraçado. Então, o que acha? Sobre o piano?

— Vou supor que seja autêntico. Ninguém jamais faria uma réplica de algo tão horrível. Acertei?

— Sim! — exclamou Evie. — Muito bem. Tem experiência nisso. — Ela se ajeitou no sofá, esperando que fossem continuar assistindo o programa juntos.

— Sou muito esperto mesmo — respondeu Gold impassivelmente. — Mas, na verdade, preciso desligar. Minha filha acabou de acordar aos berros. Aproveite o *Antiques Roadshow*, Evie. Conte o resto quando nos vermos em algumas semanas.

— OK, tchau — disse Evie, desligando decepcionada. De onde ele estava ligando? Ela tinha imaginado que fosse da beira de alguma piscina, mas com uma criança chorando e o *Antiques Roadshow* ao seu alcance, Evie deduziu que as férias dele estivessem sendo bem menos exóticas.

Capítulo 10

— Lá vamos nós — disse Evie, cambaleando até sua cafeteira. Pelo menos ela precisava de verdade da dose de cafeína naquela manhã. Era seu primeiro dia na Brighton. Como prometera a assistente, o diretor Thane ligara para ela horas após a entrevista com algumas perguntas e uma oferta imediata de emprego, garantindo que seria dela até contratarem alguém permanente, um processo que poderia levar até seis meses.

A escola estava prestes a comprar o prédio adjacente de dois andares para construir um novo laboratório de informática e área de estudos, e Evie estaria envolvida nas negociações e nos contratos. Transações imobiliárias não eram sua especialidade, mas depois de oito anos lidando com transações multibilionárias, o projeto não parecia particularmente assustador, especialmente considerando que ela teria consultores de fora para quem ligar.

Com a xícara quente na mão, ela analisou o que seu armário lhe oferecia, esperando achar uma roupa adequada para a nova posição. Tracy dava aulas de calça jeans, mas Evie dispensou as opções naquele material e resolveu escolher alguma coisa mais profissional. Ela olhou suas velhas roupas de trabalho. Os ternos com calça a essa altura já tinham ido para o canto do armário, tão apertados contra a parede que Evie quase deu um jeito nas costas tentando puxar um conjunto de risca de giz. Evie o vestiu com uma inofensiva blusa branca.

Para seu espanto, a cintura estava larga. A última vez em que ela usara aquele conjunto fora num voo para Florença. Viagens internacionais eram um dos atrativos que o Baker Smith tinha para recrutar novos funcionários. Evie logo descobriu que não era exatamente bom negócio; viagens a trabalho para a Europa significavam apenas trocar um edifício comercial por outro e se submeter ao cruel *jet lag*. Ela se lembrava detalhadamente de que a cintura apertada dessa calça não a deixara tirar nem uma soneca no voo de oito horas até a Itália. Evie não precisava perder peso, mas estava sempre brigando com os últimos dois quilos, como todas as mulheres que conhecia. Depois de uma olhada satisfeita no espelho, ela abriu suas cortinas, prendendo-as em seus anéis de metal, lembrando-se dos bônus de Natal do ano passado: cortinas de seda roxas com um detalhe em cristal. Não havia nuvens no céu e Evie notou que os pedestres estavam usando roupas para um ensolarado dia de outono.

Do seu armário, ela tirou um par de *slingbacks* de verniz preto aberto na frente. Eram sapatos para encontros — usar qualquer coisa que lembrasse remotamente uma sandália era proibido no Baker Smith. Calçando os sapatos extremamente sexies, Evie se sentiu ousada. Estava livre das amarras dos sapatos de bico fechado que era forçada a usar mesmo nos dias mais quentes de verão no escritório. Poças de suor se acumulavam debaixo dos arcos de seus pés. A gestão do Baker Smith aparentemente preferia chulé a pés à mostra.

Ela olhou o relógio de seu micro-ondas e saiu correndo, estremecendo com uma brisa inesperada. O sol prometido pela previsão do tempo no noticiário das onze da noite passada estava desaparecendo. Evie percebeu que era praticamente início de outubro. Em breve haveria decoração de abóboras no saguão de seu prédio e o Starbucks começaria a anunciar seu Pumpkin Spice Latte. O Facebook estava a um mês de distância da enxurrada de crianças fantasiadas de princesas ou de super-heróis, para não falar nos adultos dispostos a usar as versões mais vulgares dos uniformes de todas as profissões.

Depois de uma espera aflitiva, seu porteiro finalmente conseguiu lhe arranjar um táxi, cujo interior estava com um cheiro forte de cordeiro ao curry. Agora ela ia chegar no trabalho com cheiro de restaurante indiano. O trânsito estava abismal. Evie observou horrorizada que ainda faltavam quinze quadras na avenida Madison, sempre entupida de caminhões de entrega. Thane a orientara a estar lá às oito, e o relógio da TV do táxi já marcava 7h53. Dane-se, pensou ela, abrindo a carteira e tirando uma nota de vinte dólares.

— Fique com o troco — disse Evie sem fôlego e começando a correr pela rua.

Num golpe cruel do destino, começou a chover — primeiro algumas gotas, depois um dilúvio. O céu antes azul agora estava de um tom de cinza ameaçador, como a ilustração de um livro infantil, e ela rapidamente ficou ensopada. Seus saltos, antes sexy e agora amaldiçoados, estavam prendendo em todos os buracos da calçada. Se ela não soubesse muito bem quanta poeira e outras substâncias que era melhor não mencionar havia nas ruas de Nova York, teria corrido descalça.

Depois do que pareceu ser uma interminável caminhada acelerada, ela chegou à entrada principal da escola e subiu voando os degraus de mármore, chegando com a horda de alunos pouco antes do primeiro sinal.

Evie estudou a multidão rapidamente antes de avisar que havia chegado. Eram barulhentos, não muito diferentes dos garotos que vira a duas quadras da escola, diferenciáveis apenas por suas peles brancas e heranças. Esteticamente, a massa da Brighton estava a um mundo de distância dos desalinhados advogados com quem ela se acostumara. Os reflexos nos cabelos iam de tons de manteiga aos de castanha assada. Bolsas Chanel penduravam-se descuidadamente em ombros delicados. Narizes dignos de prêmios de arquitetura apontavam para o teto. E isso era só entre as meninas.

Os meninos usavam blusas Lacoste justas, mas não tanto, num arco-íris de cores. Seus cabelos eram tão ou mais bem cortados que os de suas colegas mulheres, e perfeitamente bagunçados pelo vento. Era como se todos tivessem conseguido chegar até a escola debaixo de um tempo diferente do que Evie pegara. Olhavam seus telefones com a mesma intensidade que Evie uma vez olhara, mas milagrosamente desfilavam pelos corredores sem colidir com ninguém, como se cada um deles tivesse uma esteira rolante pessoal.

Todos os rostos exibiam os últimos sinais de verões relaxantes tomando sol em arredores de luxo. Brighton definitivamente não era a escola tributo aos anos 1950 de tijolos alaranjados que Evie frequentara no subúrbio, quando camisas xadrez da Gap reinavam. Estava assustada. Ainda mais depois que baixou a cabeça para olhar sua roupa. Naquela manhã, ela achou que lhe dava um ar de seriedade, mas agora parecia incrivelmente idiota, como algo que uma professora de ciências de meia idade escolheria numa arara de liquidação.

Ela foi até a administração e Keli, a amante de gatos de vinte anos que a entrevistara, lhe apresentou sua sala. Era um cubículo bem parecido com o que Marianne ocupava no Baker Smith, com um PC, um telefone e alguns gaveteiros. Que diferença do escritório particular com uma vista de matar. Ela colocou sua bolsa numa cadeira simples de metal, compreendendo o quanto subestimara seu último local de trabalho — uma cadeira ergonômica com almofadas ajustáveis e suporte lombar. Seu novo espaço era como um aquário, a menos de três metros da sala cheia de móveis de couro do diretor. Folhear seus catálogos de decoração discretamente seria impossível.

— Vou preparar alguns dos seus documentos agora para já deixar encaminhado seu pagamento — informou Keli. — Por que não dá uma volta na escola enquanto isso? A sala dos professores fica no segundo andar e o refeitório no subsolo.

— Obrigada. Acho que vou visitar a sala de Tracy Loo.

Evie subiu sem fôlego os três lances de escada até a sala de sua amiga, se perguntando como Tracy ainda conseguia fazer isso cinco vezes por semana, dados seus problemas de cérvix ou de placenta ou seja lá o que fosse.

Ela entrou no meio de uma discussão em classe. Vendo os alunos de perto, Evie notou a falta de jeito por trás da fachada de sofisticação. Ainda eram adolescentes, com direito a espinhas e todo o resto.

— Emma? Vi você levantando a mão antes? — perguntou Tracy de uma mesa gasta de metal com seus óculos de armação de plástico na ponta do nariz e um cardigã felpudo sobre os ombros. Parecia tão adulta, pensou Evie. Minhas amigas e eu não somos mais as alunas.

— Sim, sra. Loo — respondeu uma morena na primeira fila. — Achei que, tipo, talvez *O sobrevivente* tenha sido baseado em *O Senhor das moscas*. Já pensou nisso?

Tracy levantou os óculos pelo nariz.

— Bem, sim, suponho que ambos lidem com grupos abandonados. Mas esperava que você fosse falar alguma coisa a respeito de civilização versus selvageria. Que impulso acha que Golding está tentando dizer que é mais natural?

— Ah — disse Emma. — Não sei.

— Mais alguém? — perguntou Tracy, provavelmente com saudades de seus alunos de terceira série em Nova Orleans. Ela olhou para Evie, se desculpando.

— Jamie? O que você acha?

Ninguém respondeu.

Depois de Evie repetir o nome mais duas vezes, escutou um “o quê?” complacente de um aluno sentado na última fila.

— Por favor, tente prestar atenção na aula da próxima vez — repreendeu Tracy, deixando-o se safar um pouco rápido demais, na opinião de Evie.

— Tá — respondeu Jamie, olhando em seguida para Evie. Ela se sentiu vulnerável com a atenção dele, como se seu zíper estivesse aberto, mesmo que fosse ele sendo repreendido. Em seguida ele olhou para baixo, seus ombros apertados e a testa franzida, claramente olhando para alguma coisa. Ela começou a notar seus braços se mexendo. O calhordinha estava escrevendo no celular debaixo da mesa!

— Turma, gostaria de apresentar minha melhor amiga da faculdade. Ela vai trabalhar aqui na Brighton temporariamente — disse Tracy, apontando para Evie. — Se todos se esforçassem e parassem de ficar mandando mensagem durante a aula, alguns de vocês também teriam a chance de ir para Yale e fazer amigos ótimos como eu fiz.

Então Tracy sabia o que a turma aprontava. Evie deu um aceno tímido para os alunos.

— Fique um pouco. Estamos falando do primeiro livro da lista de leitura do verão.

Evie assentiu, aceitando o convite.

Os alunos, apesar da total preparação e do Método Socrático fluido de Tracy, pareciam apáticos. Talvez fosse a atmosfera. O único enfeite nas paredes de um amarelo desbotado era um pôster com a Manobra de Heimlich e uma campainha da escola. Não era uma pré-escola, mas Evie achava que muita coisa poderia ser feita para dar vida ao lugar. Ela adoraria incrementar a sala de surpresa para Tracy enquanto ela estivesse de licença-maternidade. Decorar as paredes com ampliações das capas dos livros do Programa de Estudos já ajudaria muito. Ela podia fazer uma sanca com frases famosas da literatura. Evie rapidamente sentia-se borbulhando de ideias, como uma lata de refrigerante após ser sacudida, e mal podia esperar para começar. Tracy iria surtar. Depois do Teach for America, ela frequentemente comentava como ficava feliz em simplesmente ter quatro paredes e um teto como sala de aula.

Inclinando a cabeça, ela indicou a Tracy que iria descer de volta. Ela viu que Keli havia deixado em sua mesa diversos formulários que o diretor queria que ela lesse, incluindo a escritura da escola, contrato operacional e declarações financeiras dos últimos três anos. Evie mergulhou na leitura e em anotações, de volta ao modo advogado como se nunca o tivesse deixado, e antes que se desse conta, já era hora do almoço e o escritório administrativo estava se esvaziando como se tivesse soado um alarme de incêndio. Ela não sabia onde iria, mas foi junto com seus colegas de trabalho.

Ao sair, seu telefone vibrou, indicando uma nova mensagem de voz de um número que Evie não conhecia. Ela levou um susto ao constatar que a voz era de Rick.

— Oi, Evie, Stasia e eu só estamos ligando para saber como você está. Nos dê uma ligada se precisar de alguma coisa.

Que boba ela tinha sido em se preocupar quanto a salvar o número dele nos seus contatos. Em vez disso, ela o guardara rabiscado no seu caderninho. Evie achava que se fosse ela a casada, não teria problema algum se uma de suas amigas ligasse para seu marido precisando de conselhos ou de um favor. Desde que essa amiga vestisse dois números a mais que ela e tivesse seu próprio marido. Mas Stasia era mais segura. Como poderia não ser quando seus cabelos eram como uma seda dourada e suas pernas tinham o formato de dois lápis? Até os tornozelos finos pareciam pontas recém-feitas.

Evie pegou um sanduíche na deli na frente da Brighton, ainda pensando em Rick, Stasia e seu bebê. Stasia deveria estar se sentindo tão enjoada que delegara seus deveres de amiga para Rick enquanto ficava fora de operação. Engolindo seu wrap de queijo *havarti* e *homus* na calçada, Evie notou uma figura saindo de um Cadillac Escalade preto com chofer e vidros fumê, a cerca de dezoito metros dali. O homem, usando terno escuro e gravata, parecia incrivelmente com o dr. Gold. Não podia ser ele, pois Evie sabia que ele estava de férias e não teria motivo para estar andando de motorista num carro daqueles, mas ainda assim ela semicerrou os olhos enquanto seu sósia caminhava seguido por uma mulher mais magra que um palito usando um vestido curto reto e saltos de sola vermelha, do tipo que acrescenta mais um zero ao preço de sapatos normais.

Mesmo que fosse para a cirurgia de Bette, Evie percebeu como estava ansiosa para em breve rever o verdadeiro dr. Gold. Ela deveria estar sorrindo pensando nele, porque quando Jamie, o aluno de Tracy, passou para entrar no prédio, comentou com um sorrisinho:

Alguém está tendo um bom dia.

# # #

Depois do trabalho, Evie resolveu fazer a viagem de trinta quadras para ver Bette, mesmo que seu primeiro dia na Brighton tivesse sido exaustivo. A adaptação ao seu novo ambiente não fora nada fácil. As xícaras de café eram compartilhadas ou cada pessoa já tinha a sua? Era permitido atender uma chamada de celular no seu escritório? Todo escritório tinha suas regras não ditas, e ela não tinha a quem pedir o guia oral. Na verdade, ela nunca havia trabalhado em outro lugar que não fosse o Baker Smith, com exceção da Rising Star um milhão de anos antes, vendendo vestidos de *bar mitzvah* para adolescentes judias de Baltimore. Lembrar-se do código para abrir os gaveteiros, do caminho até o espaço comum dos docentes, e até mesmo os nomes de seus novos colegas de trabalho havia sido exaustivo.

Ainda assim, Evie precisava ver Bette.

Ela estremeceu quando viu o apartamento em que sua avó estava hospedada. Bette se recusara veementemente a ser um fardo para Fran e Winston em Greenwich e nem queria cogitar ficar com Evie em seu "lugarzinha pequenininho". Em vez disso, ela se hospedara num apartamento fortuitamente localizado a menos de uma quadra do Sloan Kettering. Era de sua amiga Esther, de Boca, que herdara o lugar depois que sua mãe morreu quinze anos atrás, aos cem anos de idade. Um *studio*, com papel de parede descascado, um piso de madeira remendado louco para cuspir farpas e as cortinas cor de mostarda mais feias que Evie já vira. Bette, que reutilizava até um saquinho de chá pelo resto de seu dia até não restar nada além de água levemente tingida, jamais faria alguma coisa para melhorar o espaço durante sua estadia.

Evie encontrou sua avó sentada no sofá com o telefone no ouvido, no meio de alguma fofoca.

— Ele é meio baixa, mas pelo que eu *lembrra* o sua também não é tão alto. Escute, ela tem *trrinta* e nove anos, não pode ser tão exigente. Vou dar a telefone dela *parra* ele hoje mais tarde. Preciso ir, meu neta acabou de entrar. — Bette gesticulou para que Evie se sentasse numa poltrona ao lado do sofá. — O que disse? — Bette baixou o tom de voz. — Ah, Evie. Não, no momento ninguém. — Ela mudou o telefone de ouvido, para o mais longe de onde Evie estava espreitando. — Quase *trrinta* e cinco... Eu sei... Eu sei. — E então ela desligou e olhou inocentemente para Evie.

— Quem era no telefone? — exigiu saber Evie. — E não tenho quase 35. Acabei de fazer 34. — Não era verdade? Ainda estávamos em setembro. Seu aniversário era no final de maio.

— Carol Goldenberg, de Sunny Isles Beach. Estou tentando arrumar alguém para sua neta.

A criancinha dentro de Evie queria gritar: "E eu?"

— Sua neta quer ser *marrionetista* e mora em San Diego — continuou Bette. — Como se alguém quisesse ser isso. Vai saber com esses *crrianças*... De qualquer jeito, acho que conheço alguém morando aqui para ela.

Evie se acalmou. A neta de Carol Goldenberg morava na Califórnia. E estava investindo numa carreira com marionetes. Ela e Evie não estavam no mercado pelo mesmo tipo de cara.

— Não acredito que está armando encontros num momento desses. Deveria estar cuidando de você.

— Por que não? Não me faz mal tentar fazer outros pessoas felizes — justificou-se ela, dando de ombros. — Tem falado com o dr. Gold?

— Ele tem uma família, vó. Vi uma foto da sua filha quando o conheci.

— Por que você está tão zangado? Não estou tentando fazer *shidduch*. Só estava perguntando se falou com ele. Talvez tenha perguntas sobre minha *trratamento*, só isso.

Evie amoleceu, arrependida de ter sido tão explosiva.

— Desculpe. É que já estou acostumada com você tentando me casar com alguém. Mas novamente, não entendo mesmo por que você está esperando o dr. Gold para operar. Aposto que o Sloan tem muitos outros médicos competentes.

— Vou ficar bem. — Bette suspirou. — Estou acostumado a *esperrar* pelos coisas. — Ela olhou para seu colo e começou a girar seu anel de noivado de sessenta anos em volta do dedo.

Evie não sabia o que dizer. Como alguém consegue comparar ter câncer com ter uma neta solteira?

# # #

— Bette me deixa totalmente louca, mãe — gemeu Evie para sua mãe durante um café perto do hospital. — Totalmente, completamente louca. — Ela notou que Fran estava usando uma bolsa a tiracolo atravessada no peito, como os turistas que acham que Manhattan é um covil de batedores de carteira. Evie fazia a mesma coisa quando começou a faculdade. Agora ela andava com sua bolsa aberta, geralmente pendurada perigosamente da dobra de seu cotovelo. Mas ela conquistara a atitude de uma nova-iorquina confiante, o que, na sua cabeça, era tudo de que precisava para desencorajar ladrões. — Sei o quanto ela se incomoda com o fato de eu ser solteira. Mas, sinceramente, já tenho problemas suficientes com minha carreira e minha desastrada vida amorosa. A última coisa com a qual preciso me preocupar é com o quanto não estar casada afeta todos ao meu redor. Juro que eu poderia ganhar um Prêmio Nobel e ainda assim vovó só comentaria que eu não teria ninguém para ir comigo recebê-lo na Suécia.

Fran mexeu seu café em silêncio, comum a expressão indecifrável em seu rosto.

— Mamãe, está me ouvindo? Não me diga que concorda com a vovó! Também odeia o fato de eu ser solteira? — Evie afundou na sua cadeira. — Eu esperava mais de você. Bette está parada no tempo.

Fran olhou para Evie. Seus olhos gentis cercados pelos primeiros sinais de pálpebras flácidas, eram recipientes de compaixão e sabedoria. Evie olhou dentro deles e viu seu próprio reflexo. Fazia sentido. Fran pensava em Evie antes pensar em qualquer coisa.

— Evie, não é a mim que isso incomoda. É a você. Se eu acreditasse que você acha bom estar solteira, não ligaria nem um pouco. E nem sua avó. — Ela olhou de volta para seu caderninho de bolso, onde começou a procurar alguma coisa. — Mentira, ela continuaria ligando. Mas eu realmente não iria — acrescentou ela suavemente.

Evie não sabia se acreditava em sua mãe, uma mulher realmente que exergava tudo com um ponto de vista otimista. O colapso que Evie estava prendendo desde que visitara Bette ameaçava transbordar. Ela ergueu o queixo, não obtendo sucesso em segurar as lágrimas.

— Querida, não estou tentando chatear você. Só quero ter uma conversa franca. Sinto como se seu estado civil fosse esse grande tabu entre nós duas. E não deveria ser. Sei que Bette é mais aberta quanto a essas coisas. Mas na maioria das vezes tenho medo de tocar no assunto.

Evie não sabia o que dizer. Na Brighton algumas horas antes, ela sentira como se tivesse uma chance de recuperar tanto do que havia perdido ao ser demitida de seu antigo emprego — responsabilidade, autossuficiência, respeito. Agora naquele café com Fran, ela se sentia uma adolescente.

— Quero que você seja feliz. E sim, admito, quero que você se case. Porque acredito que fará você se sentir mais segura. Você tem tanto a seu favor, Evie. É bonita, inteligente, bem-sucedida, extrovertida. A lista é interminável. Mas o fato de estar solteira a faz se esquecer desses atributos maravilhosos. Quando olho para você, vejo insegurança. Isso me mata. Tenho vontade de sacudi-la pelos ombros e lembrá-la de tudo que já conquistou.

Evie continuou escutando, mesmo achando que não aguentaria nem mais um segundo daquela sessão de honestidade. Pelo menos o lugar estava vazio.

— Mas, para falar a verdade, não culpo você. O mundo é feito para casais. Praticamente todos os filmes e músicas no rádio falam de amor. Dia dos Namorados. Aniversários de casamento. Até restaurantes. Não existem muitas mesas para um ou três, existem?

Evie pensou nos restaurantes de Jack. Nenhuma mesa pequena para solteiros. Ele costumava reclamar de pessoas que faziam reservas para números ímpares.

"Isso desperdiça um lugar que poderia ser de um cliente pagante", diria ele mais tarde quando os dois fofocavam sobre os clientes da noite enquanto ele organizava os recibos. "E é simplesmente feio. A assimetria é muito incômoda."

Evie respondia insensivelmente: "Quem está solteiro deveria pedir comida em casa." Talvez tenha sido por isso que ele acabou se casando, pensou Evie amargamente agora. Jack queria que os clientes seguissem o exemplo dele. E ela o incentivara.

Evie assentiu para sua mãe para mostrar que pelo menos estava aberta a escutar mais.

— E essa não é nenhuma ladainha antifeminista do tipo que você esperaria de Bette. Os homens também se sentem sozinhos. Winston ficou arrasado com seu divórcio. Mal podia esperar para se casar de novo. Quando você era nova, era tão precoce. Costumava dizer para mim: "Não preciso me casar. Vou tirar notas máximas, estudar na Harvard e ficar milionária." E você tinha sete anos de idade. Você se lembra de dizer essas coisas?

De certa forma, Evie lembrava — não por causa das vezes em que proferira aquelas palavras, mas porque as repetira para si mesma tantas vezes que podia se imaginar direitinho aos sete anos de idade, gordinha e de marias-chiquinhas, andando arrogantemente na cozinha de azulejos azuis e amarelos de estilo provençal à lá Baltimore, falando a seus pais sobre seu futuro. Ela assentiu debilmente para Fran mais uma vez.

— Seu pai e eu nos entreolhávamos e pensávamos em quanto você ainda tinha a aprender. Nunca admiti isso em voz alta, nunca. Mas quando seu pai morreu, uma das primeiras coisas que pensei foi que eu teria que ir à comemoração do aniversário dos Licht sozinha. Pode imaginar? Que me preocupei com isso depois de perder o amor da minha vida? É vergonhoso, mas é da natureza humana.

Evie pulou de sua cadeira e ficou a centímetros do rosto de sua mãe. A hostess levantou o olhar de sua revista *People* para ver qual era a comoção.

— Está tentando fazer com que eu me sinta pior? Concordo com você. Não quero ficar sozinha, mas não é como se eu fosse andar pelas ruas das nove da manhã às cinco da tarde com um cartaz de "procura-se marido" nas costas. E você e vovó pressionando também não ajudam. — Evie se recostou de volta em sua cadeira e cruzou os braços, pronta para a réplica de Fran.

Em vez disso, Fran virou para trás na direção do balcão, dando as costas para Evie.

— Com licença, poderia trazer a conta por favor?

Evie ferveu de raiva. Assim como seu pai e Bette, Evie precisava que todas as discussões chegassem a uma conclusão pacífica. Sua mãe conseguia simplesmente parar uma briga no meio, deixando a outra pessoa uma pilha de nervos e a questão não esclarecida. Concluir um debate não era prioridade de Fran, enquanto Evie desesperadamente queria aquilo em todas as áreas.

— Mamãe, por favor fale comigo sobre isso. Sei que concorda que procurar um esposo não pode ser minha ocupação em tempo integral. Sou um pouco estudada demais.

Agindo como se fosse um grande sacrifício, Fran dispensou a garçonete quando ela começou a andar na direção da mesa delas. Mas então seu rosto inesperadamente se abrandou e ela pegou uma das mãos de Evie. Seu toque quente fez Evie se arrepiar.

— É claro que concordo. Só acho, e não me mate por isso, que você resolveu mergulhar na sua carreira para evitar rejeição. Mesmo reclamando do trabalho, você se oferecia a assumir mais responsabilidades sempre que tinha uma oportunidade. Pense em Jack, inclusive. Seu relacionamento mais longo foi com um homem que não acreditava em casamento. Devia haver alguma coisa aí, subconscientemente, para fazer você se apaixonar por alguém que se recusava a se comprometer. Graças a Deus você terminou. Eu juro, tinha medo de que ficasse namorando com ele até chegar aos quarenta e finalmente aceitar que ele nunca faria o pedido.

Obviamente Evie ainda não contara a Fran que Jack estava casado. Ela não queria que sua mãe tivesse pena dela, ou pior ainda, questionasse o que ela havia feito de errado durante todo aquele tempo para espantar Jack. O episódio do Baker Smith já havia sido embaraçoso o suficiente. Mas essa era sua oportunidade de mostrar à sua mãe que ela não tinha culpa de estar solteira. Na melhor das hipóteses, havia tido má sorte. Na pior, era simplesmente indesejável.

— Na verdade, mãe, Jack se...

— Olá meninas, cheguei trazendo chocolates — anunciou Winston alegremente, sua figura aparecendo inesperadamente na porta do café. Winston entregou a Evie uma caixa de trufas da Godiva com uma das mãos enquanto afrouxava sua gravata com a outra. Ele deu um beijo rápido no rosto de Fran. Evie sorriu de volta, aliviada por poder adiar a conversa sobre Jack e a sra. Jack.

— Comentei com Winston que estaríamos aqui — disse a mãe de Evie, virando-se em seguida para seu marido. — Como foi o trabalho?

— Agitado — respondeu ele, chamando a garçonete. — Tem alguma coisa mais forte que café aqui?

A garçonete balançou a cabeça.

— OK, apenas um café preto então. E um sanduíche BLT.

— Vou voltar para casa. O primeiro dia me derrubou — disse Evie. — Vou só comer um chocolate para a viagem. — Ela abriu a embalagem dourada, sentindo que merecia pelo menos uma trufa depois da reprimenda de Fran. Além disso, suas roupas estavam largas, afinal.

Quando ela se virou para ir embora com uma trufa de framboesa na mão, ouviu sua mãe arfar.

— Evie, seu bumbum está para fora da calça. Posso ver sua calcinha! Como pode andar por aí assim? E numa escola? — A voz estridente de Fran ecoou pelo restaurante, que naturalmente havia passado de vazio a quase cheio em três minutos.

— Do que está falando? — perguntou Evie, levando o braço para trás. Ela tocou na seda macia até a ponta de seu dedo entrar num buraco na calça. Bem no meio. — Ah meu Deus! É muito grande? — Evie afundou de volta na cadeira para esconder seu traseiro exposto. Ela repassou os eventos daquela manhã na cabeça. Sentindo-se surpresa por sua calça estar larga na hora de se vestir... Andando pelo escritório da administração para encher sua xícara de café... Visitando a sala de Tracy e abaixando para abraçá-la. E se um dos alunos tivesse filmado seu espetáculo e tivesse colocado no YouTube?

Evie não conseguia nem olhar para Fran e Winston, então enfiou seu rosto no paletó que estava levando no braço direito.

Seu paletó! Ela definitivamente o estava usando no trabalho e só tirara quando chegou ao restaurante para aquele café com sua mãe.

— Eu estava de paletó! — exclamou, e desajeitadamente o vestiu ainda sentada. Levantando-se, ela girou lentamente, como um frango de padaria.

— Ele cobre seu bumbum — constatou Fran, nada impressionada.

— Graças a Deus. Agora estou oficialmente indo embora. — Evie acenou timidamente para Winston e Fran. As trufas ficaram para trás.

Na hora em que deu um passo na direção da porta de saída, Evie escutou Fran cochichar para Winston:

— Ela reclama de estar solteira, mas ter roupas decentes já seria um primeiro passo.

Capítulo 11

— "Condições comercialmente razoáveis" e "condições razoáveis" não significam a mesma coisa. Precisamos optar por "comercialmente razoáveis" ou desligo o telefone agora mesmo.

A ameaça de desligar no meio da chamada em conferência veio de Louis Madwell, sócio e diretor da divisão de crimes de colarinho-branco do Crohn and Hitchens, um dos rivais do Baker Smith. O escritório ficava na Terceira Avenida, no prédio comumente conhecido como "Lipstick Building" devido ao seu formato de batom, apesar de Evie achar que parecia fálico. Com base em como Madwell estava agindo, sua visão de seu lugar de trabalho era mais apropriada. Era integrante do Conselho Curador da Brighton e, conforme havia informado a todos no início da chamada, iria "dirigir o show" para a escola. Seus serviços estavam sendo oferecidos à escola de graça, mais um fato que ele mencionou quando pediu que todos respeitassem o tempo dele.

— "Razoável" significa "razoável" — opinou Joe Cayne, integrante do conselho oposto. — E é tudo que iremos aceitar. Além disso, vocês não estão vendendo nada. É uma escola. Por que precisam usar a palavra "comercialmente"?

Madwell grunhiu, para desgosto de todas as quinze pessoas naquela ligação.

— A quarenta mil dólares por cabeça, pode apostar que estamos vendendo alguma coisa. Estamos vendendo educação. E é por isso que quando sua cliente entregar as chaves de seu prédio para que montemos nele um maldito laboratório de informática vencedor de prêmios, quero que o contrato diga que será em "condições comercialmente razoáveis". Não quero entrar lá e me deparar com buracos nas paredes e infestação de ratos. Está me ouvindo?

— Com todo o respeito, Louis, minha cliente tinha uma galeria de arte de luxo naquele espaço. Não existem ratos no prédio. E posso assegurá-lo que tampouco há buracos nas paredes — devolveu Cayne.

— Nenhum buraco na parede? Então como ela pendurava as malditas pinturas?

Bem pensado, Madwell. Era hora de Evie intervir.

— Senhores, estamos perdendo o fio da meada aqui. Posso fazer uma sugestão que acho que vai agradar a todos?

Silêncio na linha.

— Por que não mudamos a cláusula para que diga que o prédio será entregue em condições "razoavelmente habitáveis"? Assim podemos tirar a palavra "comercialmente", o que, acredito que seja um consenso, está deixando o outro lado desconfortável. E nosso lado pode se sentir bem pelo prédio ser considerado habitável para alunos, o que tenho certeza de que é a verdadeira preocupação de todos nós. O que acham?

— Posso aceitar isso — disse Madwell. — Estou com um processo de três bilhões de dólares nas minhas mãos neste momento e tentando evitar que um cliente apodreça na cadeia pelo resto de sua vida. Isso é mais importante que essa merda. Joe, está de acordo com o que a garota disse?

Evie não gostou de ser chamada de "a garota", mas já escutara advogadas serem chamadas de coisas piores antes. Ela ouviu um cochicho na linha, que imaginou ser Cayne conferindo com sua cliente.

— Tudo bem por nós — respondeu ele. — Vou mandar uma nova versão do contrato para sua equipe e vamos tentar fechar essa venda até o final da semana.

— Obrigada a todos por essa chamada produtiva — disse Evie. — Tenham um bom dia e, por favor, me liguem se surgir mais alguma questão.

Ela colocou o telefone no gancho e respirou fundo. Seu primeiro trabalho como advogada interina na Brighton estava indo relativamente bem. Era profissional em fazer novas versões para frases do dia a dia. Minúcias como aquela no mundo de Fusões e Aquisições poderiam incluir uma discussão de uma semana quanto ao que seria melhor para seu cliente: "A gestão vai se reportar prontamente aos investidores sempre que uma questão significativa surgir" ou "A gestão vai se reportar aos investidores sem demora sempre que uma questão significativa surgir." Tudo parecia um exercício fútil numa guerra de palavras. Se surgisse algum problema, o assunto seria resolvido fora do tribunal. Ninguém consultaria o contrato para analisar o significado de um advérbio. Era o primeiro trabalho de Evie fora de um escritório, mas não estava sendo muito diferente. Talvez alguns advogados gostassem de discutir em chamadas de conferência e de proferir palavras como "maldito" para dar alguma ênfase, mas ela não era uma.

— Ei, conheço você. Amiga da sra. Loo.

Evie levantou os olhos e viu Jamie Matthews, o menino que mandava mensagens no meio da aula de Tracy, parado perto dela com sua mochila pendurada num dos ombros e um copinho de papel na mão.

— Se eu soubesse que teria uma colega de trabalho hoje, teria trazido dois expressos. — Ele se sentou no cubículo vazio ao lado do dela e tirou um croissant de chocolate de um saco de papel amassado.

— Sim. Oi, sou Evie. Evie Rosen. Isto é, srta. Rosen — gaguejou. Como ela deveria se referir a si mesma? Não era professora. Mas algum nível de decoro parecia necessário. — Estou como consultora jurídica por enquanto.

— Oi, Evie, sou o Jamie. — Aparentemente ele decidira como ela deveria ser chamada. Se ele sabia ou não o que era uma consultora jurídica, não parecia importar. Vamos ser vizinhos de mesa. Espero que não se importe.

— Você não é aluno? — perguntou ela, sentando-se mais ereta, fazendo o que as filhas de Caroline chamavam de "costas felizes" na aula de balé.

— Sou. Mas me meti em encrenca ano passado e meio que fiz um acordo com o diretor de que ajudaria no escritório nos meus tempos livres, para...

— O quê?

— Para minha suspensão não entrar no meu histórico escolar. Vou tentar entrar na faculdade neste ano. Guardo arquivos, faço cópias etc. O que o pessoal precisar, e agora acho que inclui você. — Ele sorriu para ela de um jeito diabólico.

— Estou bem. Não preciso de ajuda.

Ele deu de ombros.

— Você é que sabe. Estou aqui se precisar.

— Obrigada. — Ela se virou para seu computador, agitada pela invasão de seu já apertado espaço de trabalho. Quem era esse garoto afinal, com seu expresso e doces franceses? Quando ela estava na escola comia biscoitos. Pelo menos ele era bonitinho, com um jeito meio moleque.

Ela voltou sua atenção para as revisões contratuais, mas se surpreendeu sendo distraída pela presença de Jamie. O celular dele tocava a cada dez segundos, assoviando um som agudo e penetrante cada vez que chegava uma mensagem. Ela olhou feio para ele, mas Jamie pareceu não notar. As palavras do documento na frente dela pareciam saltar da página, as frases "taxa simples", "servidão" e "direito de preferência" fazendo uma dança. Estava na hora de ingerir mais cafeína. Ela se levantou para encher sua caneca com o café do bule coletivo com alça de plástico (que saudade das máquinas de Nespresso em todos os andares do Baker Smith) e notou uma menina estonteante entrando no escritório e indo direto até a mesa de Jamie. Ele chegou para o lado para acomodar o traseiro mínimo dela, e os dois ficaram sentados comendo seus doces e dando risadinhas.

— Evie, essa é Eleanor, minha namorada — disse Jamie quando notou que Evie estava encarando.

— Eleanor Klieger — disse ela com atitude, acrescentando seu sobrenome como se devesse significar alguma coisa para Evie. Talvez devesse. — Prazer em conhecê-la. — Ela tinha uma daquelas vozes roucas e invejáveis. Como se estivesse no quarto dia de um resfriado e tudo que tivesse restado dele fora uma rouquidão e uma risada sexy.

— O prazer é meu — disse Evie, subitamente se sentindo idosa na frente daqueles dois.

Enquanto acrescentava leite e açúcar no seu café, Evie observou os movimentos leves de Eleanor ao colocar o cabelo comprido de Jamie atrás da orelha e um pedaço de croissant na boca dele. Ela admirou a roupa de Eleanor — jeans pescando, uma camisa xadrez vermelha e branca, e sapatilhas azul-marinho com um discreto logo da Chanel nas laterais. A roupa era apertada o bastante para exibir seu belo corpo, mas solta o suficiente para que fizesse parecer que ela não queria que ninguém notasse. Evie conhecia esse tipo de garota. Ela acordava com o cabelo perfeitamente despenteado, tinha uma risada contagiante, e era boa aluna sem intimidar demais. Era boba na hora em que ser boba parecia fofo; esperta quando ser esperta parecia legal.

— Preciso ir para a sala de estudos — disse Eleanor, levantando da cadeira e dando um beijo na bochecha de Jamie. — Encontro você nas máquinas de refrigerante antes do treino, OK? — É claro que Eleanor também praticava algum esporte. Hóquei sobre a grama ou lacrosse, provavelmente.

— Vejo você lá, gata.

Evie voltou a seu contrato. As palavras tinham parado com sua maldita dança e ela conseguiu se concentrar. Jamie andou pelo escritório fazendo tarefas aleatórias, muitas envolvendo alcançar armários no alto, subindo um pouco a barra de sua camisa polo para revelar uma barriga sarada. Quando ele terminou de trabalhar, bateu levemente na mesa de Evie e disse:

— Legal ver você. Amanhã estou de volta.

Mais tarde, no banheiro dos professores, Evie encontrou Tracy, que estava lutando para fechar um cinto elástico que estava usando para sustentar o peso de sua barriga. Evie o fechou para ela.

— Um dos seus alunos trabalha no escritório ao meu lado. Jamie, eu acho — disse Evie. — A mesa dele fica a um milímetro da minha. Já conheci a namorada.

— Ah é. Jamie Matthews. Acho que os pais deles ajudaram na situação dele. Aparentemente ele estava prestes a ser expulso da Brighton. Metade dos alunos daqui o idolatra. Não sei muito bem por quê.

— Ele parece legal — comentou Evie.

— Mas não é muito bom em inglês.

# # #

Depois de uma semana de fracassos com suas roupas, o auge sendo o episódio com a calça rasgada, Evie resolveu que era hora de investir num guarda-roupa mais apropriado para a Brighton. Com aquele convencido do Jamie aparecendo quase todo dia e Eleanor Barbie Malibu indo visitá-lo toda hora, Evie se sentiu compelida a melhorar um pouco seu visual. Ela pediu para Stasia acompanhá-la numa sessão de compras.

Ela ainda estava irritada por Stasia não ter retornado sua ligação, especialmente sabendo que Rick devia ter contado que a avó de Evie estava doente, mas ela deixou sua curiosidade para flagrar uma barriguinha de grávida ser mais forte que seu rancor. Elas se encontraram na J. Crew na frente do Time Warner Center, a coisa mais parecida com um shopping que Manhattan tem. Evie adorava passar pela entrada do shopping por causa das duas esculturas gigantes de Botero, conhecidas como *Adão* e *Eva*, permanentemente dando as boas-vindas. Com mais de três metros e meio cada uma, faziam com que Evie se sentisse delicada e infantil, e quando ela se aproximava delas, se lembrava de que seus problemas eram bastante sem importância numa cidade de oito milhões de pessoas com suas próprias dificuldades. Estranhamente, Evie achava isso muito reconfortante.

Evie esperou Stasia na frente dessas duas esculturas e, quando sua amiga chegou dez minutos atrasada parecendo abatida e doente, Evie sentiu pena por fazê-la vir do SoHo para ir a uma J. Crew. Mas Stasia ainda não tinha anunciado oficialmente a gravidez, então não era justo que esperasse tratamento diferenciado. Ela nem riu quando Evie fingiu estar indo tocar a gigantesca genitália de Adão.

Depois de uma hora atrapalhando-se juntas no pequeno provador, Evie sentia-se satisfeita por sua missão ter sido um sucesso. Ela encontrou calças de veludo cotelê azul e verde floresta, duas saias evasê, uma variedade de suéteres de cashmere, e um casaco rosa-choque com botões grandes. Stasia comentou razoavelmente bem, mas parecia preocupada o tempo todo. Quando ela não pegou nada para experimentar também, Evie ficou ainda mais convencida de sua gravidez.

— Como está indo o trabalho novo? — perguntou Stasia, enquanto Evie juntava todas as roupas para levar no caixa.

— Revelando-se surpreendentemente parecido com o antigo.

— Bem, isso é bom, não é?

— Não tenho certeza. Pelo menos sei o que estou fazendo.

Era a vez de Evie pagar e ela se aproximou do caixa, cujo atendente usava óculos de grau retrô e camisa xadrez pequena demais. Pelo adesivo de DANE-SE colado no celular dele, Evie deduziu que era do tipo propenso a revirar os olhos.

— Obrigado por escolher a J. Crew — disse ele inanimadamente enquanto tirava os alarmes das roupas novas de Evie. — Se quiser dar seu e-mail, pode participar de um sorteio para ganhar mil dólares em compras.

Evie sorriu.

— E exatamente quantos e-mails de spam vou precisar receber para esse suposto sorteio? — perguntou, fazendo aspas com os dedos antes da palavra "sorteio".

— Bem, não sei muito bem — respondeu ele dando de ombros, sua atenção já desviada por um sinal sonoro do seu telefone.

— Ah, tenho certeza de que a J. Crew e seja lá para quem eles vendam sua mailing list vão ser realmente cuidadosos e só me mandar e-mails quando for muito importante — continuou Evie sarcasticamente. Enquanto ela falava, Stasia gradualmente se afastava de Evie. — Bem, adivinha? Eu não uso e-mail. Sequer tenho um computador. Nem um BlackBerry. Ou um iPhone. Falando nisso, não acho que você deveria estar usando o seu enquanto me atende.

Aquilo chamou a atenção dele de volta.

—Olha — começou ele. — Você pode simplesmente optar por não receber os e-mails diários e ainda assim entrar no sorteio. Quer me dar seu e-mail ou não?

— Eu não estava brincando. Realmente não uso e-mail. — Apesar da fila atrás dela estar crescendo cada vez mais, Evie persistiu: — As pessoas estão tão viciadas em tecnologia hoje em dia. A forma com a qual se relacionam realmente está mudando, e não é para melhor. Quantas vezes por dia você lê e-mail? Seja sincero. Trinta? Quarenta? E você realmente aprende alguma coisa importante pelo Facebook ou Twitter? Pense em quanto tempo perde com essa besteira. Está entendo o que estou dizendo, não?

— Ei, metida — gritou uma voz atrás de Evie —, pode deixar o seu discurso para depois? — Uma mulher de meia-idade com uma pilha de calças cinza e marrom cutucou seu ombro. — Alguns de nós têm vida.

— Desculpe — murmurou Evie, entregando seu cartão de crédito. Mas ainda assim ela estava feliz de ter dado sua opinião, que se dane aquela mãe chata com a pilha de calças de tons terrosos.

— Evie — disse Stasia, puxando-a pelo cotovelo até a saída. — Acho que precisa se acalmar. Tipo, agora.

# # #

Na manhã seguinte, Evie estava de calcinha e sutiã olhando suas roupas novas espalhadas sobre o sofá, com sua xícara de café na mão. Sua barriga ainda estava meio inchada, apesar de estar vivendo à base de toranjas desde o dia do incidente do rasgo na calça. Ver as meninas da escola todo dia era duro. Eram esqueléticas; apesar de engolirem barras de chocolate da Dylan's Candy Bar sem nem mastigar, e de beberem Red Bulls, seus metabolismos ainda estavam longe de desacelerar. Eleanor, líder na categoria, tinha uma leveza particular; ela borbulhava como um refrigerante humano e suas amigas pareciam mal poder esperar para bebê-la.

Observá-la deslizando como uma bailarina pela porta do escritório reavivava os sentimentos de insegurança de Evie de seus dias na Pikesville High. Eleanor, que conseguia inclusive fazer aquele seu nome de avó parecer chique, era a versão Upper East Side de Cameron Canon, a menina mais desejada da escola de Evie. Uma vez, quando Cameron usou saia jeans branca para ir à escola em pleno inverno, metade das garotas apareceu com exatamente a mesma roupa no dia seguinte. Só que no dia em que Cameron a usou, caía uma neve leve e ela parecia uma princesa de conto de fadas que convocara os deuses do tempo para que produzissem flocos de neve que combinassem com seu visual. Quando as outras meninas a copiaram no dia seguinte, uma chuva forte transformou a neve do dia anterior em lama e estragou a roupa de todo mundo, incluindo a de Evie.

Dizer que Cameron era rival de Evie seria elevar o status social de Evie para além da realidade. A competitividade de Evie com Cameron era estritamente interna. Na verdade as duas eram amigáveis uma com a outra, apesar de Evie nunca ter achado que a conhecia tão bem assim. Estavam no mesmo grupo, a galera "cool", apesar de Evie sentir, na maioria das vezes, que se agarrava àquele grupo com muito menos medo que os outros. Se preocupava mais com suas notas que o resto deles. Em retrospecto, ela não conseguia determinar exatamente por que ficava tão preocupada em ser uma das melhores alunas em vez de se divertir. Havia uma certa segurança que ela encontrava nos livros que nunca encontrava numa festa. Estude muito — tire boas notas. Era um caminho em sua maior parte previsível. Seja legal com todo mundo — bem, não existe garantia de que aquilo a tornaria popular.

Quem imaginaria que Cameron voltaria para assombrar Evie diariamente na forma da linda Eleanor? E Evie havia voltado a seus velhos hábitos, desta vez copiando o estilo de Eleanor para usar no trabalho. Misturando algumas de suas peças básicas com as novas roupas da J. Crew, Evie escolheu uma camisa xadrez parecida com a que Eleanor estava usando quando a conheceu e a combinou com uma calça bege justa. Ela não tinha sapatilhas da Chanel, mas tinha um par quase idêntico na cor preta que era quase noventa por cento igual. Em vez de pular a parte da maquiagem, ela se dedicou com cuidado a seus olhos, passando uma sombra cinza clara e completando com uma camada de bronzer no rosto e um brilho labial claro. Finalmente, Evie fez uma escova nos cabelos para deixá-los macios e ressaltar suas camadas. Quando terminou, Evie notou, satisfeita, que não estava tão diferente das veteranas. Claro que havia mais linhas de expressão ao redor de sua boca, mas quem poderia reclamar de imperfeições causadas por sorrir demais? Ela completou seu visual com uma capa de outono, que lhe dava um ar de super-heroína.

Com pontualidade britânica, Evie chegou ao escritório com uma nova autoconfiança, mas não havia ninguém lá para apreciar sua transformação, com exceção do contador da escola, um senhor corpulento com uma gravata de bolinhas que não fizera nada até agora para refutar a suspeita dela de que era mudo. Jamie entrou no meio da manhã durante um dos tempos de aula e ela embaraçosamente gostou da visível aprovação no rosto dele quanto à sua aparência. Ela aceitou sua oferta de ajuda, colocando-o para trabalhar fazendo pastas com a mais recente versão do contrato de venda para os integrantes da administração da Brighton verem.

— Estava esperando você confiar em mim o bastante para poder ajudar — brincou ele.

Para evitar a necessidade de usar internet, ela pediu que sua colega advogada da parte vendedora enviasse o contrato para o e-mail pessoal de Jamie, NycLaxDude@gmail.com, fato que justificou com uma invenção absurda sobre sua conta de e-mail ter sido hackeada. Não era apropriado um aluno ter acesso aos detalhes de uma compra multimilionária da escola, mas Evie sabia, pela convivência com ele, que havia basicamente zero perigo de ele ler sequer uma linha do material. Eles se sentaram lado a lado, um par desencontrado de trabalhadores numa linha de montagem, Jamie entregando a ela cada cópia do contrato para ela inserir nas pastas. Que diferença dos seus dias de fusões de empresas do S&P 500.

— Minha mãe — disse Jamie, apontando para uma página num dos contratos.

— Com licença? — perguntou Evie, sem saber se ouvira direito.

— Na lista de administradores. Minha mãe é do comitê. — Ele sublinhou com o dedo um sobrenome com hífen.

— Sua mãe é Julianne Holmes-Matthews? *A* Julianne Holmes--Matthews? — Julianne e sua empresa Holmes eram as queridinhas da *Architectural Digest*, e seus projetos eram publicados todo mês, sem exceção. Um *château* em Paris, uma *datcha* perto de Moscou, uma cobertura em Tóquio, seus clientes pagavam para ela dar a volta ao mundo para projetar suas residências. Seu estilo era renomado e geralmente descrito como moderno com um velho toque parisiense. Ela unia portas de aço e mesas antigas de farmacêutico, bancadas brancas gregas com carrinhos de bar vintage. Ela, a Anna Wintour da decoração de interiores, era perfeita. Seu filho? Evie observou seu jovem colega de trabalho mais uma vez. Talvez um pouco menos.

— É. Ela é decoradora — explicou Jamie, sem o devido entusiasmo. — Acabou de fazer a casa do Bono.

Caramba.

— Na verdade, ela vem aqui. Precisa ver o prédio novo e, sei lá, dar a opinião dela ou algo assim.

Julianne Holmes-Matthews estava vindo à Brighton. Evie precisava conhecê-la.

— Quando vai ser isso? — perguntou Evie casualmente, sem nenhuma casualidade. — Adoro o trabalho dela — acrescentou mais calmamente.

— Não sei. Ela está em Beirute agora, mas vou mandar uma mensagem perguntando. Quer conhecê-la ou algo assim?

— Claro, sim. Que seja.

— Está bem, vou arranjar.

— Obrigada. Tem algumas provisões no contrato referentes ao prédio que eu adoraria repassar com ela.

Aquilo era completamente falso. Mas Jamie, como na maioria das vezes, nem percebeu.

# # #

Finalmente chegara o fim da semana e Evie tinha planos de visitar Bette de novo depois do trabalho. Estava levando alguns acessórios para enfeitar o horrível espaço onde estava sua avó. Havia uma boa chance de sua mãe ir visitá-la também, pois nas sextas-feiras sua trupe do teatro sempre "descansava suas vozes" e ela e Evie iriam terminar a conversa que haviam começado no café. A doença de Bette estava forçando a família Rosen a manter mais contato que o normal. E havia simplesmente alguma coisa em hospitais e câncer que fazem todos se sentirem autorizados a mudar, especialmente Bette. Sua avó tinha evoluído de apenas bater sua aliança de safira na mesa para socar, e estava propensa a fazer referências a casamentos numa conversa do nada. Era mais fácil estar no trabalho arrumando pastas com Jamie, cujo valor havia basicamente quadruplicado desde que ela descobrira sua prestigiada linhagem.

Eleanor aparecera na hora do almoço, inegavelmente linda no seu uniforme de lacrosse (*sabia!*), e o chamou agitando as mãos furiosamente. Evie observou a discussão dos dois bem na frente da porta do escritório. Os braços de Eleanor estavam cruzados e sua cabeça abaixada. Jamie estava se mexendo desajeitadamente, tentando colocar seu rosto na linha de visão de Eleanor, o que era difícil considerando que ela era uns trinta centímetros mais baixa. Quando ele colocou uma das mãos sobre o ombro dela, Evie notou que ela o abaixou um pouco, sutilmente resistindo ao toque dele. Mesmo com seus cabelos brilhantes e pele boa, Eleanor e Jamie não conseguiam escapar das terríveis mazelas de um namoro. Pareciam personagens de uma daquelas novelas passadas em escolas de que Evie tinha vergonha de gostar. Só que desta vez ela estava assistindo ao vivo.

Eleanor inesperadamente colocou uma das mãos dentro de sua bolsa de livros, se é que uma enorme Louis Vuitton podia ser chamada disso. Ela tirou seu iPhone, posicionando-o na frete do rosto de Jamie. Era tão baixa que tinha que ficar na ponta dos pés para alcançá-lo. Quando Jamie olhou a tela, a expressão de seu rosto mudou subitamente Seus olhos se fecharam durante mais tempo que uma piscada normal. Ele suspirou profundamente e tentou pegar o telefone da mão de Eleanor, mas ela o puxou de volta com força. Evie arfou com a força inesperada de Eleanor e os pombinhos se viraram para olhar para ela.

Eleanor olhou para Evie com uma expressão de dor e foi embora. Evie ficou sozinha sob a mira de Jamie. Ela se sentiu exposta enquanto ele andava de volta na direção dela.

— Ela é ridícula. Só me deixe voltar a trabalhar. — Ele se inclinou por cima de sua mesa e ela notou que o cabelo dele era mais cheio que o de qualquer cara com quem ela saíra nos últimos cinco anos.

— Quer conversar?

— É uma história muito longa, e ia soar imaturo demais para você. Mas obrigado.

— Bem, se mudar de ideia estou aqui.

— Tudo bem. Vou comer alguma coisa, na verdade — respondeu ele. — Se importa se terminarmos isso na segunda?

— Não, de maneira alguma, vá em frente.

Estando faminta também, ela foi até um banco de vime que descobrira na frente de uma loja de artigos diversos virando a esquina da Brighton. Às vezes Tracy a encontrava para almoçar, seu colo do útero felizmente forte o bastante para permitir que ela continuasse a trabalhar, mas hoje ela tinha uma reunião com o departamento de Inglês.

Mordiscando seu sanduíche feito em casa (pera, brie e presunto — um especial de Jack) e um saquinho de uvas, Evie pensou em Jamie e Eleanor. Talvez sua briga tenha sido uma briga entre adolescentes, mas algumas das discussões que ela e Jack tinham também pareceriam infantis para alguém de fora. Costumavam brigar por causa dos flertes dele com as garçonetes de seus restaurantes, que ele justificava dizendo que era para aumentar a "moral" delas. Brigavam quando ele cancelava diversos planos de visitas à família de Evie, que ele defendia dizendo que tinha reuniões com distribuidores ou que precisava revisar a folha de pagamentos. Evie sempre cedia — Jack tinha um talento para fazer as reclamações dela parecerem triviais, mesmo que no começo da discussão ela tivesse certeza de que estava certa. Ela ameaçara homens com o dobro de sua idade em reuniões, ganhava de banqueiros de investimentos e titãs de grandes corporações com seu raciocínio rápido e argumentos afiados, mas Jack ainda a fazia se sentir tão infantil quanto a merendeira de um aluno da terceira série.

— Evie?

Ela ouviu a voz de um homem bem na hora em que estava tossindo por causa de um pedaço do pão integral que engolira rápido demais. Evie olhou, surpresa por ter sido descoberta em seu lugar oculto de almoço.

— Dr. Gold? — perguntou Evie, tentando disfarçar o máximo possível que estava engasgando. — O que está fazendo aqui? — Ele estava bem-vestido, com um terno azul-marinho com uma estampa discreta, e sapatos que seriam chiques demais se não estivessem gastos e desbotados. Seus óculos estavam no bolso do terno. Sua gravata amarela parecia conservadora, mas quando Evie olhou mais de perto notou que era cheia de zebrinhas.

— Ele está aqui por minha causa — disse uma voz de criança com sotaque britânico. Uma menininha apareceu de trás da perna dele, com um pirulito do tamanho de sua cabeça. Tinha adoráveis marias-chiquinhas, amarradas com fitas azul-marinho de cetim, e estava usando um suéter xadrez com sapato boneca que lembraram Evie dos sapatos que ela própria usava quando era uma garotinha. Era igualzinha a seu pai.

— Você deve ser Olivia — disse Evie, abrindo um sorriso largo para a menina. A garota era linda, com olhos brilhantes e cabelos clareados pelo sol, parecendo-se ainda mais com um anjo que na foto que Evie vira. Era difícil não ficar alegre só de olhar para ela.

— Livi, esta é Evie — disse o dr. Gold. — A conheci no trabalho.

— Ah, você está doente? — perguntou a garota, com um pouco menos de sotaque.

— Não, não. Mas minha avó está e seu papai está cuidando dela — explicou Evie.

Olivia colocou a língua para fora e lambeu seu pirulito.

— Meu papai deixa todo mundo melhor — disse ela, olhando para ele com evidente adoração.

Evie olhou para o dr. Gold.

— Achei que você estava de férias — falou ela.

— São férias passadas em casa — respondeu ele. — Eu tinha muitas coisas para resolver, uma delas colocar minha esplêndida menininha no jardim de infância. Nossa entrevista na Brighton é hoje.

A Brighton tinha uma escola para crianças a uma quadra dali. Devia ter sido o dr. Gold mesmo que ela viu no outro dia, mas por que ele estaria saindo daquele carro e com motorista? Ser médico não pagava tão bem. E a esposa? Evie não viu de perto, mas nunca teria imaginado Edward com uma mulher tão magra usando sapatos Louboutin.

— Minha mãe está atrasada como sempre — disse Olivia. O sotaque estava de volta.

— O sotaque dela...? — Evie começou a perguntar.

— É uma longa história — disse ele, balançando a cabeça numa indicação de desesperança. — Estamos cuidando disso. Não é, Livi? Em falar com sua voz normal? — Ele deu um beijo na testa da menina.

— Sim, papai — exclamou Olivia, pulando nos braços de seu pai, seu vestido subindo e revelando uma calcinha rosa-choque com as princesas da Disney. Evie teve uma vontade forte de dar um beijo nas costas dela e assoprar, fazendo aquele som flatulento que crianças adoram.

— Como está Bette? — perguntou o dr. Gold.

— Está bem. Ocupada se metendo na vida de todos — brincou Evie com uma risada, esperando que ele soubesse que ela não falara aquilo com maldade.

— Ahh, sim — respondeu ele com um olhar misterioso. — Falei recentemente com ela a respeito do exame pré-operatório e ela me contou que você estava trabalhando aqui, o verdadeiro motivo de eu não estar tão surpreso em encontrá-la.

— A boa e velha Bette — disse Evie, imaginando quando os dois tinham conversado. Ela tinha jogado *rummikub* com Bette ontem e ela não dissera uma só palavra, mas pensando bem, por que o faria?

— Tem sorte de ter ganhado um doce tão grande — disse Evie, dirigindo-se à Olivia novamente. — Tem um papai muito bom.

O dr. Gold se aproximou de Evie, de maneira que ela até notou um pedacinho de espuma branca em sua mandíbula. Ela levantou sua mão e a limpou, quase tentada a lamber sugestivamente o creme de seu dedo.

— Espuma de barbear — explicou ela, surpresa com sua ousadia.

— Obrigado — disse ele, ainda próximo de seu ouvido. — A mãe de Livi não está realmente atrasada. É só que ela não gosta muito de doces, então eu trouxe Olivia mais cedo para um momento especial.

— Ahh, entendi — disse Evie, e os dois compartilharam um sorriso. Ela ficou desapontada, no entanto, por não poder ver mais de perto sua esposa, apenas para satisfazer sua curiosidade. Será que a sra. Gold também era linda e gentil, a terceira peça daquele quebra-cabeças perfeito? Ou teria dentes tortos e seria mal-educada, deixando Evie intrigada quanto a por que algumas mulheres tinham uma sorte inexplicável em conseguir homens perfeitos e parirem as crianças mais adoráveis.

— O que estão falando de mim? — perguntou Olivia, puxando a mão de seu pai.

— Só que a mamãe não gosta de doces. E que você é minha garota preferida.

— Você é meu papai preferido — respondeu Olivia. O amor e a interminável troca de afeto entre pai e filha foi o suficiente para fazer Evie se derreter.

— Bem, é melhor eu limpar o rosto dela antes de sermos pegos — disse ele, apontando para a grudenta camada de açúcar cor-de-rosa na bochecha de Olivia. Evie ficou triste. Teria conversado mais tempo com prazer, fazendo com que quem passasse achasse que os três eram na verdade uma perfeita familiazinha.

— Ainda não terminei meu pirulito, papai! — exclamou Olivia. Ela olhou para Evie. — Você é professora aqui? Adoro minhas professoras. Ontem ganhei três estrelas na escola porque fui a melhor na arrumação.

— Mamãe se esqueceu de me contar isso ontem — disse o dr. Gold, olhando para sua filha, que se acomodara no banco onde Evie estava sentada antes. Ela estava enchendo as bochechas de ar como um baiacu.

— Não, não sou professora. Sou advogada. Vou deixar seu pai explicar o que é isso. Não é nem de perto tão legal quanto ser médico. Ou professora. — Voltando-se para o dr. Gold, ela continuou: — Sei que deve ter que correr para sua entrevista. Foi bom encontrar vocês. Vejo você semana que vem para a cirurgia, dr. Gold.

— Por favor, é Edward. Foi bom ver você também.

Ela pensou tê-lo visto a olhando da cabeça aos pés com uma expressão de aprovação, e ficou feliz por não estar com uma de suas roupas inspiradas em Eleanor naquele dia. Ele não precisava saber que ela estava copiando uma menina de dezesseis anos de idade.

— Tchau, Olivia — disse Evie, desejando que tivesse um brinquedinho ou qualquer outra coisa para dar a ela.

— *Cheerio* — respondeu a menina, exatamente como uma estudante inglesa. Ela pulou do banco e começou a galopar pela calçada, puxando seu pai junto, e deixando Evie curiosa a respeito da história por trás daquele sotaque.

O dr. Gold se virou para acenar para ela enquanto era arrastado. Evie sorriu de um jeito sensual que não era nem um pouco apropriado para se comunicar com um homem casado sendo guiado por sua filha. Ela ficou parada calmamente olhando suas silhuetas ficarem cada vez menores enquanto desciam a rua de mãos dadas.

— Com licença. Acho que deve ter esquecido sua bolsa naquele banco, ou outra pessoa esqueceu. — Uma mulher de meia-idade com uma mecha super branca de cabelo por cima de um corte Chanel preto cutucou Evie no braço, interrompendo sua concentração.

— O quê?

— Sua bolsa — repetiu a mulher, apontando para a bolsa de Evie, que ela realmente deixara para trás no banco.

— Ah, é, obrigada. Me distraí.

— De nada — disse a mulher. Ela parecia vagamente familiar. Talvez fosse mãe de algum aluno da Brighton e elas tivessem se visto nos corredores?

— Estou aliviada por você de não ter esquecido. Carrego minha vida inteira na bolsa. — Ela levantou sua bolsa vermelha de couro para Evie ver a papelada transbordando.

Por isso ela a conhecia! Na bolsa, Evie viu dúzias de catálogos da Allman-White, uma das maiores corretoras de imóveis da cidade. Essa mulher, com o inconfundível cabelo, era a corretora do apartamento pelo qual Evie babava na internet.

— Você é a corretora daquele apartamento de um quarto na Sessenta e seis West não é? — perguntou Evie. — Eu me lembro de sua foto no anúncio.

— Eu mesma. Emmeline Fields, às ordens. Estava interessada em olhar o apartamento? Os donos acabaram de reduzir o preço em cinco por cento. — Ela tirou um cartão de visita de sua carteira e o colocou na mão de Evie. — O mercado está definitivamente bom para compradores.

— Ah, bem, na verdade não mais. Eu estava pensando na ideia há um tempo.

— Bem, vou fazer mais um open house no domingo, então não deixe de ir. Pelo menos vá pelos bagels de cortesia. Pegue um panfleto. Tem todas as informações de que precisa. — Emmeline colocou o papel diretamente dentro da bolsa de Evie, para que ela não pudesse recusar.

— Obrigada, mas acho que não vou poder ir — disse Evie, sentindo-se desconfortável. Ela fez o seu melhor para não olhar o panfleto em uma de suas mãos, mas a foto da luz do sol inundando as janelas da sala de estar voltadas para o sul era irresistível.

— Sabe o que é melhor que sexo? — perguntou Emmeline.

— É... não. O quê?

— Imóveis de Manhattan. Vejo você no domingo.

Capítulo 12

Foi uma questão de poucos dias até que os detalhes do drama adolescente que Evie testemunhou na porta do escritório da escola fossem revelados. Evie entrou na Sala Klieger dos Professores, sem dúvidas batizada assim por causa da família de Eleanor, depois que ela descobriu com tristeza que o banco onde gostava de ficar na rua havia sido vendido naquela manhã. Ela ouviu por alto algumas professoras de meia-idade conversando sobre a briga entre Eleanor e Jamie. Estavam tão entretidas com a fofoca que nem olharam quando Evie entrou e se sentou com seu almoço numa mesa vazia.

— Aparentemente, alguém colocou uma foto no Facebook de um churrasco do dia do trabalho na casa dos Matthews em Montauk, de frente para o mar, e dá para ver Jamie no fundo beijando outra garota. Ouvi dizer que ela estuda num colégio interno suíço e sua família estava hospedada com os Matthews. Nesse dia, Eleanor estava em Saint Tropez com sua família. — A professora, uma mulher de aparência arrogante que Evie reconheceu do dia de sua entrevista, parecia feliz em estar por dentro. Espalhando fofocas adolescentes ela não parecia mais tão intimidadora quanto parecera algumas semanas antes.

— Então eles vão terminar? — perguntou outra professora, ofegante, com uma saia azul-marinho desleixada e uma blusa floral mal cortada, como se o desenrolar do relacionamento entre Jamie e Eleanor pudesse ter um mínimo impacto sequer em sua vida. As outras professoras se aproximaram mais.

A professora por dentro da história continuou:

— Bem, aparentemente, Jamie está tentando alegar que isso tudo aconteceu no verão anterior, e agora algumas amigas de Eleanor estão falando por Skype com algumas amigas na Europa que estudam com essa suíça misteriosa para descobrir se ele está falando a verdade.

Evie estava ao mesmo tempo intrigada e em choque. Eleanor e Jamie já eram bonitos o bastante para garantir a atração alheia apenas por sua beleza, imagine com seu status social. Mas ainda assim ver estas professoras discutindo a vida social de seus alunos com tanto gosto era desconfortável. Será que seus professores da Pikesville High, como o sr. Londino ou a srta. Robidoux, a professora de francês com os eternos rasgos em suas meias-calças, falavam sobre Evie e suas amigas durante os intervalos? Provavelmente não. Os adolescentes de Manhattan forneciam um conteúdo muito mais interessante.

Um homem sentado em outra mesa se levantou para juntar-se ao grupo. Evie sabia que ele era o sr. Molinetto, professor de Física, porque havia olhado o anuário que encontrara na sua sala. Ele era um nerd sem tirar nem pôr, com óculos fundo de garrafa e uma camisa de botão de mangas curtas desbotada e adornada por uma gravata marrom.

— É deste verão — disse ele autoritariamente, esperando que as professoras prestassem total atenção nele. — Um dos alunos deixou seu Facebook aberto na biblioteca, então dei uma olhada. Dá para ver uma casa de hóspedes, se você olhar a foto com atenção. Eu me lembro bem que em dezembro passado a família de Jamie estava envolvida num processo com um vizinho por causa da construção de uma casa de hóspedes. Aparentemente o vizinho alegou que a estrutura adicional na propriedade dos Matthews interferia com o barulho das ondas. Saiu em todos os blogs sobre os Hamptons.

Qual deles você segue?, perguntou Evie mentalmente, se encolhendo de vergonha em seguida.

As professoras olharam para Molinetto embasbacadas. Obviamente estavam impressionadas com seu talento para detetive e não pareciam nem remotamente incomodadas por ele ter olhado as fotos no Facebook de um aluno.

— Então está constatado. Ele a traiu — disse enfaticamente uma das professoras. — A única questão é quanto tempo vai demorar até Eleanor provar. Provavelmente é melhor que eles terminem mesmo. Se um dia se casassem, tenho certeza de que violariam leis antitruste.

— Ah, ela vai descobrir logo, logo — disse outra professora. — Não existem segredos na internet.

Com aquilo Evie concordava plenamente.

# # #

Alguns dias depois, o número de Paul apareceu no celular de Evie enquanto ela caminhava até o apartamento de Bette depois do trabalho. A cirurgia estava marcada para a manhã seguinte e Evie estava se sentindo completamente enjoada. Muita coisa dependia do câncer ter se espalhado ou não, para não falar nos riscos da cirurgia em si. Era difícil dormir, difícil comer, e certamente difícil se concentrar no trabalho. Por mais que estivesse temendo o dia seguinte, ela também mal podia esperar para que ele passasse logo.

— Onde estava ontem à noite? — perguntou Paul assim que ela atendeu.

— De pijama, assistindo TV. E você?

— Na casa de Caroline, com todo mundo, comemorando o noivado de Annabel. Estava esperando que marcássemos nossos planos de jantar sobre o qual conversamos. Por que você não foi?

Annabel era a filha mais velha de Jerome, de seu primeiro casamento. Evie só a vira algumas vezes. Ela sabia que Caroline gostava dela. As coisas tinham sido estranhas entre elas no começo porque havia apenas cinco anos de diferença entre as duas, mas depois de alguns desentendimentos elas resolveram aceitar a estranheza daquilo e se tornaram amigas.

— Ah, merda. Nem me lembro de receber o convite. Queria que Caroline tivesse me lembrado.

— Não teve convite. Não foi sua festa de noivado oficial. Foi apenas uma coisinha improvisada para comemorar, pois seu noivo fez o pedido essa semana. Caroline mandou e-mails para todos com os detalhes. Queria que estivéssemos todos lá porque a mãe de Annabel estava vindo e Caroline queria que a protegêssemos.

Então era assim que as coisas eram agora. Quantas outras coisas ela perdera porque não estava olhando e-mail nem respondendo convites no Facebook? Mesmo suas melhores amigas não se lembravam de ligar para ela chamando para uma festa. Não era de admirar que Evie estivesse ficando em casa sozinha tão frequentemente nos últimos meses.

— De qualquer maneira — continuou Paul —, perdeu minha grande novidade.

— E qual era? — perguntou ela, não muito curiosa.

— Marco e eu vamos ter um bebê! — gritou ele no telefone.

— O quê? — Apesar do barulho do trânsito intenso, Evie teve certeza de ouvir seus óvulos, aninhados dentro de seus ovários cada vez mais velhos, racharem. E ela já tinha poucos bons de sobra.

— Vai ser uma tia honorária. Ficou animada?

Não tanto quanto deveria.

— Está aí? — perguntou ele.

— Sim, estou. Que notícias ótimas. Mas como? — Foi o melhor que ela conseguiu. Sua voz tinha um tom de decepção que ela não conseguia esconder.

— Bem, obviamente estávamos loucos para nos tornarmos pais. Então começamos a pesquisar. E achamos esse grupo de mulheres no Alabama, imagina só, que estavam dispostas a serem mães de aluguel para casais tentando um filho. São chamadas de *Belly Bringers*. Não é brilhante?

— Brilhante — concordou Evie, sem entusiasmo algum. Paul não pareceu notar.

— Então basicamente voamos até lá para conhecer Ann, nossa *Belly Bringer*, primavera passada para entregar nosso esperma para ela. Deu certo, e ela vai dar à luz no final de janeiro. Não queríamos dizer nada até depois do casamento e termos certeza de que o bebê estava bem. Enfim, ela foi inseminada com o esperma de nós dois, então nunca saberemos qual de nós é o pai biológico.

Evie imaginou Paul, magro, alto e pálido, e Marco, mais baixo, musculoso e moreno. Ela não achava que o verdadeiro pai do bebê seria um mistério tão grande de desvendar quanto Paul estava imaginando.

— Então, o que achou? Incrível, não?

Evie sabia exatamente o que deveria dizer. Deveria dizer a seu amigo, que sempre foi gentil com ela, que estava emocionada por ele. Que ele seria um excelente pai. Que o bebê tinha sorte em ter ele e Marco como pais. Que ela mal podia esperar para brincar com o fofinho e comprar para ele ou para ela aquelas meias mínimas. Que ela podia de repente até começar a tricotar para comemorar a chegada dessa gloriosa criança. Mas ela não conseguia achar uma maneira de levar essas palavras de seu cérebro até sua boca. Em vez disso, Evie disse uma coisa bem diferente.

— Não acha que estão meio que se precipitando? Acabaram de se casar. Não querem aproveitar uma vida sem filhos um pouco? — Ela nem deu uma chance a Paul de se defender. — Escuta, esquece que falei isso. Estou tão feliz por vocês dois. Honestamente, parabéns. Mas estou indo visitar minha avó, então não posso falar. Eu ligo de volta.

Ela andou o resto do caminho bufando, ofendida pelos pedestres que estavam ocupados demais mandando mensagens para andar em linha reta. Paul e Marco sequer tinham relógios biológicos com os quais se preocupar, então por que a pressa?

Ela ligou para Caroline da calçada do prédio de Bette fingindo querer saber a respeito da festa de Annabel. Na verdade, ela queria saber se Caroline achava que Paul ter um bebê era tão absurdo quanto ela achava. Marco e ele estavam casados há aproximadamente dez minutos. Depois de uma conversa fiada sobre o recital de balé de Pippa, Evie comentou sobre seu descuido em não convidá-la para a festa de noivado.

— Estou me sentindo péssima com isso, de verdade. Mas honestamente, foi tão de última hora... Nem me lembrei de que você não tem mais computador. Foi só uma reuniãozinha, de qualquer forma. Você não perdeu nada. Não havia ninguém lá de novo para conhecer.

— Acontece que eu saio de casa por outros motivos que não sejam para conhecer um cara, sabe — respondeu Evie irritada.

— É claro que sai. Não foi isso que eu quis dizer. Só quis dizer que era a mesma turma de sempre. Você teria ficado entediada.

— Bem, Harry estava lá? O cara que você ia me apresentar? — Ela tentou soar casual e despreocupada. — Nunca tive notícias dele.

Evie pôde ouvir pelo telefone a engrenagem do cérebro de Caroline rodando, click, click, click.

— Ah, desculpe-me sobre isso. Acho que ele voltou para a sua ex. É o que andei ouvindo de Jerome. — Lá estava o sotaque do Texas. Explicado.

— Care, me diga a verdade. Por que ele não me ligou?

— Eu falei, voltou com uma ex. De um relacionamento à longa distância ou coisa assim — disse Caroline, atendo-se à sua história como que a um álibi.

— Care, sou eu. Posso ouvir. Vai estar me ajudando se contar a verdade. — Evie esperava que Caroline não analisasse demais aquele argumento, considerando que era óbvio que não a ajudaria nem um pouco.

— Tá bom — cedeu Caroline. — Mas é ridículo.

Evie ouviu um choro agudo do outro lado da linha. O motivo, pelo que percebeu pelo telefone, era uma fantasia de princesa desaparecida. Durante o tempo que Caroline levou acalmando sua filha chorona, prometendo comprar outra fantasia de Cinderela no dia seguinte bem cedo, Evie pensou que iria explodir da mistura de medo e curiosidade.

— OK, voltei. Pippa está histérica. Podia ser sua filha — brincou Caroline, rindo. — Então, vou contar, mas não pode levar isso a sério. Ele viu alguma foto sua na internet e me perguntou quantos anos você tinha. Acho que ele esperava que fosse mais nova.

Evie se sentiu ao mesmo tempo incrédula e indignada.

— Você e eu temos a mesma idade!

— Eu sei. Acho que ele também não sabia quantos anos eu tinha. Eu juro que fiquei furiosa demais por você para sequer ficar lisonjeada. É idiotice. Ele é um idiota.

Evie imaginou o sorriso sem linhas de expressão e o corpo em forma de Caroline, seus cabelos platinados e pálpebras firmes. A pele provavelmente era fruto de algum dermatologista caro que injetava veneno de rato nela, e o corpo era fruto de sete dias por semana de SoulCycle, mas ainda assim, os resultados desafiavam os efeitos do tempo.

— Então ele achou que você tinha tipo vinte e pouco e quando viu minha foto feia resolveu que era melhor verificar minha certidão de nascimento?

— Evie, pare. Esses caras das finanças gostam daqueles tipos modelos e burras. Esqueça.

— Esquecer o cara que acha que já estou precisando de uma bengala? Com prazer.

Elas ficaram nessa troca até Caroline oferecer colocar Jerome no telefone para reassegurá-la do quão jovem Evie parecia, que ela recusou antes de desligar. Não estava mais a fim de conversar sobre o anúncio de Paul e Marco.

Qual foto sua teria espantado Harry daquele jeito? Estava desesperada para descobrir e ligar para a sede do Google para exigir que fosse imediatamente exterminada. Mas Evie se sentia impotente. Não era como se pudesse adivinhar qual foto sua ele teria achado tão feia. Mesmo que ela tivesse desistido da internet, a maldita Era da Informação continuava arruinando sua vida amorosa.

Seu telefone tocou um minuto depois de ela desligar. Era Caroline ligando de volta.

— Sei que está irritada, mas queria dizer que Annabel conheceu seu noivo no OkCupid. Ele é Professor de estatística na NYU. E bonitinho — completou Caroline. Não existe nenhum tabu em conhecer pessoas pela internet. Talvez você pudesse tentar mais uma vez.

— Bem, pode dizer a ele, e a Annabel, que com base na minha experiência, acredito que seja "estatisticamente" impossível achar alguém on-line — devolveu Evie. — Estou preocupada demais com minha avó para sair com alguém no momento.

— Tudo bem, era só uma sugestão. Paul contou para você a novidade dele? Sobre o bebê? Gracie e Pippa vão ficar tão felizes de ter um bebezinho com quem brincar.

— Sim, sim. É realmente emocionante. Olha, vou desligar — disse Evie, encerrando a ligação de repente. Obviamente Caroline não compartilhava com ela as mesmas reservas quanto ao bebê. Evie encostou a cabeça na parede externa do prédio e fechou os olhos, deixando a aspereza dos tijolos massagearem seu crânio. Ela não tinha a mesma sorte de Annabel no quesito encontros on-line. Um mês depois de terminar com Jack, quando ela ainda se surpreendia sonhando com seus molhos cremosos e sobremesas suculentas, marcou um encontro com alguém cujo perfil dizia que sua profissão era na "indústria culinária". Ele era, na verdade, ajudante de garçom da Katz's Delicatessen da rua Houston. Dizer que era uma versão diferente de Jack era o eufemismo do século.

— Esperando alguém?

Evie abriu os olhos e viu Edward Gold, com seu jaleco branco e calça cáqui, olhando para ela.

— Não, não — disse Evie rapidamente. — Estava só fazendo algumas ligações antes de subir para visitar Bette.

Para sua surpresa, Edward se agachou na calçada ao lado dela.

— Bem, então espero que não se importe se eu me juntar a você. Estou com meu jantar aqui — disse ele, levantando uma sacola plástica branca. — Acabei de ter uma reunião com um de meus assistentes de pesquisa no consultório e estou faminto.

Ele tirou uma embalagem de isopor cheia de comida chinesa escaldante. O cheiro era divino. Evie tinha certeza de que era de um daqueles lugares de aparência suspeita perto do hospital onde ela nunca comeria.

— É claro que não — disse Evie, secretamente excitada. Desde que se encontraram perto da Brighton, ela pensava em Edward mais do que gostaria de admitir. Surpreendia-se o mencionando em conversas, contando a Bette como sua filha era adorável, e mencionando a Tracy que ele estava tentando colocar a menina na Brighton.

— Quer um pouco? — perguntou Edward, segurando a embalagem de yakisoba e seus hashis debaixo de seu nariz.

— Não, obrigada — respondeu ela, com medo de se sujar toda tentando comer comida chinesa na frente dele.

— Bem, se mudar de ideia, tem bastante aqui. Então por que encontrei você sentada do lado do prédio de Bette com a cabeça entre as mãos? Está preocupada com amanhã?

— Sim, entre outras coisas — confessou Evie.

— Quanto a Bette, prometo que a cirurgia é na verdade um procedimento muito rotineiro e, mesmo se o câncer tiver se espalhado, existem opções de tratamento — disse Edward. — Quanto às outras coisas, vai precisar dar mais detalhes para que eu possa ajudar.

Evie inspirou profundamente, e a gordura da comida chinesa flutuou tão fortemente para suas narinas que ela conseguia sentir o glutamato monossódico entupindo seu cérebro, fazendo com que ficasse difícil decidir se devia ou não compartilhar sua longa lista de problemas com Edward. Por um lado, ela não queria incomodá-lo com seus problemas bobos, como estar com ciúmes de seu amigo gay por ele se tornar pai antes dela, ou por invejar Stasia e seu casamento ideal. Por outro, Edward estava fora de seu círculo, e seria um alívio desabafar com alguém que pudesse ser mais objetivo que todos os seus amigos. Ele estava se mostrando extremamente fácil de conversar e parecia ter verdadeiro interesse em conhecê-la. De muitas maneiras era um confidente espetacular.

— Acho — começou Evie —, que estou começando a me preocupar quanto a conhecer alguém.

— Sério? — Ele parecia surpreso. — Eu teria pensado que alguém como você tinha diversos convites.

— Não são realmente os convites o problema. Não que eles estejam jorrando. Isto é, recebo alguns. É que preciso encontrar alguém com quem sinta uma conexão. Todos de quem realmente gosto têm algum problema. Como não querer assumir um compromisso ou... eu sei lá... serem casados.

— Ser casado não é bom — disse Edward, e Evie se perguntou se ele teria pensado que ela estava falando dele.

Ela estava falando dele?

Por mais que fosse difícil admitir, especialmente para ela mesma, Evie achava que estava. Ela tinha uma quedinha. Uma queda por um homem casado. Um homem que iria abrir com um bisturi sua avó no dia seguinte. Um pai. De uma criança que ela conhecera. Isso não poderia dar certo de jeito nenhum.

Estava aumentando há um tempo. Evie fizera o seu melhor para ignorar aquilo, mas sua atração por Edward era quase gravitacional. Mesmo que eles só tivessem se visto e conversado poucas vezes, simplesmente olhar para as feições de seu rosto a excitava. Suas conversas iam muito além das biografias artificiais de primeiros encontros. Não importa o que ele compartilhasse sobre si mesmo, ela sempre queria mais. Que programas de TV ele via além de *Antiques Roadshow*? Lia livros de ficção ou não ficção? Qual era sua melhor lembrança de infância? Ela estava acostumada a querer que caras a perguntassem essas coisas. Para prepará-los para o teste Tudo Sobre Evie que fariam antes da sua despedida de solteira. Agora era o oposto. E ela descobriu que querer informações era muito mais excitante que dá-las.

— Certo, claro. Não sou uma destruidora de lares ou coisa parecida. — Ela olhou para Edward para tentar analisar sua reação, mas a expressão do rosto dele não denunciava nada. — Nem sei por que falei isso.

— É claro que não — disse Edward. Ele enfiou a mão na sacola plástica de onde tirara seu jantar. — Quer um? — Ele lhe entregou um biscoito da sorte e abriu um para ele.

Evie abriu o saquinho de plástico de seu biscoito.

— Então acha que a resposta para meus problemas pode estar aqui dentro? — Ela cutucou o joelho dele com o seu, um toque breve, mas suficiente para arrepiar sua pele.

— Definitivamente — afirmou Edward. — Tomo todas as minhas grandes decisões baseado em biscoitos da sorte.

Eles riram e Evie teve certeza de que estavam tendo algum tipo de momento, apesar de ser um momento cheio de ambiguidade.

Ele abriu seu papelzinho e disse:

— Você é um médico salvador de vidas que os homens querem imitar e por quem as mulheres se apaixonam. — Ele segurou o papel na frente de Evie. Ela se aproximou para ler a frase em vermelho.

— Está dizendo "Você vai aprender mandarim este ano"— leu ela, dando uma leve cotovelada nele. — Mas muito engraçado.

— Então, vamos ver o seu agora.

Evie abriu seu biscoito tentando pensar em algo espirituoso para se igualar a Edward. Ela não conseguiu pensar em nada, então apenas leu em voz alta o papel:

— Você é talentosa na arte da sedução.

— Viu? — disse Edward. — Essas coisas não falham.

— Do que está falando? Agora sei que são besteiras. Quem me dera ser talentosa na arte da sedução — disse Evie, piscando rapidamente como se flertando de brincadeira.

— Talvez você seja e não saiba.

Evie grunhiu.

— Confie em mim, eu não sou — assegurou Evie, sentindo sua angústia e tristeza voltarem. — Estou pensando em congelar meus óvulos. Sei que não é exatamente sua área, mas talvez possa me recomendar alguém. Estou envelhecendo, estou solteira, e sinto que pode ser uma boa ideia fazer isso. Assim, se eu demorar mais dez anos para encontrar alguém, pelo menos terei pintinhos jovens e saudáveis me esperando. — Ela pensou em Harry, o Grego, quando falou aquilo.

Para seu alívio, ele não a olhou como se estivesse possuída, nem afastou seu corpo do dela.

— Evie, acho que precisa ir com calma. Obviamente nos conhecemos recentemente, mas entendo por que você pensaria em congelar seu óvulos. Se precisar de uma recomendação, posso lhe dar uma. Apenas respire fundo. Você é uma mulher inteligente e bonita, Evie. Ainda tem tempo de resolver tudo isso.

— Obrigada — disse Evie, mantendo o olhar fixo em um de seus cadarços. Falar não custava nada, e ela não sabia o quanto do que ele estava dizendo era verdadeiro ou só uma maneira de fazê-la se sentir melhor na véspera do dia crítico de Bette. — Têm sido meses difíceis. Agradeço tudo que tem feito pela minha avó. — Ela decidiu parar por ali e deixá-lo se livrar sozinho daquela conversa esquisita. Para sua surpresa, ele escolheu não se livrar.

— Evie, de onde está vindo isso tudo? Você parece tão cheia de vida. Sempre me faz sorrir, e olha que lido com pessoas com câncer o dia todo.

— Sério?

— Sim, é sério. — Ele começou a guardar seu jantar no saco plástico. Evie achou que ele se levantaria em seguida, mas em vez disso ele continuou onde estava. — Então, como foi que conseguiu o emprego na Brighton? Bette disse que foi por causa de uma "escritório de advocacia miserável" e uma amiga sua que é professora. Não entendi muito bem.

Ela contou a ele a versão completa: os anos no Baker Smith, as reuniões esgotantes, as horas intermináveis, e os compromissos e férias canceladas. A única parte que deixou de fora foi o motivo por trás de sua demissão, fazendo Edward pensar que ela foi uma das vítimas de uma rodada cruel de demissões. Ela contou histórias que nunca havia contado a ninguém antes — sobre quando esqueceu de enviar por fax as páginas com as assinaturas de uma fusão de duzentos milhões de dólares, então pré-datou todos os documentos. Contou a ele sobre roubar uma série de materiais de escritório sem motivo aparente e sobre perder a épica batalha de poder com Marianne. Ela até contou a ele como colocava algumas doses de vodca numa garrafa de água na última gaveta de sua mesa para momentos em que a pressão se tornava forte demais para suportar.

— Também faço isso. Antes de uma cirurgia que esteja me deixando nervoso.

Evie arregalou os olhos. Mas um segundo depois ela percebeu que ele estava brincando, e soltou uma gargalhada alta. Evie não conseguia se lembrar da última vez que de fato gargalhara alto, de soltar algo mais que uma risadinha desanimada.

— Tenho quase certeza de que minha amiga Stasia está grávida — continuou Evie, voltando à conversa inexplicavelmente. — A que é casada com Rick Howell.

— É isso que a está fazendo pensar em congelar seus óvulos?

— Mais ou menos. Bem, está ajudando. Acho que simplesmente comecei a ficar preocupada pelo tempo estar tirando isso de mim. Agora que não vou ser sócia do escritório, sinto como se tivesse perdido meu plano B, talvez até mesmo meu plano B+. A sociedade seria meu bebê, se eu nunca tivesse um. Idealmente eu teria as duas coisas, é claro. Bem, talvez não uma sociedade, mas alguma coisa igualmente gratificante.

Evie olhou seu relógio. Já se passara meia hora. Ela começou a se sentir culpada por talvez não estar deixando Edward chegar em casa a tempo. A sra. Edward Gold poderia estar esperando para beijá-lo (ainda naqueles dolorosos Louboutin, talvez) ou uma babá poderia estar olhando para o relógio, esperando ser dispensada pelo dia. Olivia também estaria sentindo falta dele. Evie esperava que a esposa de Edward apreciasse a joia que ele tinha em casa. Talvez ela mesma tivesse sua carreira, e fosse uma investidora até agora no escritório, e uma pilha grande de papéis na sua mesa tapasse um grupo de porta--retratos com fotos da família. Ou talvez fosse médica também — talvez pediatra. Poderia explicar por que restringira os doces para Olivia. Também poderia ficar em casa, inventando jantares saudáveis com diversos pratos, pagando contas, e planejando fabulosas férias de família sem nem suar.

— Continue — disse Edward, e Evie concluiu que ele ainda ficaria pelo menos mais alguns minutos.

— Pelo que vejo, não estou interessada em ninguém agora. Ou ninguém que esteja interessado em mim. Tenho 34 anos. Então digamos que eu conheça alguém daqui a um ano. Namoramos durante dois anos antes de noivarmos. Ele provavelmente vai ter fobia de compromisso, então vai demorar eternamente para fazer o pedido. Então nos casamos um ano depois. Depois vamos tentar ter um bebê, mas já vou estar idosa então vai demorar para sempre. Estou bastante certa de que minhas trompas estão embaralhadas ou entupidas ou alguma coisa assim.

— Acha que sofre de hidrossalpinge? — Edward olhou sério para ela.

— Que é isso? — Ela não fazia ideia do que ele estava falando, mas aquele jargão médico até que era sexy.

— O que acabou de falar... trompas bloqueadas. Imagino que não tenha confirmação quanto a isso.

— É mais uma sensação. Mas agora entende por que quero congelar meus óvulos? Seria um seguro.

— Sua lógica não faz o menor sentido. Mas ainda gosto de você. — Ele bateu seu joelho levemente no dela. — A julgar por seu comentário sobre trompas de falópio, vou presumir que biologia não tenha sido sua melhor matéria na escola.

— Meu único C da vida toda.

— Ai. Que pena que eu não a conhecia na época. Fui professor particular de biologia na faculdade.

Sentindo a atração do charme magnético de Edward, ela começou a se arrepender de contar a ele a versão sem cortes de sua história de vida. Não que realmente importasse. Isso não era um encontro. Ainda assim, Evie gostava da ideia de ele achar que ela tinha controle sobre sua vida, mesmo que aquilo estivesse longe de ser verdade.

— Realmente acho que está se precipitando — disse ele. — Mas toda essa conversa sobre óvulos me deixou com vontade de tomar um *egg cream*. Não pode ser pior que meu jantar do Shanghai Pavillion. Tem uma lanchonete a uma quadra do hospital que faz os melhores. Quer tomar um antes de subir para ver Bette?

Ela sabia que não podia dizer sim. Seria doloroso demais sentar do outro lado da mesa com Edward e ficar desejando que sua relação fosse mais que platônica. Se ela havia aprendido alguma coisa de seu término com Jack, era que autopreservação não deve ser negligenciada.

— Obrigada, mas é melhor eu subir e vê-la, pois ainda tenho que ir buscar alguém no aeroporto — respondeu ela. — Embora eu esteja feliz por ver que meus problemas conseguiram abrir seu apetite.

Era uma pena desperdiçar uma tirada tão boa num cara casado, mas não era típico de sua má sorte?

Capítulo 13

Fran pediu para Evie buscar tia Susan no aeroporto na noite anterior à cirurgia de Bette. Susan havia finalmente decidido agraciar a todos com sua presença após Fran finalmente perder a paciência pelo telefone. Sua tia fingiu estar arrependida e disse que chegaria em breve, desculpando--se por estar tão ocupada com "suas coisas".

Evie não ousou reclamar da ida ao aeroporto, porque pelo menos sua tia ficaria hospedada em Greenwich. Então depois de sua inesperada conversa com Edward sobre congelamento de óvulos e uma visita de cinco minutos a sua avó, Evie buscou o carro velho de Tracy e de Jake e partiu para o LaGuardia para esperar sua tia louca.

O voo de Susan atrasou três horas, o que Evie não sabia, considerando que não tinha como rastreá-lo. Depois de chegar adiantada e se encolher de horror ao ver o aviso de ATRASADO, ela encontrou um lounge no aeroporto onde alternou uma taça de vinho branco com goles de club soda e escutou pedaços das conversas entre o grupo heterogêneo de viajantes. Quando a chegada do voo de sua tia foi finalmente anunciada, Evie estava um pouquinho alta.

Na esteira de bagagens, a idêntica horda de malas pretas rodando deixou Evie em transe. Ela prestou atenção em uma mala em particular, com um chamativo laço amarelo com bolinhas cor-de-rosa amarrado na alça. Quem poderia ser tão alegre daquele jeito para escolher um laço digno de ovo de páscoa e pensar: *Esse sou eu... É assim que vou saber qual das malas é a minha!* Não uma nova-iorquina experiente, profissional fracassada, ou romântica incorrigível como ela, disso ela tinha certeza.

Ela não notou tia Susan andando na sua direção.

— Evie, venha aqui! — Tia Susan envolveu Evie num abraço de urso. Ela tinha cheiro de suor e de frutas cítricas. Não ajudou muito o fato de a cabeça de Evie estar apertada contra as axilas peludas de Susan, sem dúvidas cobertas de desodorante homeopático feito com as plantas de seu quintal.

— Oi, tia Susan — respondeu Evie. Sua tia estava usando um vestido havaiano de linho marrom. Fileiras de colares azul-turquesa e um poncho em estilo indígena pendurado na dobra de seu braço completavam o visual. Seu cabelo estava comprido e solto, uma bagunça de ondas grisalhas e castanhas. Susan era sete anos mais nova que Henry, mas agora parecia muito mais velha, com rugas mais profundas do que a pele de seu pai jamais tivera chance de desenvolver.

— Evie, gostaria de apresentar você a alguém. — Tia Susan estava radiante.

Merd...

Susan deve ter vindo com um namorado. Mais um hippie esfarrapado para empestear o carro de Tracy. Ela olhou atrás de sua tia, tentando ver algum homem de meia-idade de dreadlocks e camiseta do Phish, pronto para fazer Bette ter um ataque cardíaco. Mas não havia ninguém assim por ali, apenas homens de terno e mães segurando ansiosamente as mãos de seus filhos.

— Evie, este é Wyatt. — Susan puxou um carrinho de bebê que estava parado a alguns centímetros dela. Ela virou o carrinho para que ficasse de frente para Evie. — Wyatt é meu filho — disse, levantando o bebê de seu carrinho apertado.

Evie estava estupefata. Ela só podia estar alucinando.

— Tia Susan — disse Evie, falando cautelosamente enquanto olhava o bebê encostando o nariz no pescoço de sua tia. — Wyatt é negro.

— Bem, é claro que ele é negro, Evie. Eu o adotei. Da Etiópia. Eu sei. Isso é tão Angelina Jolie. Mas eu juro que tive a ideia primeiro.

— Não acho que adotar um bebê africano seja uma ideia que possa ser patenteada — disse Evie, ainda sem conseguir tirar os olhos da criancinha agarrada no corpo de Susan como se fosse a coisa mais natural do mundo. — Uau Susan. Uau.

— Eu sei. E não adorou o nome? Tinha que ser Wyatt.

— Por causa de Wyatt Earp? — perguntou Evie, falando do único Wyatt que conhecia.

— Por causa da Sheryl Crow. Ela batizou seu filho de Wyatt. Sempre achei que eu e ela éramos almas gêmeas. O nome completo dele é Wyatt Ocean Rosen. Perfeito, não é?

Por que não? O garoto já estava destinado à terapia mesmo.

— Perfeito.

— E que presente para minha mãe. Ela vai ser avó! Isso vai melhorar seu ânimo — disse Susan.

Evie ficou horrorizada.

— Ela já é avó. Sou neta dela, lembra?

— Ah, é, sou tão tonta. Você já está tão velha que esqueci que é neta de alguém. Bem, agora Bette tem um neto e uma neta. — Susan riu como uma garotinha. — Evie, mal posso esperar para colocar o papo em dia. Sua mãe aceitou me receber em Connecticut, mas a verdade é que eu preferia ficar com você. Sinto falta da vida na cidade grande. — Antes de se mudar para a região oeste, Susan havia morado no East Village e vendido cerâmica na esquina da Avenida B com a rua 12. Ela provavelmente ficaria horrorizada ao descobrir como o antigo bairro beatnik estava gentrificado, com arranha-céus, porteiros e, pasme, um 7-Eleven.

— É, é uma pena. Mas você não quer desapontar mamãe mudando seus planos, quer? — disse Evie, rezando em silêncio.

— Não, não. É claro que não. Além disso, Wyatt terá seu próprio quarto na casa de Fran. Ela explicou que seu apartamento é pequeno. — Então Fran já sabia sobre Wyatt. *Interessante.*

— É sim. Minúsculo, na verdade. — Provavelmente pela primeira vez, Evie adorou ter a metragem quadrada limitada de seu apartamento. Se não poder pagar um lugar maior significava não ter que aturar Susan e seu filho importado, então talvez não ter virado sócia havia tido um lado bom, afinal.

Depois de apanharem o resto das coisas de Susan e as empilharem no carro com Wyatt em sua cadeira no banco de trás, Evie se virou para sua tia.

— Então vovó não sabe sobre Wyatt?

Susan ficou mexendo na alça de sua bolsa, uma monstruosidade de crochê cheia da parafernália de bebês.

— Você sabe que minha mãe e eu não somos próximas. Nunca consegui dar a ela o que ela queria. Ela queria que eu me casasse com um bom médico judeu, tivesse filhos, uma casa com cerca branca, essas coisas. Seu pai, por outro lado deu a ela exatamente o que ela queria. O que foi fácil para ele, é bom lembrar, porque era exatamente o que ele queria mesmo. Enfim, a questão é que eu sentia como se estivesse sempre a desapontando. Todo o ritmo da costa leste não era para mim. Precisava de um lugar onde eu pudesse ser mais livre, então fui para o oeste. Sabe disso tudo.

— E? — perguntou Evie ao sentir que havia alguma coisa que Susan não estava contando.

— E acho que foi a coisa certa a fazer — respondeu Susan, ainda mexendo nos pontos de sua bolsa que estavam desfiando. — Mas, em alguns aspectos, ela estava certa. Sobre ter uma família. E foi por isso que adotei Wyatt. Eu realmente meio que senti que estava faltando alguma coisa. Acho que aparecer com Wyatt vai ser como admitir que ela estava certa o tempo todo, e eu ainda não estava pronta para dar esse telefonema. Entendeu?

Evie assentiu, mas manteve a atenção no trânsito. Até que Susan estava fazendo sentido.

— Então acho que ela vai ter uma grande surpresa amanhã quando eu aparecer no hospital com Wyatt.

— Tia Susan, não leve isso a mal, mas amanhã vai ser um dia muito tenso para vovó. Acho que talvez Wyatt devesse ficar em casa e você ir sozinha ao hospital. Não queremos chocá-la ou algo parecido.

— Mas não tenho ninguém para cuidar dele.

Evie pensou na frota de babás e empregadas de Caroline.

— Não se preocupe, sei de um lugar perfeito para deixá-lo durante algumas horas. Vai estar perfeitamente a salvo e bem cuidado.

— OK, você provavelmente tem razão.

Evie ligou o rádio e elas escutaram em silêncio a estação de músicas antigas por alguns instantes. Pelo retrovisor, Evie notou que o bebê adormecera depois de tocar "Crocodile Rock".

— Então, que idade tem Wyatt?

— Sete meses. É aquariano. Você sabe que sou virginiana, o que normalmente seria motivo de conflito, mas no nosso caso acho que é por isso que temos uma dinâmica yin-yang tão boa.

Evie olhou as placas de trânsito. Apenas mais oito saídas para deixar Susan em Greenwich.

Susan começou a mudar de estação na hora em que o celular de Evie tocou dentro de sua bolsa.

— Se importa de atender, tia Susan?

Susan pegou o telefone.

— Oi, Fran, acho que estamos quase chegando. — Em seguida ela ficou calada durante um minuto. — OK, então vejo você amanhã, bem cedo.

O intestino de Evie deu um nó até virar um pretzel.

— Evie, querida, sua mãe disse que Winston acha que atingiu um cano de gás enquanto fazia uma reforma. Eles dois vão dormir na casa de um amigo esta noite. Parece que Wyatt e eu teremos que acampar na sua casa em vez disso — disse Susan sorrindo largamente.

Se Evie descobrisse que aquele vazamento de gás era um alarme falso, ela jurava que nunca mais falaria com sua mãe.

# # #

— Gostei do seu apartamento, Evie — disse Susan, quando elas finalmente chegaram depois de dar a volta em Nova York para deixar o carro na garagem de Tracy em Hell's Kitchen. — O bom gosto é de família. Meu cantinho em Santa Fé é meio parecido.

— Obrigada — disse Evie, aliviada por já ter decidido redecorar.

— Então onde prefere que fiquemos? — perguntou Susan, levantando Wyatt.

Greenwich.

— Podem ficar na minha cama. Eu durmo no sofá.

— Obrigada, estava esperando que dissesse isso. Wyatt chora muito alto se não estiver confortável. Se estiver tudo bem por você, vou abrir as malas e dar um banho em Wyatt.

Quando Evie ouviu a água da banheira sendo ligada, ela ligou para Caroline e perguntou se Wyatt podia ficar em seu apartamento amanhã durante a cirurgia de Bette.

— Tudo bem — disse Caroline. — Mas vai ficar me devendo. Não tem ninguém aqui ajudando amanhã, então terei que olhar Grace, Pippa e o filho de sua tia sozinha.

— Não vai ter empregada?

Caroline grunhiu:

— Ei, não se esqueça de que é você quem está pedindo o favor.

— Eu sei, eu sei, desculpe. — O telefone de Evie apitou com uma chamada em espera. Bette. — Olha, obrigada de verdade. Minha avó está na outra linha. Preciso atender.

Evie atendeu a outra chamada.

— Oi, vó. Está se sentindo bem?

— Estou bem, *bubbela*. Só queria saber se estava tudo bem com Susan. Soube que ele está com você.

— Sim, está tudo bem.

— Como ele está? Mal posso imaginar — confessou Bette.

Não, você realmente não pode. Evie pensou em Wyatt. Aquele doce bebezinho, que não fazia nada além de arrulhar e sorrir e usar suas roupinhas adoráveis, não fazia nem ideia de onde havia se metido.

— Ela parece estar feliz.

— Bem, é bom saber. É tão *embarraçoso* a médico ver que meu único filha só vem me visitar agora.

— Quem se importa com o que o dr. Gold pensa de nós? Não vai influenciar a cirurgia o fato de Susan ser meio maluquinha — cochichou Evie. — Tem mais alguma coisa, vó? Você precisa descansar hoje.

— Sim, Evie-le. Sei que isso vai parecer *estrranha* para você, mas é tão rara eu estar com você e Susan juntos. Eu queria tirar um foto de família amanhã. Então queria pedir para você se arrumar, usar um coisa bonito, maquiagem. Fazer tudo *parra parrecer* especial para eu tirar um belo foto de nós três.

— Mas você vai estar numa camisola de hospital — protestou Evie.

— Vamos tirar antes de eu me *trrocar*. Por favor. É importante para mim.

— Está bem, vó. O que quiser.

— *Marravilha*. Você vai ficar lindo, eu sei. Vá de vestido. Não tenha medo de usar um pouquinha de blush.

Evie garantiu à sua avó que usaria uma camada generosa de bronzer e blush no dia seguinte e lhe desejou boa noite.

Depois do que pareceram ser horas de choro, chocalhos e Susan cantarolando em seu apartamento com Wyatt usando um canguru tye-dye, ele adormeceu.

Quando o apartamento finalmente ficou quieto, Susan abordou Evie.

— Posso perguntar uma coisa, Evie?

— Claro. O que é?

— Você certamente levou um susto com Wyatt hoje. Sei que é chocante, mas mandei um monte de fotos dele por e-mail para você algumas semanas atrás. Fiquei surpresa por nunca ter respondido. Talvez eu esteja com o endereço de e-mail errado.

— Na verdade, não li seu e-mail. Parei de usar internet há uns quatro meses. Não olho e-mail desde o final de junho. Eu meio que não estava aguentando mais... Toda a corrida nas redes sociais, se é que faz sentido.

— Evie, isso é maravilhoso — disse Susan. — Entendo perfeitamente toda essa coisa de estar fora da rede. Na minha comunidade, muitas pessoas não têm nem celular, muito menos computadores. Gostamos de interação pessoal. Não deixar que a Era da Informação nos domine. Você deveria ir me visitar. Acho que realmente se identificaria com o pessoal de lá. Especialmente agora que faz parte do movimento antitecnológico. Somos mais parecidas do que pensa, Evie.

Não sou parte de movimento nenhum, pensou Evie. Mas ela não ousou deixar sua conversa com Evie evoluir para algo próximo à filosófico.

— Sim, deveria mesmo ir — insistiu Susan, ficando mais animada com a ideia. — Criaria um vínculo maior com seu sobrinho.

— Mais uma vez, ele é meu primo — lembrou Evie para sua tia, que simplesmente parecia não conseguir compreender o funcionamento básico de uma árvore genealógica.

# # #

Caminhando pelos corredores do Sloan Kettering às seis da manhã em saltos de sete centímetros e meio de altura, vestido brilhante e uma camada de bronzer que mais parecia pintura de guerra, Evie se sentia como uma prostituta oportunista em busca de velhinhos doentes. Caroline quase desmaiou quando Evie e Susan foram deixar Wyatt na sua casa ainda quase de madrugada. "Vai a alguma boate depois da cirurgia, Evie?", perguntara ela. Evie nem conseguiu usar o trench coat que pegara na saída de casa porque ele apenas aumentava o efeito prostituta.

A ala de cirurgia do hospital estava congelando, e a pele das pernas nuas de Evie estava arrepiada, assim como os pelos de seu braço. Graças a Deus que a aparência de Susan tirava um pouco a atenção da sua. A tia de Susan estava vestida na sua própria versão de arrumada — mais um colar azul-turquesa por cima do que devia ser seu vestido de usar em casa mais chique, e sim, sandálias com meias.

— OK, minha mãe disse que nos encontraríamos na sala de pré-cirurgia. Bette já deve estar lá. — Evie estava irritada por ter que pastorear sua tia, que estava visitando o hospital pela primeira vez. — Deve ser lá que vamos tirar a foto de família.

— Certo. — Susan deu de ombros, e continuou a seguir Evie. — É estranho Wyatt não estar na foto, não é?

Ela tratou a pergunta de Susan como se fosse retórica.

— Só quero tirar essa foto logo e colocar minhas roupas normais de volta antes que alguém me veja — confessou Evie, tentando apressar Susan, que insistia em parar na frente de cada sala para dar uma olhada nos pacientes.

— Todas essas pessoas enfermas. Casadas com a medicina tradicional. Fico pensando quantas delas já experimentaram remédios naturopatas. Devia conhecer meu terapeuta holístico, Evie. Ele cultiva uma raiz hidropônica que juro ter curado minha artrite.

— Não vamos começar a falar disso hoje, tia Susan. Vovó é tradicional, e hoje é a cirurgia dela, então provavelmente é melhor não mencionar seu herborista para ela. — Elas estavam a cerca de seis metros da sala onde estaria Bette, mas ainda assim Evie não sabia se conseguiria chegar sem estrangular sua tia.

— Concordo com você, Evie. — Evie se virou ao ouvir a voz de Edward Gold.

— Dr. Gold! — Evie ficou roxa de vergonha. Ele estava de uniforme azul e seus cabelos claros estavam puxados para trás por uma máscara cirúrgica. Em vez dos Crocs que ela o vira usando antes, estava de tênis Converse branco. O uniforme era quase perfeito demais, como se ele fosse o médico numa série de TV do horário nobre. Era fácil demais imaginá-lo dizendo: "Enfermeira, este paciente está tendo uma parada cardiorrespiratória. Desfibrilador, imediatamente!"

— Edward — reforçou ele. — Está linda. — Ela notou os olhos do médico irem das raízes de seu cabelo escovado até a ponta de seus dedos dos pés com esmalte. Ocorreu a ela que, de certa forma, ela estava esperando encontrar com ele assim.

— Sou Susan — disse sua tia, estendendo uma das mãos para Edward antes que Evie pudesse explicar por que estava arrumada para uma festa no dia da cirurgia de sua avó. — Filha de Bette. Você deve ser um dos médicos da minha mãe.

— Edward é o cirurgião de Bette — explicou Evie.

— Evie não mencionou como você era bonito — disse Susan, batendo os cílios.

— Susan! — ganiu Evie, pegando sua tia pelo cotovelo com um pouco de força. Sua tia estava flertando com Edward, vejam só.

— Evie, como pôde deixar de mencionar esse detalhe? — perguntou Edward com um sorriso cativante. Evie teve vontade de se aninhar em sua covinha e sumir.

Ela fez o melhor para se recompor e tentou ser sarcástica.

— Pois é, como?

Edward riu.

— Eu perdoo você. Então, vamos ver Bette? — ofereceu ele, olhando Evie mais uma vez demoradamente antes de seguir em frente.

— Sim — aceitou Evie. — A propósito, só quero explicar minha... aparência hoje. Bette insistiu para que eu me arrumasse. Ela quer tirar uma foto com a família, aproveitando que minha tia está na cidade. Eu me sinto ridícula.

— Que nada, você está linda — disse ele. — Faz valer a pena acordar cedo assim para uma cirurgia.

Hein? Edward parecia estar dando em cima dela abertamente. Que história era essa? Ela não queria perder o respeito por ele. Mesmo que ele não fosse dela, Evie gostava da ideia de saber que ainda existiam homens como Edward. O destino não necessariamente traria a ela alguém como ele, mas era reconfortante pelo menos saber que esses unicórnios estavam por aí. Pensar nele quebrando os laços de seu casamento, mesmo que apenas numa conversa casual, era desanimador. Ela resolveu fazer a conversa voltar para aspectos práticos.

— Então como é que já está aqui? Achei que a cirurgia mesmo só iria começar daqui a algumas horas — perguntou Evie.

— Eu queria estar aqui na hora de Bette tomar suas injeções no linfonodo sentinela. Ela precisa de cinco doses grandes e eu não tinha certeza de como você e sua família se sentiriam quanto a estar no quarto com ela. É forte. Seria bom para ela ter a mão de alguém para segurar.

Era esse o Edward que ela conhecia e admirava.

— É muito gentil da sua parte — disse Evie, querendo poder dizer mais. Mas ela se sentia inibida na presença de Susan.

Bette estava sentada na sua cama de hospital quando eles entraram.

— Susan — disse ela, começando a chorar.

— Oi, mãe.

Mãe e filha se abraçaram, enquanto Evie ficava de lado.

Ao lado da cama de Bette havia um enorme buquê de azaleias cor-de-rosa. Evie semicerrou os olhos para ler o cartão. "Para minha gata preferida da CV Towers. Ansioso para que fique boa e volte. Com amor, Sam." Era bom saber que haviam se reconciliado — que os boatos sobre ele jogando *shuffleboard* com a assanhada do condomínio eram exagerados. Por que os mais velhos não podem namorar? Se sua avó queria se submeter às angústias e aos sofrimentos dos relacionamentos, quem era Evie para impedi-la?

— Voltou com Sam? — comentou Evie, indicando as flores. — Não fala nele há algum tempo.

Bette deu de ombros.

— Na minha idade, você *aprrende* a perdoar. *Semprre* achei que era melhor aceitar do que ficar sozinho.

— Sei disso, vovó. — Bette realmente achava que estava lhe falando alguma novidade?

— Tenho certeza de que não concorda. E não deveria. Não se conforme com pouco, Evie-le. Você não *prrecisa.*

Justo quando Bette conseguiu afinal surpreendê-la, Edward entrou.

— Bom dia, Bette. Está linda — disse ele. — Receio que vá precisar tirar suas joias antes de começarmos. — Evie não gostou de como Edward estava distribuindo elogios, usando a mesma palavra para descrever ela e sua avó de 81 anos de idade. Talvez ele não estivesse flertando com ela, afinal.

Evie foi até a porta para deixar Susan e Bette conversarem mais. Sua mãe e Winston estavam no corredor, ajeitando bandejas de café, iogurte e muffins. Edward cutucou Evie no braço e indicou para que ela o seguisse para fora da sala. Eles se uniram a Fran e Winston.

— Só quero revisar os detalhes mais uma vez. A cirurgia em si vai levar cerca de uma hora e meia e depois ela vai ficar na sala de recuperação até todos os seus sinais vitais estarem fortes. Pode levar de quatro a cinco horas. Bette vai estar acordada, mas sob efeito de remédios. Vocês realmente não precisam ficar aqui se quiserem tomar um pouco de ar fresco. Se acontecer alguma coisa vou ligar imediatamente. E então a coisa mais importante será ter certeza de que Bette descanse nas próximas semanas, porque não queremos que surja alguma infecção durante sua recuperação. Isso é especialmente importante para pacientes mais velhos como ela. Ela definitivamente vai sentir alguma dor por um tempo. Deixei uma receita de Percocet na farmácia do hospital. Evie, sei que o plano de Bette cobre uma enfermeira domiciliar pelas primeiras semanas após a cirurgia, mas sei que você também vai ajudar. Certifique-se de que ela beba muita água com o remédio para dor e troque seus curativos. Acho que por hora é isso. Vamos nos falar mais depois.

Evie adorava vê-lo franzindo o cenho enquanto falava, a forma com que seu rosto mostrava preocupação, mesmo que sem intenção.

— Tudo bem, vou começar com Bette em alguns minutos, então essa é a hora de lhe desejar boa sorte. — Ao olhar para Evie, ele completou: — E sei que vocês têm uma foto para tirar.

— Obrigada por tudo, dr. Gold — disse Evie. Ela se sentia estranha o chamando "Edward" na frente de sua família. Ela entrou para ver Bette, que parecia notavelmente calma.

— Evie-le, você está linda — disse Bette quando Evie se abaixou para lhe dar um beijo. — Tenho tanta sorte de ter um neta tão dedicada. Sua pai *terria* tanto orgulho de você. Se me acontecer alguma coisa durante o cirurgia, só quero que saiba o quanto eu amo você. *Semprre* tive tanto orgulho. Mesmo tendo perdido Henry, me sinto sortudo em ter você.

Evie teve que prender as lágrimas. Ela pegou a mão de Bette e apertou gentilmente, não soltando até o nó na sua garganta descer.

— Vovó, pare com isso. Você vai ficar bem. O dr. Gold é um ótimo cirurgião. Ele vai cuidar bem de você.

— Sim, sei que tem razão. — Ela suspirou. — Está bem, mande a resto deles *entrrar parra* me dar boa sorte.

Evie deu mais um beijo em Bette e chamou sua mãe.

— Sabe, Evie — disse Bette, enquanto Evie se afastava um pouco para dar espaço a sua mãe —, tudo acontece por um motivo.

Evie não sabia exatamente o que sua avó queria dizer com aquilo, mas ela assentiu mesmo assim.

Quando Evie voltou para o corredor, Edward disse a ela:

— Evie, ligo para você assim que a cirurgia terminar. — Ele colocou uma das mãos gentilmente em suas costas, que estava exposta por causa de seu vestido. Seu toque lhe deu calafrios.

— Está bem — disse ela. — Mais uma vez, obrigada. — Ela teve vontade de abraçá-lo, mas resistiu.

Uma enfermeira se aproximou na hora em que Evie estava se afastando.

— Dr. Gold, a sra. Gold na linha para você.

— É melhor eu atender. Somos melhores no telefone do que no Twitter — disse Edward, fazendo uma expressão encabulada para Evie, mas ela não entendeu.

— Está tudo bem, doutor — disse a enfermeira, cutucando a cintura dele com seu cotovelo.

— Obrigado, Milly — disse Edward. — Que bom que me apoia. — Dirigindo-se a Evie, ele repetiu: Nos falamos mais tarde então. — Ela assentiu concordando.

Ele acenou para ela e virou no posto de enfermaria, parecendo melancólico.

Ou talvez fosse apenas Evie, projetando sua decepção nele.

# # #

Evie não esperava ter tempo livre no dia da cirurgia de Bette. Quando vestiu o jeans e suéter que havia levado, se deu conta de que elas não tinham tirado a foto em família que Bette pedira. Evie já tinha pedido um dia de folga na Brighton, então depois de colocar suas roupas de sempre, foi dar uma volta no Upper East Side.

Fran e Winston preferiram ficar no hospital, enquanto Susan foi procurar pasta de dente orgânica e sabonete infantil "sem conflitos", seja lá o que era aquilo. Evie comprou um *latte* no café na Terceira Avenida e o bebeu lentamente olhando as vitrines. Ela encontrou uma loja de pôsteres antigos com um do filme *O Grande Gatsby* na vitrine e teve uma ideia. Seria perfeito para a sala de Tracy. Dentro da loja, ela escolheu mais três pôsteres de filmes baseados em grandes clássicos da literatura — *O Sol é para todos*, *Grandes esperanças* e *As Bruxas de Salém* — e foi até o caixa.

— São 350 dólares — disse o senhorzinho no caixa. Ele estava com um cardigã de lã e bebia chá quente de uma caneca da New York Film Academy. Apesar de sua aparência, seu comportamento não era nem de longe parecido com o de um velhinho gentil.

— Por pôsteres?

— Sim, são pôsteres vintage. Temos a melhor coleção de pôsteres clássicos de Nova York.

Ele começou a tossir fortemente, sinal de uma vida fumando. Evie tentou imaginar esse vendedor de pôsteres rabugento em sua juventude. Talvez fosse roteirista; alguém que fumava um cigarro atrás do outro em cafés enquanto aspirantes a atriz flertavam com ele para conseguir papéis em filmes seus que jamais foram feitos. Aquele trabalho como vendedor deveria ter sido temporário. Para cada estrela vivendo na cidade de Nova York, havia mil ex-estrelas ou aspirantes. Ela sentiu pena dele. Talvez ele tenha percebido, porque se inclinou para mais perto dela e falou em voz baixa:

— Eu não devia contar isso, mas todos esses pôsteres estão no eBay pela metade do preço. Confie em mim, eu sei. É de onde os compramos na maior parte das vezes. — Ele sorriu para ela de um jeito meio desonesto.

— Só na internet? — perguntou ela. — Não tem nenhuma outra loja por aqui que os venda por menos?

— Querida, acabei de dizer a você onde pode comprá-los pela metade do preço. Agora quer que eu a mande para outra loja? Você quer os pôsteres ou não?

— Tá, tá, vou levar — cedeu ela, pegando seu cartão de crédito.

Abandonar a internet certamente tinha sido financeiramente positivo, mesmo que ela não fosse comprar aqueles pôsteres no eBay. Ela não fazia mais compras frívolas de roupas que ficava com preguiça demais de devolver, pois nunca se achava uma caixa do tamanho certo para mandá-las de volta e ir a uma agência da UPS era um saco. Há meses ela não gastava descontroladamente na Amazon tarde da noite. O trabalho na Brighton, por mais que não fosse nenhum Baker Smith, a deixava financeiramente confortável. Ela tinha que agradecer Tracy por aquilo, então pareceu certo fazer alguma coisa para expressar sua gratidão.

Com os pôsteres nas mãos, ela andou pelas ruas sem rumo durante mais uma hora, tentando não pensar em Bette, Edward, Jack, Susan, no bebê de Stasia, no bebê de Paul, no Baker Smith, nem em mais nada que a estivesse perturbando. Quando recebeu a ligação dizendo que a cirurgia havia acabado, sua psique estava em farrapos.

De volta ao hospital, ela encontrou sua família reunida na sala de Edward. Não havia nenhum assento vazio, então ela ficou em pé, desajeitada, contra a parede. Os diplomas e pôsteres de anatomia cobriam praticamente cada centímetro do lugar, então ela se apoiou num certificado de Harvard, que parecia importante.

— Evie, bem-vinda — disse Edward. — Acabei de dizer que tudo correu como planejado. Bette está acordada e descansando. Podem ir vê-la quando terminarmos aqui, se ainda estiver acordada. Retiramos com sucesso o linfonodo sentinela e enviamos para patologia. A lumpectomia foi bem também. Imagino que Bette vá sentir dor por alguns dias, mas, fora isso, estará confortável. Lembrem-se de que ela precisa descansar. Se conheço Bette, ela vai ignorar as recomendações da enfermeira. Mas vocês podem convencê-la. Vamos nos ver em uma semana para falar sobre os resultados. Sei que a espera é a pior parte. Pensem positivo, isso é de grande ajuda.

A mãe de Evie se levantou e deu um abraço em Edward, fazendo Evie se perguntar por que mais cedo ela havia achado que fazer aquilo seria estranho.

— Dr. Gold, não sei como agradecer. Estamos tão gratos a você — disse Fran.

Winston também se levantou e deu um tapinha nas costas de Edward, reforçando o que Fran dissera.

— Por favor, não me agradeçam — disse Edward modestamente.

Eles saíram do consultório com destino à sala de recuperação. Fran, Winston e Susan foram na frente, e Evie e Edward atrás, andando lado a lado. Ela se perguntou se alguém da sua família teria notado uma ligação especial entre ela e o médico. Se notaram, ninguém falou nada.

— Ela está dormindo — disse Winston ao chegar na porta da sala. — Vamos comer alguma coisa lá embaixo e tentar de novo daqui a pouco.

— Vão em frente — disse Evie. Fran passou o braço pelo de Winston e eles seguiram para o elevador.

— Sente-se melhor, Evie? — perguntou Edward quando sua família finalmente estava longe. Ela achou que ele estava se referindo à conversa do dia anterior.

— Muito — respondeu ela genuinamente. Na presença dele ela realmente se sentia mais feliz, especialmente quando conseguia tirar a sra. Gold da cabeça.

— Que bom ouvir isso. Que tal também irmos comer alguma coisa? Acabei não tomando aquele *egg cream* que eu queria ontem.

Dessa vez, com sua energia esgotada pelo stress da cirurgia e sua cabeça mais embaralhada que o normal, ela não pôde recusar.

— Eu adoraria.

Evie e Edward saíram do hospital e andaram as duas quadras juntos em silêncio. O fato de não conversarem não era totalmente estranho mas também não ajudou Evie a relaxar. Eles se sentaram nos bancos de vinil vermelho e Edward pediu dois *egg creams* e um café para ele a uma garçonete de patins. Havia alguns outros médicos de jaleco branco do Sloan Kettering e do New York Presbyterian das redondezas espalhados pelo restaurante. Edward acenou para vários deles, mas não parou para conversar.

— A comida daqui é ótima. Só precisa ignorar um pouco a decoração — disse ele.

— É bonitinho — disse Evie, mesmo que o lugar fosse obviamente meio bobo. — Obrigada por tudo que tem feito por Bette.

— Não foi nada.

— Tem muita sorte de amar o que faz. Acho que talvez eu apenas não tenha sido feita para trabalhar.

— Bem, você só tentou uma coisa. Há milhões de opções lá fora — sugeriu Edward.

— Acho que sim — concordou Evie. — Mas você não fez outras coisas antes de ser médico.

— Não é verdade.

— É mesmo? O que foi que fez?

— Bem, foi por apenas um ano, mas antes de fazer medicina fui jornalista. Era repórter de ciências para o *San Francisco Chronicle*. Quis tentar a vida na Costa Oeste, porque eu só conhecia Manhattan. Ainda existem alguns artigos meus na internet se um dia estiver com insônia e quiser dormir.

Evie riu. Nunca teria imaginado que Edward trabalhara com outra coisa antes de ser médico. Se ela tivesse procurado seu nome no Google, o que ficara tentada a fazer muitas vezes, saberia daquilo.

Era revigorante descobrir alguma coisa dele diretamente — um fato que ele escolhera contar, e não alguma coisa que ela descobrira a seu respeito pesquisando. Era muito mais satisfatório ver a história dele se desdobrando como uma flor em vez de abri-la à força como se fosse uma piñata.

— Puxa, muito legal. O que mais não sei a seu respeito? — Ela tentou dar uma abertura para que ele contasse o que ela se perguntava, na verdade esperava, durante todo aquele tempo: que seu casamento estivesse mal, ou que ele não conseguisse tirar Evie da cabeça.

— Nada. Sou um livro aberto.

Evie ficou decepcionada.

— Então, ex-repórter, o que eu deveria tentar fazer? Que informações você reuniu sobre mim que me ajudaria a escolher minha próxima profissão?

— Se quer mesmo saber o que eu acho... — Ele não terminou e ficou mexendo seu café com leite e dois cubos de açúcar. Era a mesma coisa que ele sempre bebia, se é que Evie decifrara corretamente as marcações de canetinha em seus copos do Starbucks no consultório. Evie, por outro lado, gostava de misturar. Um dia pedia um *latte* com creme e uma dose extra de café, no outro um expresso gelado sem cafeína. Era como se suas opções de café refletissem suas personalidades: Edward consistente e Evie errática.

— Eu quero saber o que você pensa — afirmou ela. Evie estava deslumbrada pela sensação de Edward estar genuinamente interessado na sua vida. Com vergonha, ela imaginou se ele pensava nela quando estava longe do trabalho, quando estava buscando sua filha na ginástica rítmica, ou talvez até quando estivesse deitado com a sra. Gold.

— Acho que você deveria ser decoradora de interiores.

— O quê? — Evie engasgou. — Por que pensaria isso? — Ela era advogada, pelo amor de Deus. Projetar interiores, uma coisa que, sendo sincera, ela fazia mentalmente o tempo todo, era um hobby, no máximo.

— Bette me contou o que você fez no apartamento dela. Toda vez que vejo você tem uma pilha de revistas de decoração para fora de sua bolsa. Aposto que esse tubo que está carregando tem alguma coisa a ver com design. — Ele apontou para os pôsteres enrolados que ela apoiara na mesa.

— Ah, isso é diferente. São pôsteres para a sala de aula da minha amiga na Brighton.

— Viu! Você provavelmente não se lembra disso, mas quando nos conhecemos no meu consultório, você ajeitou as almofadas do sofá, endireitou as revistas médicas que tenho na minha mesa, desentortou meus diplomas, e mudou o ângulo das cadeiras na frente da minha mesa. Na verdade fez uma grande diferença.

— Fiz isso? — Evie arfou. — Sinto muito!

— Fez. Foi quando recebi aquele telefonema. Parecia estar fazendo aquilo automaticamente.

— Que vergonha. Eu geralmente apenas tenho vontade de redecorar os espaços das pessoas. Não fazia ideia de que o fazia sem nem pedir. A questão é que sou advogada. Estudei para isso. Investi mais de uma década na profissão. Qualquer um pode comprar almofadas para um sofá. Tudo de que precisa é de um cartão de crédito. — Ela duvidava que seus colegas de Direito na Columbia estivessem escolhendo tons de parede para sobreviver. Evie estremeceu ao pensar na sua carta de apresentação.

Evie Rosen, depois de ser dispensada como sócia do Baker Smith, começou sua carreira de decoradora de interiores decorando a terrível residência temporária de sua avó. Outros projetos incluem seu próprio apartamento e uma sala de aula aleatória na Brighton-Montgomery Preparatory School. Ela encoraja todos os seus colegas a entrarem em contato com ela se estiverem pensando em comprar um sofá novo.

— Além disso, mesmo que eu quisesse, não saberia como ir atrás disso. Não sou muito boa em coisas sem um caminho definido. Faculdade, estágio, associada, e finalmente sócia ou assessora jurídica. Isso faz sentido. Dar certo numa área empreendedora ou menos definida... não é para mim.

Mesmo resistindo à sugestão de Edward, Evie tinha que admitir que ficara impressionada com a maneira com que a colcha de chenile azul-claro, a cortina de veludo comprada pronta e as almofadas de tecido enfeitando o sofá coberto de plástico tornaram mesmo o apartamento temporário de Bette mais aconchegante. Ela sabia que sua avó estava grata pelo esforço e que tinha orgulho em contar às visitas que sua neta fizera aquilo tudo para ela. Evie também tinha gostado muito de todo o processo — da pesquisa na Home Goods e na Target, às arrumações no lugar em si. Já transformar uma atividade de prazer num trabalho rentável era uma história completamente diferente. Mudar totalmente de área era apavorante.

— Só acho que você seria ótima nisso. Poderia achar uma maneira de dar certo se quisesse — insistiu Edward. — E confie em mim, nem todo mundo consegue fazer o que você faz. Devia ver meu apartamento.

Evie não fazia ideia de onde ele morava, apesar de sempre ter imaginado que fosse fora da cidade. Ela imaginava os Gold morando numa casa com cerca branca em Westchester, provavelmente Rye ou Mamaroneck. A suíte — um lugar que Evie admitia envergonhadamente que já visitara mentalmente algumas vezes — era uma sinfonia de cores neutras e texturas. A cozinha grande e ensolarada, com utensílios de qualidade em armários de madeira clara feitos sob medida com bancadas de mármore verde-escuro. As cortinas eram florais, não o que ela teria escolhido, mas perfeitamente apropriadas e de bom gosto.

Agora Edward estava revelando que morava num apartamento no qual a decoração deixava a desejar. Seria uma alfinetada no gosto da sra. Gold? Sua mente começou a transformar a arrumada casa no subúrbio com sua despensa cheia e tapete de palha de boas-vindas num apartamento bagunçado de Nova York com móveis da IKEA destinados a serem substituídos anos atrás, mas ainda presentes. Ela se perguntou mais uma vez o que aquele comentário sobre o Twitter no hospital teria significado. Edward estava se revelando um homem cheio de surpresas.

— Bem, agradeço pelo elogio, mas não sei se seria uma opção de carreira viável para mim.

— Eu compraria ações em qualquer empreendimento Evie Rosen. — Edward tomou o resto de seu *egg cream* e colocou uma nota de vinte dólares sobre a mesa.

— Acha que sou um investimento seguro?

— Meu histórico não é perfeito. Mas tenho uma sensação boa quanto a você, Evie.

Pena que não posso estar na sua carteira de investimentos, pensou ela.

Capítulo 14

Depois de duas semanas sendo emoldurados, os pôsteres de cinema estavam prontos para serem pendurados na sala de Tracy. Seu médico a havia mandado parar de trabalhar na semana anterior. Evie esperava que aquilo fosse um belo presente para quando Tracy voltasse da licença-maternidade, de preferência até antes, caso ela visitasse a escola com o bebê. Depois de levá-los até a escola, Evie inclinou um dos quadros contra a parede de seu cubículo e se afastou para admirar sua criatividade. Edward estava certo ao identificar aquela paixão nela. A habilidade dele em analisar suas camadas e em juntar as peças de seus interesses era agridoce. Ela precisava que esse interesse em sua vida viesse de um homem que não estivesse fora de seu alcance. De alguém cuja esposa Evie não imaginava entrando na caixa de um mágico e desaparecendo.

— São lindos — disse uma voz com um sotaque suave, assustando-a.

— Obrigada — disse Evie, antes de se virar para olhar quem era.

— Que lindas molduras. E o fosqueamento foi uma escolha interessante. Adoraria vê-los pendurados.

Evie estava cara a cara com Julianne Holmes-Matthews. Ela era ainda mais espetacular ao vivo do que parecia nas revistas e nas orelhas de seus livros, todos comprados por Evie: *Paris at Home*, *Living with Style*, *Signature Holmes*.

Julianne era uma mulher pequena, delicada, que usava blusa de gola alta de cashmere na cor creme e calça de camurça cinza com uma echarpe Hermès usada como cinto. Grande parte de seu rosto estava coberta por enormes óculos de sol, mas sua invejável estrutura óssea permanecia aparente. Estava com uma bolsa Céline numa das mãos e uma sacola com o nome de sua empresa na outra. Evie se perguntou se pareceria ansiosa demais caso se oferecesse para levá-las para ela.

— Julianne! — exclamou o diretor Thane, saindo de sua sala. — Está maravilhosa nesse dia tão frio. Agradeço tanto por vir aqui. Estou muito animado para lhe mostrar o prédio novo. Sua equipe já nos enviou algumas ótimas ideias.

— É sempre um prazer ajudar, Thomas. Só queria ver meu querido filho antes de começarmos. Ele está vindo me encontrar aqui.

— Oi, mãe — disse James. Ele se abaixou e deu nela não um, e sim dois beijos no rosto. Ela realmente tinha um ar de Paris!

— Jamie, querido, está ficando longe de encrencas? — Virando-se para Thane, ela continuou: — Viajei pelo mundo todo recentemente e não pude ficar de olho neste aqui tanto quanto gostaria.

— Ele está se saindo muito bem, Julianne. Nossa nova funcionaria, Evie Rosen, o tem mantido ocupado. — Ele gesticulou para Evie e ela corou.

— Por favor, continue assim — disse Julianne para Evie.

— Eu vou — respondeu Evie, feliz por elas terem trocado algumas palavras.

— Vamos? — ofereceu Julianne, olhando para o relógio delicado de ouro em seu pulso fino.

— Vamos — respondeu Thane, segurando a porta para Julianne. Eles estavam quase do lado de fora quando Evie, sem pensar, pegou a mão de Jamie. Ele a olhou surpreso. Ela indicou a porta com a cabeça.

— É... mãe. Podemos ir junto?

— Bem, não vejo por que não.

Evie pegou seu casaco atordoadamente, e os quatro saíram juntos.

O futuro laboratório de informática e novo espaço para alunos ainda estava montado como uma galeria de arte. Era um prédio de três andares com janelas grandes e uma escadaria central circular. Eles ficaram em pé no meio do último andar, um espaço sem pilastras com teto de vidro. A galeria usava aquele espaço como escritório porque a luz direta do sol podia danificar as pinturas. Brighton ia usar esse espaço para os computadores. O segundo andar teria a área para os alunos e o primeiro teria cubículos individuais para estudo, como as bibliotecas das faculdades.

Julianne fechou os olhos e juntou as mãos como se estivesse rezando, como se convocando os deuses do design para se inspirar. Todo mundo ficou quieto, com medo de atrapalhar alguma divindade.

— Thomas — começou ela lentamente, colocando as mãos debaixo do queixo. — Estou tendo uma visão. Esta sala. Não podemos desperdiçar essa luz toda. Será que a Brighton aceitaria uma estufa hidropônica? Não seria fabuloso para os alunos? Essa garotada da cidade grande não sabe absolutamente nada sobre jardinagem.

— Adorei — opinou Evie, apesar da pergunta ter sido direcionada ao diretor. — Podemos colocar algumas das plantas nos degraus da rua que levam até a porta principal. Além disso, dê uma olhada. O corrimão da escadaria central tem um padrão de videiras. Então tudo se encaixa na mesma temática. O segundo andar poderia ser uma combinação de lounge com laboratório de informática porque, honestamente, socializar e estar on-line são basicamente a mesma coisa hoje em dia. E o reflexo do teto de vidro atrapalharia o uso de computadores aqui em cima, de qualquer maneira.

— Muito bom — disse Julianne, aprovando. — Eu nem havia notado o detalhe das videiras ainda. E o que disse em relação à luz está correto. Tem um olho ótimo. Quem é você mesmo?

— Evie Rosen. Sou a atual conselheira jurídica da escola.

— É um prazer conhecê-la, Evie. Thomas, devia levá-la na nossa primeira reunião oficial sobre o projeto.

— Obrigada — disse Evie, olhando animada para Jamie para compartilhar o momento.

Ele levantou um polegar em sinal de positivo.

Uma hora mais tarde, depois de voltarem ao escritório principal, Evie deveria estar pulando de alegria — por ter seus talentos reconhecidos na frente do seu diretor e causar uma impressão tão boa na mãe de Jamie. Em vez disso, sua cabeça estava latejando de dor e ela sentia-se inquieta. Tracy guardava o estoque de uma farmácia inteira em sua mesa, então Evie foi até sua sala para ver se ela tinha alguma coisa lá.

Ela se sentou na cadeira de sua amiga na sala de aula vazia, girando até ficar tonta. Como é que tinha vindo parar aqui? Esse mundo pós-apocalíptico no qual Jack era casado, ela trabalhava numa escola, sua avó tinha câncer, sua tia tinha um bebê, Julianne Holmes-Matthews lhe disse que tinha um bom olho e ela não usava a internet há cinco meses. Ela não procurou os antigos artigos científicos de Edward, apesar de saber que gostaria de conhecer seu estilo de escrita. Evie sentia uma falta terrível de ver seu rosto, das três linhas de expressão em sua testa até o mapa de sardas em seu nariz que ela havia memorizado, e especialmente sua covinha. A velha Evie teria encontrado uma foto dele no site do hospital e a encararia masoquistamente a noite toda.

Com a cirurgia de Bette finalizada, ela sabia que veria Edward cada vez menos. Após sete dias exatos e cheios de tensão depois da remoção do caroço, Evie, Fran e Bette se reuniram no consultório de Edward para conversar sobre os resultados. Ela quase se sentiu culpada pelo esforço que colocara em sua aparência naquele dia, se perguntando como podia ter a presença de espírito de experimentar seis roupas e quatro batons enquanto o destino de sua avó estava tão indefinido. Evie se sentou, segurando apertado a mão de sua avó, e a pulsação acelerada de ambas estava em sintonia.

Para surpresa de Evie, Edward as recebeu de calça jeans e casaco de moletom com zíper e capuz. Ele explicou que depois da consulta ia acompanhar Olivia numa excursão de sua creche até o zoológico do Bronx. *Está tentando me matar?*, queria perguntar Evie. Precisa estar tão perfeito toda maldita vez que o vejo?

Edward disse que o resultado dos nódulos foi negativo, o que significava que o câncer não havia se espalhado para além do tumor. Evie, Fran e Bette se abraçaram forte e Evie sentiu seus ombros derretendo de volta à posição normal pela primeira vez em um mês. Havia sido angustiante tentar ficar calma perto de sua avó depois da cirurgia, e Evie se encontrava toda hora arranjando alguma briga com a assustada enfermeira domiciliar de Bette por coisas como quanta água sua avó deveria beber ou quando seu curativo havia sido trocado pela última vez. Edward avisou que Bette ainda precisaria fazer radioterapia durante seis semanas, e em seguida terapia hormonal pelos cinco anos seguintes, mas não seria preciso fazer quimioterapia. A ameaça imediata havia desaparecido, mas mesmo ouvindo as boas novas e apertando as mãos manchadas de idade de Bette, Evie sabia que o tempo das duas juntas ainda assim seria limitado pelo ciclo natural da vida.

Evie jurou aproveitar ao máximo a estadia de Bette na cidade durante os próximos meses e prometeu a si mesma ir à Boca pelo menos duas vezes por ano durante alguns dias a partir de agora. Talvez ela e Bette pudessem ir ao Art Basel Miami juntas e reviver suas velhas brincadeiras — dessa vez fingindo estar em busca de obras de Hirst e Murakami para clientes bilionários. Edward encerrou a consulta dizendo que estava na hora de manter os dedos de uma garotinha de quatro anos longe da jaula do leão, e todos deram um abraço em grupo. Evie agora sentia falta dos braços dele em volta dela, mesmo com Bette e Fran no abraço também. Evie ficou pensando nisso tudo enquanto girava na cadeira de Tracy como se fosse carne num espeto, esperando o analgésico fazer efeito.

— Olá? — perguntou uma voz feminina.

Evie levantou a cabeça e viu Eleanor parada na porta da sala.

— Desculpe, não quis incomodá-la. Só queria saber se você viu Jamie. Íamos nos encontrar no refeitório, mas ele não apareceu.

— Eu o vi há cinco minutos com sua mãe. Talvez tenham ido embora juntos — sugeriu Evie. Na verdade ela sabia que tinham ido, pois viu os dois entrando num carro com chofer parado na frente da escola.

— Ah — respondeu Eleanor. — Não sabia que Jules tinha voltado. Obrigada.

Jules? A familiaridade de Eleanor com o clã Holmes-Matthews pareceu despeitada, por motivo algum.

# # #

A vida tomou um ritmo confortável após a cirurgia de Bette. O trabalho na Brighton continuou num passo controlável e Evie conheceu melhor as professoras mais jovens. Ela continuava apreciando suas longas caminhadas até o trabalho e ia visitar Bette pelo menos uma vez por semana, demoradamente, depois da escola. Bette parecia ansiosa para voltar para a Flórida, reclamando do frio, mas Evie se perguntava se sua vontade de voltar para casa poderia ter algo a ver com Sam. Felizmente Evie e Fran a convenceram a ficar onde estava enquanto se convalescia, apesar de nenhuma das três terem concordado em um período exato.

Edward gentilmente visitou Bette várias vezes durante sua recuperação, mas parecia que o *timing* dele e de Evie para conversar estava sempre errado — ele estava indo para seu plantão justamente na hora em que ela chegava. À noite, quando começava *Antiques Roadshow*, ela sonhava acordada em ligar para ele para que assistissem juntos. Às vezes ela pensava em perguntas fictícias sobre o tratamento de Bette, mas tinha medo de Edward perceber o que havia por trás delas. O que ela faria se a sra. Gold atendesse? É claro que ela nunca seguiria em frente com nada do que queria fazer com Edward. Apenas sentia falta da voz dele. E de escutá-lo soltando alguns jargões médicos num telefonema. E de vê-lo em seu uniforme de cirurgia. Ela sentia falta de como se sentia na presença dele — notada, especial, digna de ser analisada. Na presença dele, as lembranças de Jack sumiam; apenas Edward conseguia fazer Jack ir de zumbi a fantasma transparente.

Jack.

Sem a internet, ela acabou nunca vendo uma foto da esposa dele, cujo nome, Zeynup Kayatani, Stasia triunfalmente descobrira através de meios não muito claros (o Departamento Turco de Registros veio à mente). Ela também nunca chegou a ver as fotos de Wyatt que tia Susan havia mandado, mesmo que tenha se surpreendido sentindo saudades do bebezinho fofo e se perguntando qual novo marco ele estaria atingindo no Novo México. Ele só ficara com Evie durante dois dias até Susan resolver voltar para Santa Fé (dias antes dos resultados da cirurgia saírem), mas foi tempo suficiente para que a adorável criança se instalasse no coração de Evie. Ela estava com saudades até mesmo de como seus brinquedos de neném bagunçavam cada centímetro de seu apartamento. Olhar as fotos dele que Susan enviara por e-mail era realmente tentador, mas aquilo significaria entrar em sua conta de e-mail, onde ela inevitavelmente passaria os olhos na caixa postal em busca de notícias de Luke Glasscock, ou do ortodontista cujo encontro ela arruinara, ou até mesmo um e-mail de Jack confessando que seu casamento com Zeynup havia sido um terrível erro. Se ela tivesse que adivinhar qual daquelas mensagens provavelmente estariam ali, a resposta seria (D) Nenhuma das opções anteriores.

E foi por isso que Evie manteve sua decisão de continuar longe de e-mails até alcançar a linha de chegada no seu aniversário, em maio. E sua limpeza não estava sendo boa apenas por causa do Gmail. Ela não fazia mais rondas que duravam horas no eHarmony, JDate ou Match. Ela não se autoflagelava revirando o Facebook em busca de fotos e posts para invejar. Nem sondava os blogs atrás de notícias de divórcios ou escândalos, o tipo de pesquisa que fazia em segredo quando estava se sentindo particularmente insegura. Ela não entrava no *BigLawSux* desde sua humilhação pessoal, apesar de antes ter se esbaldado regularmente com os comentários sobre as horas massacrantes e abusos de poder de alguns sócios. Abandonar a internet sem dúvidas havia começado com uma dolorosa abstinência, e por mais que às vezes ela tivesse vontade de mais uma dose, aquilo estava se mostrando ser uma mudança positiva em sua vida. Ela definitivamente estava menos obcecada com o que as outras pessoas estavam fazendo quando não tinha a fita métrica virtual para se comparar a ninguém.

Mas, ainda assim, Evie não estava feliz. Estava faltando alguma coisa, e não era a internet.

# # #

O inverno chegou rapidamente com uma neve que se alojou nas marquises da cidade como açúcar de confeiteiro. O velho aquecedor do escritório principal da Brighton começou a encher o ar de calor, e Evie começou a suspeitar de que Jamie tinha uma quedinha por ela. Ele se oferecera para ajudar no escritório duas vezes por dia e frequentemente passava para saudá-la ironicamente no caminho para uma aula. Ela usou aquilo a seu favor, muitas vezes sondando-o em busca de mais detalhes dos projetos de sua mãe enquanto o fazia procurar telefones, e-mails e termos de contratos no Google. Como sua mãe começou a trabalhar com design de interiores? Onde ela comprava suas antiguidades? Como era o Bono? Essas eram apenas algumas de suas insistentes perguntas, mas Jamie não parecia se importar.

Essa semana, sua tarefa tinha sido fazer anotações no contrato da construtora que renovaria o edifício novo da Brighton e circular um rascunho entre os integrantes da administração. A parte legal não era particularmente difícil, e Evie percebeu que fazia quase tudo no piloto automático. Aumentar as penas para o empreiteiro. Aumentar o prazo de pagamento pela Brighton. Não era ciência espacial. Evie estava grata pelo salário e por seus dias estarem ocupados, mas advogar assim não era nem mais excitante nem mais adequado a seus interesses do que havia sido no setor de Fusões e Aquisições.

Evie — disse o diretor Thane, surpreendendo-a numa manhã. — Preciso falar com você sobre um assunto importante. — Ele indicou para que ela se levantasse.

Ela sentiu seu estômago apertar. Será que ele notou que ela nunca usava computador? Que ela delegava todo o trabalho na internet a um aluno do último ano de castigo? Que ela interrogava o pobre garoto a respeito de sua mãe, fideicomissária da Brighton, sempre que tinha uma chance? Ela o seguiu até seu escritório, revivendo ansiosa o momento em que o comitê de sociedade do Baker Smith anunciou que ela estava fora.

— Sente-se — pediu Thane, e ela se acomodou numa poltrona de couro na frente da mesa dele.

— Evie, o que posso dizer? Seu trabalho tem sido excepcional. Estamos todos muito impressionados com a maneira com que lidou com as negociações do contrato e às vezes difíceis integrantes de nosso conselho. Sei que Julianne ficou bastante impressionada com você. Esperamos que considere aceitar nossa oferta de emprego em tempo integral. Inicialmente, estávamos procurando alguém com experiência no setor de educação, mas não acho necessário. Você tem sido fantástica.

Evie soltou a respiração, aliviada. Ela não estava sendo repreendida. Thane não fazia ideia de que ela estava advogando como uma ludita, nem que estava usando seu "estagiário" (como ela começara a pensar em Jamie) inapropriadamente. Pelo contrário, ela estava sendo elogiada. Era tão bom ter seu trabalho e suas habilidades reconhecidas que ela demorou um minuto para entender que precisava tomar uma decisão.

— Então o que me diz? Sei que não podemos oferecer o salário que você ganhava antes, mas suas horas seriam bem melhores e você teria bastante autonomia.

E eu trabalharia para alguém que usa gravata borboleta e suéteres com detalhe de couro nos cotovelos todo dia, pensou Evie, olhando para o homem de aparência profissional. A Brighton, e especialmente Thane, a faziam ter saudade de seus dias na faculdade — uma época mais feliz, e definitivamente mais calma de sua vida, quando ela não sentia que estava correndo contra o tempo para CONSEGUIR FAZER TUDO. Uma época de sua vida em que ela achava que namorar era para se divertir, e não para casar, em que amigas eram parceiras de noitadas — não *life coaches*. A oferta certamente era digna de se pensar.

— Estou lisonjeada. Mas preciso de tempo para pensar.

— É claro. Pense nisso por uma semana ou duas. Adoraríamos ter você a bordo.

De volta à sua mesa, Evie encontrou Jamie em seu cubículo escutando seu iPod. Ele tirou os fones de ouvido quando a viu.

— Alguma encrenca com o diretor Thame? — provocou ele.

— Não, o contrário. Ele me ofereceu uma posição integral.

— Parabéns. Vai aceitar?

— Não sei ainda. Tenho muito em que pensar.

— Esse lugar é bem legal. Isto é, eles me deixaram trabalhar aqui em vez de...

— Jamie — interrompeu ela. — Preciso de ajuda para pendurar esses pôsteres na sala da sra. Loo. Não posso mais deixá-los ocupando espaço aqui no escritório.

— Claro, deixe que eu levo alguns para você — ofereceu ele, levantando dois dos quadros e subindo as escadas ao lado dela.

# # #

— Acho que um martelo e alguns pregos teriam sido úteis — admitiu Evie, um pouco sem fôlego. — Não sei por que não pensei nisso.

Depois de uma parada sem sucesso na sala de Tracy, ela e Jamie entraram no closet de suprimentos, no porão da escola. Ele estava numa escada olhando uma caixa de ferramentas.

— Tudo bem — disse Jamie. — Eu já estava planejando matar a aula de espanhol mesmo.

— Desculpe a viagem pelos três lances de escada. Sei que os pôsteres são pesados.

— Não me importo mesmo. Mas você parece estar congelando aí embaixo.

Ela estava. O porão não tinha aquecimento, e Evie estava usando uma blusa fina.

— Pegue meu suéter — disse ele, oferecendo um moletom de zíper grande a ela.

Evie o vestiu agradecida.

— Ei! Encontrei uma coisa — disse ele, mostrando ganchos e um saquinho cheio de pregos. — Agora só falta um martelo.

Ele desceu da escada e começou a abrir caixas aleatórias. Evie fez a mesma coisa, e juntos os dois reviraram todo o pequeno closet de suprimentos, esbarrando um no outro sem querer.

— Acho que estou vendo um — disse ele, indo pegar a caixa atrás de Evie.

— Ótimo, porque preciso fazer isso hoje. Tracy, isto é, a sra. Loo, vai dar à luz a qualquer momento e eu adoraria se... ei, o que está fazendo? — gritou ela.

Jamie tinha colocado uma das mãos dentro da blusa de Evie. Ele estava mexendo no fecho de seu sutiã. Antes que Evie pudesse falar mais, a boca dele estava na dela.

Seus lábios eram cheios, a pele ao redor macia como de um bebê. Ela quase retribuiu. Ela quase o beijou de volta. Jamie, afinal, não era o adolescente padrão, cheio de acne hormonal. Como teria sido fácil tocar a língua dele com a sua. Ganhar de Eleanor, e ganhar simbolicamente de Cameron Canon. Mas não. Isso não era certo, não importa o quanto sua mãe fosse incrível. Ela não beijaria um aluno. Era doentio.

— Jamie, pare. Isso não pode acontecer. — Ela o afastou.

— Não se preocupe, tenho dezoito anos — disse ele, avançando de volta.

— Não é essa a questão.

— Então o que tem? — reclamou ele, como um garotinho acostumado a sempre ter tudo o que quer. — Você tem me dado mole há meses.

— Eu o quê? Não dei não!

— Me pede para mandar e-mails para você. Sério? Isso é claramente uma desculpa para trabalharmos juntos. E no outro dia pediu para eu descrever meu quarto.

— Por causa da sua mãe! Eu idolatro Julianne Holmes-Matthews. Estava curiosa com a decoração do seu quarto.

Ele pareceu tão magoado e confuso que Evie realmente teve pena dele. O que ela havia feito?

— E aquela coisa de toda hora nos tocarmos no escritório?

Aquela parte era verdade. As desculpas esfarrapadas dos dois para se tocarem ("Deixou cair isto... Tem um fio puxado na sua calça... Aqui, deixa que eu te ajudo.") eram as piores possíveis.

Ela só queria sentir outro ser humano. Isso era crime? Jamie representava uma coisa que ela não achava mais que conseguiria na sua idade — um parceiro sem bagagem. Se Edward era um livro aberto, Jamie era um livro em branco. Como ela mesma era na idade dele. Antes de seu pai morrer, antes de ela dedicar quase uma década a um trabalho ingrato, antes de Jack estraçalhar seu coração, e antes de a tecnologia acelerar o ritmo de tudo ao seu redor. Como quando seu mundo ainda era inteiro e sem complicações.

— Não sei sobre o que você está falando. Isto é, trabalhamos a quinze centímetros um do outro, então é lógico que nos esbarramos.

— Bem, e quanto a essa coisa com o computador? Por que está sempre me pedindo para procurar coisas no Google?

— Porque eu não uso mais internet. Não uso mais há seis meses.

Do jeito que Jamie a olhou, parecia que ela era uma marciana de um olho só.

— Isso é esquisito. Pareceu muito que você estava a fim de mim. Olhava feio para Eleanor toda vez que ela aparecia. Qual é, Evie. Acho que está com medo só porque sou um dos alunos. Não vou contar pra ninguém, eu juro.

— Jamie, sinto muito, não vai acontecer. Mas estou lisonjeada. Sério.

— Que seja — disse ele, abrindo a porta do armário. Ele olhou para trás e sussurrou. — Não é legal dar corda à toa. Os caras não gostam disso.

Conselhos de relacionamento de um aluno de segundo grau. E lá estava ela — descendo um novo patamar.

# # #

— É um menino!

O quê? — perguntou Evie ainda grogue. Ela tentou focar no despertador ao lado de sua cama, mas os números vermelhos dançavam. Depois de semicerrar os olhos com dificuldade, ela viu que eram 3h30. Evie apertou o telefone em sua mão e confirmou então que não estava sonhando.

— É um menino. Um menino perfeito e angelical. — Ela reconheceu a voz de Tracy da segunda vez.

— Não é não — disse Evie, defensivamente.

Como Tracy sabia o que tinha acontecido?

— Evie, confie em mim, é um menino. Foi circuncisado há uma hora.

O bebê. Tracy teve um menino.

— Ah, o bebê que é um menino. Isso é maravilhoso. Desculpe, é madrugada ainda. Estou meio zonza.

— Bem, levante-se e venha conhecê-lo. Sinto-me escandalosamente bem. Percocet é uma droga incrível.

— Agora?

— Sim, agora. Precisa conhecer Henry.

— Você deu o nome de Henry? — perguntou Evie, subitamente paralisada.

— Sim. Bonitinho, não? É o nome do tio de Jake.

Evie estava sem palavras. Ela não estava esperando ouvir o nome de seu pai. Não naquele contexto.

Está aí?

— Estou. Acho um nome ótimo. Era o nome do meu pai.

— Ah, meu Deus, Evie. Sinto muito. Espero que não se importe. Honestamente, nem pensamos nisso. Não liga, certo? Nós duas podemos ter Henrys. Um dia.

Evie sabia que Henry era um nome comum, ela não podia achar que era só dela, especialmente considerando que ela não sabia nem se teria chance de usar o nome num filho seu.

— Tudo bem, de verdade. Vou me vestir e ir até vocês. Estão no New York Hospital, certo?

— Sim. E obrigada, Evie... Espero que meu Henry seja o tipo de homem que seu pai foi. Você sempre falou tão bem dele.

— Daqui a pouco estou aí.

Quando Evie chegou no andar da maternidade, Tracy havia passado de exuberante a inconsciente. O novo papai também estava dormindo, seu corpo de lado em posição fetal para caber no mínimo sofá de hospital. O bebê estava deitado quietinho no berço do hospital na parede do quarto. Caroline e Stasia já estavam lá, sentadas em cadeiras de plástico diferentes que deveriam ter levado da sala de espera.

— Ela acabou de dormir — disse Caroline, bocejando. Ela estava com remelas nos olhos. — Vocês tiveram tanta sorte de eu ter tido minhas meninas durante o dia.

Evie se aproximou do berço cuidadosamente, com medo de seus passos o acordarem.

— Não se preocupe, não vai acordar — disse Caroline, percebendo a preocupação de Evie. — Eles dormem como, bem, como bebês dessa idade.

Henry estava enrolado num cobertor branco e macio do hospital e estava usando um gorro pequeno listrado de azul e rosa. Ela precisava admitir que era um recém-nascido bonitinho, com bochechas rosadas e uma camada grossa de cabelo preto visível por baixo do gorro.

— Evie, perdeu a descrição detalhada de Tracy sobre o parto — contou Stasia. — Antes de desmaiar ela me pediu para ver se sua vagina ainda estava intacta. Espero de coração que Jamie não esteja falando sério sobre fazer um documentário. Se eu fosse Tracy, teria quebrado sua câmera em duas.

Jerome entrou naquela hora, pigarreando.

— Alguém quer café? — Ele estava carregando uma bandeja cheia. Evie ficou surpresa ao ver que ele tinha ido com Caroline ao hospital. Teria presumido que os muito ricos, particularmente os velhos muito ricos, não faziam coisas que não fossem convenientes para eles, o que certamente incluía uma ida ao hospital no meio da madrugada para ver um bebê. Mas lá estava ele, massageando os ombros de Caroline depois de distribuir os cafés.

— Rick está aqui? — perguntou Evie, notando que Stasia também estava observando o gesto de carinho de Jerome.

Naquele instante, os olhos de Tracy se abriram e Evie pulou de onde estava para se aproximar dela.

— Oi, Tracy! Parabéns! Espero que não tenha acordado você. Como está se sentindo?

— Bem, eu acho. Acabei de sentir uma contração. Mas ele já saiu né?

Caroline riu.

— Sim, ele está no berço. Está tendo contrações pós-parto. São uma droga e vão durar alguns dias.

— Justo quando achei que tinha terminado — disse Tracy, esfregando os olhos. — Certo, preciso dormir se quiser cuidar dessa criança. Me acordem quando Paul chegar, está bem? Acho que ele disse que vinha. Marco e ele querem pegar o jeito com recém-nascidos antes de Maya chegar.

Então Paul e Marco já sabiam que seriam pais de uma menina? Evie calculou que havia se passado mais de um mês desde que ela falara com Paul.

Tracy fechou os olhos novamente e todos mantiveram o tom de voz baixo, mesmo vendo que não estava dormindo, pelo jeito que ela se mexia de dor de vez em quando.

— Você fica nervosa? — Evie se virou para Stasia. — Por ver como Tracy está sentindo dor?

— Por que isso me deixaria nervosa? — perguntou Stasia, sem expressão.

Vamos ver como você se sai empurrando uma melancia por um buraco do tamanho de um pêssego.

— Bem, eu ficaria nervosa se fosse ter um bebê em breve, ao ver como é difícil — disfarçou Evie. Stasia ainda não contara sobre a gravidez, então ela resolveu ir com calma.

— Bem, eu não estou grávida. Então não tenho nada com que me preocupar. — Stasia deu um sorriso sem abrir a boca.

Talvez tenha sofrido um aborto? Evie tinha certeza absoluta de que Stasia estava escondendo alguma coisa dela.

— Bem, você e Rick são médicos. Quando chegar a hora, provavelmente vão lidar com tudo de um jeito mais clínico. Rick foi tão legal, a propósito, com a história da minha avó. Ele vem? — Evie repetiu a pergunta. No outro canto da sala, Jerome e Caroline estavam olhando fotos em silêncio no iPad de Jerome. Ela sabia que estavam vendo as meninas, porque toda vez que Jerome mudava para uma foto nova, aqueles sorrisos bobos de pai e mãe apareciam nos rostos deles.

— Ele não vem, Evie. Por que fica perguntando isso? — Stasia aumentou o tom de voz, interrompendo a calma no quarto.

— Está bem, desculpe. Estava só puxando assunto. Desculpe se estava irritando você. — Evie não entendeu por que Stasia estava tão agitada.

— Dane-se — continuou Stasia, optando por não diminuir o volume depois de sua explosão inicial. — Estamos nos divorciando, está bem? Agora você sabe. — De repente todos no quarto pareceram prender a respiração.

— Todo mundo sabe? — Era uma pergunta mesquinha, e Evie sabia disso. Mas foi a primeira coisa que ela pensou em dizer e seu filtro não funcionava muito bem no meio da noite.

Stasia começou a chorar. Ela colocou a cabeça entre as mãos e assentiu. Foi tão sutil que Evie não conseguiu entender se ela estava tentando dizer que sim ou se estava simplesmente mexendo a cabeça.

— Então isso é um sim? — insistiu Evie.

Dessa vez Stasia assentiu mais deliberadamente.

— Por que não me contou? Eu teria estado do seu lado.

A essa altura Caroline e Jerome já tinham parado de olhar fotos e estavam escutando atentamente a conversa entre Evie e Stasia.

— Não é uma coisa fácil de contar. E, honestamente, você não entenderia. — Se Stasia queria magoá-la, ela conseguiu com sua ênfase acidental no "você".

— Eu tive um terrível término com Jack depois de dois anos de namoro. Não sou uma ameba assexuada, pelo amor de Deus. Sei de uma coisa ou outra a respeito de relacionamentos — rebateu Evie.

— Oi, gente, o que perdemos? Ouvimos alguém falando de sexo? — perguntou Marco ao entrar no quarto com Paul, carregando sacolas de presentes cheias de laços.

Ninguém respondeu.

— Que clima estranho — comentou Marco ao deixar os presentes no chão. Mesmo assim, o barulho do papel de seda parecia estridente.

— Contei para ela — disse Stasia, olhando diretamente para Paul.

— Ah.

— Contou para mim? — Agora Evie estava espumando.

— É, contou para você. Sobre o divórcio — disse Paul, seu tom de voz gelado. Marco indicou para que Evie o seguisse até o lado de fora do quarto.

— O que foi essa emboscada? — Evie exigiu saber quando ela e Marco chegaram ao corredor. Stasia passou voando por eles na direção do elevador com seu casaco debaixo do braço.

— Vou dizer logo — respondeu Marco. — Paul está bem chateado com você.

— O que, por quê? — Ela tentou parecer boquiaberta, mas tinha uma ideia do que estava por vir.

— Quando foi que falou com ele pela última vez?

— Eu não sei, há umas duas semanas — mentiu Evie.

— Muito mais que isso. Desde que ele lhe contou que íamos ter um bebê. Convidamos você para o chá de bebê na nossa casa e você não apareceu. E ele disse que você não ficou muito entusiasmada com nossos planos de começar uma família.

Evie enroscou os dedos do pé. Ela odiava estar errada. E pior, odiava que a lembrassem quando estava. Ela assumiu uma postura defensiva.

— Bem, as coisas estavam meio loucas para mim. Eu estava basicamente desempregada, minha avó passou por uma cirurgia perigosa, e tenho cuidado dela. Sabe que Jack se casou do nada. É só que tem sido uma merda de ano. Então acho que dá para entender que não tive tempo de escutar sobre a compra do berço.

O café que Jerome havia lhe dado estava correndo por sua veias. Misturado à sua falta de sono, a onda da cafeína estava transformando-a numa combinação letal de ansiedade e agitação. Ela continuou seu discurso, indo de defensiva para legitimamente zangada:

— E que chá? Não fui convidada para chá de bebê nenhum.

— Mandamos um e-convite. Na verdade, foi pelo Paperless Post. Paul disse que e-convites estão fora de moda.

— Bem, tenho uma novidade, eu não uso mais internet e vocês dois sabiam disso.

— E foi por isso que também ligamos e deixamos uma mensagem. Paul disse que você nunca ligou de volta. Ele também disse que você praticamente desligou na cara dele quando ele contou sobre o bebê. Quer dizer, você deu parabéns e tudo, mas aparentemente foi um parabéns bem fajuto.

Evie não respondeu. A mensagem de voz de Paul estava no seu celular, jamais acessada, há um tempo.

— Mas diga a verdade. Você ia querer ter estado lá, afinal? — perguntou Marco, seus olhos penetrando a fachada que ela estava tentando simular. Era como ser virada do avesso.

— É claro — berrou ela impulsivamente.

— Bem, não tínhamos tanta certeza. Você ficou com ciúmes, Evie. E tudo bem. Mas Paul não entende muito. Você sabe que a minha irmã mais velha ainda está solteira então entendo mais essas coisas.

— Essas coisas? — Evie estava ultrajada. Marco estava dizendo que solteirões se safam de condutas reprováveis por serem dignos de pena? Em que ano estávamos? 1950? — Bem, eu não fiquei com ciúmes, então acho que você não me entende tão bem quanto pensa.

Ele ignorou seu protesto.

— E essa história com Stasia. Eu sei que ela estava planejando contar a você sobre o divórcio. Mas você tem meio que uma ideia exaltada do casamento dela. Acho que ela sabia que você via os dois como se fossem perfeitos, e estava a matando ter que admitir à pessoa que os idealizava tanto que não havia motivos para invejá-los.

Evie olhou seu relógio. Eram quase cinco da manhã, mas ela podia ver pela janela que ainda estava escuro. Será que Stasia tinha ido embora ou estava na cafeteria do hospital, esperando o dia nascer? Evie desejou que estivesse mais claro, para poder fugir dali e correr até sua casa para se refugiar na cama. Marco leu seu monólogo interno.

— É madrugada. Volte para o quarto de Tracy. Converse com Paul. Foi você que nos apresentou. Ele não pode ficar zangado com você para sempre.

Evie inspirou profundamente, deixando que seu corpo dissesse a Marco que ela concordava. Eles voltaram juntos. Os pais de Tracy tinham chegado naquele meio-tempo, e os novos avós estavam ocupados arrulhando para o bebê no berço. Paul estava ao lado de Tracy, conversando. Se estavam trocando dicas sobre mamadeiras ou desabafando sobre a briga, ela não sabia. Ele não olhou quando ela entrou. Jerome se levantou e ofereceu o lugar ao lado de Caroline, que Evie aceitou. Era como se suas pernas tivessem virado gelatina. Ela estava achando difícil suportar o peso de seu corpo.

— Esta noite está sendo surreal — cochichou ela para Caroline. Com Tracy basicamente fora de comissão durante as 48 horas seguintes, Caroline parecia ser a única amiga de Evie.

— Vai ficar tudo bem. Stasia está apenas passando por um momento muito difícil. Ele estava traindo ela, sabe?

— Nossa, eu não sabia. Ela nunca fez uma única reclamação dele durante todos os anos de namoro ou casamento.

— Sabe que ela achava que ele era apaixonado por você, não sabe?

— Eu? — Evie estava realmente em choque.

— Acho que ele sugeria que incluíssem você nos eventos frequentemente. Deixou Stasia paranoica.

Evie se lembrou da ligação de Stasia para ela alguns meses antes enquanto ela estava na fila para consertar seu computador: Rick quer que você venha ver um filme com a gente. Muitos outros convites como aquele aconteceram no passado. Ela se lembrou do anseio de Rick em falar com ela no telefone e de sua mensagem para ver como ela estava. E de quando, numa ligação entre ela e Stasia, ela o escutara falando que Evie não deveria ir ao encontro às cegas com o ortodontista se não estivesse a fim.

— Mas Stasia é deslumbrante. Se ele estava a traindo só pode ter sido com uma supermodelo. Ele não ia querer alguém como eu — negou Evie com genuína modéstia.

— Evie — disse Caroline de um jeito cansado, balançando a cabeça de um lado para o outro —, todo mundo concorda que Stasia é inteligente e linda. Mas você também é. Você simplesmente não sabe o que tem, sabe?

— Não tenho nada.

— Esse comentário nem é digno de uma resposta.

— Marco me acusou de ser ciumenta. Você concorda? — Evie esperava que a expressão em seus olhos revelasse o quanto ela contava com Caroline para que lhe desse uma resposta sincera.

— Acho que você... — Ela parou, e Evie percebeu que ela estava vasculhando seu dicionário mental para encontrar a palavra certa. — Acho que você desdenha de quem é casado.

— O quê? Não desdenho não!

— Às vezes você fala coisas sobre Jerome, sabe, sobre ele ser mais velho e já ter sido casado. Sei que já fez piada sobre Jake por ele não ter uma carreira tradicional. O que está motivando tudo isso?

— Eu nunca disse essas coisas! — negou Evie indignadamente. — Eu amo Jake e Jerome.

— Olha, não estou chateada com você. Se eu não estivesse com tanto déficit de sono, provavelmente nem estaria tendo essa conversa com você. Mas como estou, deixe-me perguntar uma coisa.

Evie olhou Caroline de volta sentindo tremores. Ela queria implorar: *Estou frágil. Pega leve comigo.*

— Sim?

— Com que está tão preocupada? Em acabar sozinha, adotando um papagaio e juntando-se a algum comitê local para ter alguma coisa marcada no seu calendário?

Se sua vida fosse tão simples quanto esse clichê, seria bom.

— Não — respondeu Evie verdadeiramente, passando seu braço pelo de Caroline. Ela descansou sua cabeça no ombro de sua amiga e percebeu exatamente como estava cansada. — Na verdade fico preocupada de não fazer isso. Tenho muito mais medo de me comprometer.

A verdade repercutiu pelo quarto, mas a única reação audível à admissão de Evie foi um suspiro sábio da enfermeira trocando a comadre de Tracy.

Capítulo 15

Assim que o sol nasceu, Evie foi embora do hospital, dando antes um beijo na testa de Tracy e jogando um de longe para Henry. Quando Jake acordou de seu torpor causado pela recém-paternidade, ela foi efusiva ao desejar tudo de bom.

Lá fora, as ruas estavam em grande parte ainda vazias — um morador de rua aqui, um engravatado de Wall Street ali, e alguns operários uniformizados encerrando seu turno da noite. Ela ouviu o ronco de fome que vinha de sua barriga.

O hospital onde Tracy dera à luz não era muito longe de onde Bette estava sendo tratada. Ela decidiu tomar seu café da manhã na mesma lanchonete de estilo anos 1950 onde Edward a havia levado. Evie deixou uma mensagem na secretaria eletrônica do escritório da Brighton avisando que não estava se sentindo bem e que não ia trabalhar. Jamie provavelmente se perguntaria onde ela estava, e talvez até pensasse que ela ficara traumatizada com sua investida. Que diferença fazia?

Ela se sentou sozinha numa cabine e olhou as fotos no menu.

A garçonete se aproximou, usando uma saia rodada com um poodle bordado e sapatos boneca pretos e brancos. O estilo do restaurante pareceu fofo quando ela foi lá com Edward, mas hoje o barulho da jukebox tocando *Hound Dog* nas alturas era excruciante.

— O que vai querer hoje?

Os olhos de Evie pararam na foto com mais comida.

— Vou querer o Truck Stop Special. E um *egg cream*.

— Tem certeza, querida? Vem dois de cada coisa. Duas pilhas de panquecas, dois ovos, duas *french toasts*, dois bacons, dois...

— Você escutou a moça. Ela quer o Truck Stop Special. Na verdade, traga dois por favor.

Evie virou surpresa para trás. Edward Gold estava atrás de sua mesa, sorrindo.

— Então gostou daqui hein?

— Ah... minha amiga teve neném esta noite no New York Hospital. Estou com tanta fome, acho que quando você fica acordado a noite toda você tem mais fome que o normal. Normalmente não como igual a um pedreiro. — Por que ela estava se justificando?

— Sei como é. Quando eu ficava de meia-noite às seis na emergência, saía morrendo de fome. — Ele apontou para o banco vazio na frente dela. — Posso me juntar a você?

— É claro! — Ela ficou envergonhada por não ter oferecido o lugar a ele antes.

Edward se sentou e tirou seu casaco de frio, uma bela parca azul-marinho da Barbour. Por baixo, estava usando jaleco cirúrgico roxo. Tinha mangas curtas e mostrava músculos consideráveis. Ela não o via de uniforme desde a cirurgia de Bette. Havia um óculos Ray Ban pendurado na gola V da camisa.

— Então sua amiga teve um bebê. Mazel tov.

— É, no meio da madrugada. Um menino. Henry. — Evie esfregou os olhos para reforçar seu sono, esperando que aquele fato desculpasse seu estado lamentável.

— O nome de seu pai. — Edward deu uma pausa deliberadamente depois de dizer aquilo e olhou para Evie pensativo. — Foi difícil para você?

Ela ficou comovida por ele ter lembrado.

— Foi, especialmente quando ouvi pela primeira vez. Mas é legal, eu acho.

— Tudo bem — respondeu ele, e Evie sentiu que ele não queria insistir no assunto. — Então, por que esse suéter de lacrosse? Quer dizer que está se identificando mais com seu trabalho?

Evie ficou corada ao olhar para baixo. Ela estava usando o moletom gigante de Jamie, que dizia VARSITY e tinha dois tacos de lacrosse cruzados na manga. Ela o levara para casa depois do fiasco no armário de suprimentos e deveria tê-lo vestido no escuro na pressa de ir para o hospital.

— Ah, isso? É, eles dão aos professores. Eu estava usando para dormir — respondeu ela, se arrependendo de sua história imediatamente. Ela queria que Edward a visualizasse dormindo num baby doll de renda, não numa roupa de academia gigante. Especialmente não numa de uma chave de cadeia meio burra que tinha avançado nela alegando que ela lhe dera mole.

A garçonete chegou com seus enormes pratos, as salsichas fervendo e o bacon ainda chiando. Em pratos separados, panquecas empilhavam-se perigosamente contra uma montanha de ovos mexidos. Evie respirou fundo e seu estômago roncou. Era a primeira vez em muito tempo em que ela realmente sentia fome.

— O Truck Stop Special definitivamente foi a escolha certa — disse Edward, levando uma garfada de panqueca cheia de calda até a boca. — Se eu não tivesse encontrado você, teria pedido um muffin diet. Você definitivamente me tentou. De novo. — Ele sorriu de um jeito mais sedutor que simpático. Evie se ajeitou envergonhada em seu banco, como se uma batata quente tivesse caído no seu colo. Estava tão desconfortável, mas de um jeito feliz, se é que isso era possível. Ela tentou convencer a si mesma que os flertes leves de um homem casado eram inofensivos. Isso se ele estivesse flertando com ela. Era difícil ter certeza depois de dormir tão pouco.

Ela retribuiu com um sorriso doce e erguendo deliberadamente uma das sobrancelhas.

— Que bom que pude ser tão tentadora. — A brincadeira tímida dos dois, apesar de surpreendente, temporariamente a aliviou do drama que deixara para trás no quarto de Tracy no hospital.

Inesperadamente, Edward começou a comer seus ovos apressadamente. Evie achou que estivesse enganada quanto aos sinais até ele explicar:

— Desculpe, acabei de ver que horas são. Tenho um pré-operatório em dez minutos. O que não me deixa muito tempo para te perguntar...

A garçonete interrompeu:

— Mais café, senhor?

—Não, obrigado — respondeu Edward apressadamente.

Ela se virou para Evie com o bule.

— Senhorita?

— Sim, por favor. — Droga. Por que ela pediu mais café? A garçonete pareceu demorar uma eternidade para encher a xícara de Evie e trazer ainda mais leite e açúcar de uma mesa vizinha. Quando ela finalmente se afastou, parecia que Edward tinha esquecido o que ia perguntar. Ele estava olhando longe, como se tentando identificar alguém em outra mesa.

— Estava dizendo... — começou Evie cuidadosamente, sua voz um pouco melodiosa. — Queria me perguntar alguma coisa?

— Sim, queria. Bette já se gabou várias vezes comigo de que você frequentou Yale. Minha sobrinha está pensando em estudar lá. Queria saber se você talvez conversaria com ela sobre o lugar.

— Ahn? — perguntou ela, sem dúvida com uma expressão de surpresa no rosto. O que ela estava esperando? Que esse homem casado a pedisse para eles se encontrarem no subsolo do hospital, onde fariam sexo ilícito entre seringas e catéteres? Não importa o que ela achava que ele iria dizer, era inegável que Evie estava decepcionada por sua pergunta ser tão platônica.

— Você se importaria? Em falar com minha sobrinha?

— Hum, claro que não. Pode me dar o e-mail dela. Na verdade espere, e-mail não. Peça para ela me ligar.

Evie pegou a calda e encheu metodicamente cada quadradinho de seu waffle — qualquer coisa para evitar ter que olhar para Edward.

Para sua surpresa, ele estendeu uma das mãos e a colocou em cima da dela, a que estava segurando o pote de calda. A mão de Evie tremeu um pouco e ela derramou o xarope, inundando seu prato. Ela riu involuntariamente.

— Espera. Não era nada disso que eu queria perguntar. Eu nem tenho sobrinha. Sou filho único — confessou Edward.

— Eu também! — exclamou Evie. Ela pensou na sua sobrinha imaginária, a que ela culpou por ter vomitado em cima de seu computador na loja de eletrônicos. Mas por que Edward estaria achando que precisava inventar familiares para ela?

— Eu sei. — Edward respirou fundo. — O que eu queria perguntar era: Quer jantar comigo? Realmente gostaria de levar você para sair. Queria chamá-la já há um bom tempo. — Ele expirou. — Deus, como é bom ter colocado isso para fora. O que me diz?

Evie estava boquiaberta.

— Mas você é casado! Tem uma filha. Sua esposa não a deixa comer doce!

— Sou divorciado, Evie. Recentemente divorciado. Mas estamos separados há dois anos. Achei que você sabia disso.

— Como eu saberia que você era divorciado?

Edward riu.

— Porque todo mundo sabe que sou divorciado. Está na internet toda. Apesar de na verdade eu achar muito agradável descobrir que alguém não sabe dos detalhes íntimos de minha vida pessoal.

— Por que seu divórcio está na internet? Você é famoso ou algo assim? — A mente de Evie estava a mil tentando acompanhar toda a informação que estava recebendo.

— Não, eu não. Bom, talvez em alguns círculos de médicos. O que estou dizendo? Não sou famoso. Mas minha ex-mulher é. Georgina Cookman.

— Cookman's Cookies? Eu adorava aquilo quando era criança. Ainda adoro. — Ela notou o rosto de Edward ficar mais sério. — Ah, desculpe, isto é, eram horríveis. Tinham gosto de borracha queimada.

— Não, tudo bem. Foi difícil para mim parar de comê-los. Estão em todas as máquinas de lanche do hospital. Enfim, até quatro meses atrás, eu estava casado com a herdeira do cookie em pessoa. Confie em mim, não havia nada de doce nela. E nunca a vi assando uma única migalha durante todo o tempo em que estivemos juntos. Receita de família uma ova. — Evie nunca tinha visto esse lado de Edward antes. Cheio de pura emoção. Ela gostou.

— Georgina Cookman. — Evie disse aquele nome como se estivesse saboreando um de seus cookies de aveia com passas. — Essa mulher está em todo lugar. Uma vez fui a um evento de arrecadação de fundos copresidido por ela para restaurar os jardins de Versalhes. Não me pergunte o que eu estava fazendo lá.

Edward revirou os olhos.

— Por favor, não ressuscite essas lembranças. Não tenho nem como contabilizar quantas horas ela dedicou a salvar Veneza.

— Mas espera, ainda estou confusa. Por que esse assunto está na internet toda?

Ele olhou seu relógio mais uma vez.

— Eu realmente preciso ir para essa cirurgia. Posso contar mais tarde?

— Pelo menos me dê uma versão resumida. Como se conheceram?

— Tudo bem. Conheci Georgina num evento beneficente. Foi um diretor médico que me arrastou para esse almoço. De qualquer maneira, Georgina estava falando sobre alguma doação da companhia de sua família e fizemos contato visual durante seu discurso. Quando eu estava pegando meu casaco para ir embora ela me abordou. Era linda. E muito sofisticada.

Evie olhou seu moletom velho de lacrosse de novo. Ela colocou suas mãos no colo para esconder as unhas roídas. Edward deve ter percebido.

— Pare, Evie. Você é linda. Não tenho dúvidas de que já me flagrou encarando você várias vezes.

Ela tinha notado, de fato. Mas sempre convencia a si mesma de que estava interpretando os sinais erroneamente: deveria ter um pedaço de alface no dente dela; ou Edward era apenas o tipo de homem que gosta de olhar nos olhos. Como ela deveria estar alheia aos sinais nos últimos meses. E com os que reconhecia, não conseguia se dar crédito suficiente para aceitar, atribuindo-os a um mal-entendido ou insinuações inofensivas de um homem entediado com seu casamento. Ela assentiu levemente.

— Enfim, eu estava praticamente morando na biblioteca há cinco anos durante minha residência, vivendo de cereal e café. Para mim, eventos sociais significavam jogar baralho na sala dos médicos durante meus intervalos. Eu não tinha tempo para namorar. Então veio Georgina. Ela me atingiu como um furacão. A princípio as coisas foram boas. G cuidava de tudo... nossa agenda, nosso apartamento, nossas finanças. Tive tempo para focar meus pacientes e minhas pesquisas. Ela engravidou logo de Olivia. Depois que ela nasceu, eu realmente achava que um divórcio estava fora de cogitação, mesmo que nós dois soubéssemos que as coisas estavam se deteriorando. E sei que isso parece uma péssima ideia, mas parte de mim queria ficar com Georgina para dar um irmão à Olivia. Ainda quero isso para ela. Não com Georgina, obviamente. Mas espero ter mais filhos um dia. Enfim, Georgina e eu não temos nada em comum. Ela só queria ser fotografada para as colunas sociais. Ressentia-se de meus horários porque eu nunca podia acompanhá-la a seus eventos. Eu achava que ela deixava Olivia com a babá com frequência demais para fazer coisas bobas, como aplicações de Botox ou ir ao salão de beleza. E sei que eu também estava distante, mergulhando no trabalho e evitando encarar nossos problemas. Finalmente terminamos, um ano atrás. Como havia uma filha e muito dinheiro envolvido, o divórcio foi um desastre. Mantivemos tudo em segredo o máximo de tempo possível. Mas vazou há alguns meses, e a imprensa fez uma festa.

— Como?

— Vamos ver. Vamos começar com as manchetes. "Herdeira de biscoitos esfarela seu homem", "Casamento de Cookman azeda", "Batalha de cônjuges pelo último biscoito no pacote", "Herdeira dos biscoitos encontra homem novo para satisfazer seu apetite." Eu poderia ficar citando mais durante horas. Me sinto mal por Olivia. Graças a Deus ela ainda não tem idade para usar internet. — Evie esperava que fosse verdade. Caroline surpreendera Grace recentemente, com seus cinco anos, no site da boneca American Girl, olhando roupas novas para sua boneca Julie.

— Quando saí de casa, Olivia começou a fazer algumas coisas estranhas. E foi quando misteriosamente apareceu o sotaque britânico.

— Nossa, isso é horrível. Eu não fazia ideia. — Evie chocou a si mesma ao estender e segurar com sua mão a de Edward, quente e pronta para aquilo.

— E então veio o incidente no Twitter.

— Incidente no Twitter? — Ela se lembrou do comentário de Edward no hospital dizendo que eles eram melhores no telefone do que no Twitter.

— Honestamente, estou com vergonha de te contar. Vamos apenas dizer que eu descobri maneiras de ser cruel com Georgina em 140 caracteres ou menos. Simplesmente senti que tinha direito de revidar. Mas eu juro, Evie, eu não sou assim. Estava passando por um momento realmente péssimo.

— Edward, tudo bem. Eu já esperava que você não fosse perfeito. — Ela se lembrou de quando ele disse que ia acompanhar Olivia na excursão da escola, quando seu nível de perfeição pareceu quase sufocante.

— Longe disso. — Ele riu. — Mas ainda não respondeu minha pergunta, que começou toda essa conversa. Quer jantar comigo?

— Eu adoraria. — Ela sentiu seu sorriso se abrindo de orelha a orelha, o sorriso mais largo que ela dava em meses.

— Que bom. Tinha minhas dúvidas quanto a ser possível você se interessar por mim.

Evie franziu o cenho. Ela ficara fascinada com sua aparência de astro da TV, sua autoconfiança discreta e seu senso de humor desde o dia em que se conheceram, e por mais que tentasse não demonstrar, um pouco de sua afinidade maior que a de uma simples amiga tinha que ter transparecido. Por que ele duvidaria de seu interesse por ele?

— Isto é, achei que se interessava, mas aí você começou a falar em congelar seus óvulos. Não achei que você consideraria isso um flerte.

— É, eu normalmente espero até o terceiro encontro para confessar a um cara minhas preocupações quanto à fertilidade — respondeu Evie, conseguindo fazer uma piada, apesar de sua vergonha. — Para ser sincera, apenas achava que você era casado.

— Quis chamá-la para sair bem ali só para você calar a boca, mas achei que deveria fazer a cirurgia antes e evitar qualquer conflito ético. Fiquei com medo de que pudesse aceitar sair comigo só para eu não estar de mau humor quando operasse sua avó. Na verdade, fiquei esperando liberar Bette como paciente minha antes de fazer o convite. E fico feliz em revelar que fiz isso oficialmente três dias atrás.

Ele colocou dinheiro suficiente na mesa para cobrir o café da manhã dos dois e em seguida pegou seu casaco, se levantando para ir embora.

— Então eu ligo depois para marcarmos dia e hora, OK?

— Estou esperando.

Ele andou na direção da porta, mas subitamente deu meia-volta.

— Então, antes que eu saia, posso perguntar como conseguiu escapar das fofocas sobre a saga de meu amargo divórcio? — Ele a olhou intrigado.

— Ah. Isso. — Evie deu uma risadinha. — Não uso internet há, hum, vejamos... Cinco meses.

— Ah — disse ele. — Evie Rosen, sabia que gostaria de você desde que nos conhecemos.

— Bem, obrigada — respondeu ela delicadamente. — Agora eu quero perguntar mais uma coisa.

— O que é? — Ele ergueu as sobrancelhas.

— A herdeira de uma empresa de biscoitos não deixa sua filha comer doces?

— Correto — respondeu Edward, impassível.

— Agora posso dizer que já ouvi de tudo — devolveu Evie, com um sorriso brincalhão.

Quando ele saiu, Evie pegou seu telefone sem pensar e ligou para o diretor Thane. Ela o agradeceu pela sua oferta de trabalho em tempo integral, mas a recusou educadamente, prometendo ficar até a compra do prédio novo estar concluída. Mesmo que estivesse sofrendo por antecipação por ter que encontrar Jamie, sua consciência determinou que ela precisava concluir o projeto. Ela devia isso a Tracy.

Apesar de sua amizade com Paul e Stasia estar abalada, sentada ali sozinha com os restos de seu Truck Stop Special diante dela, Evie não podia negar que o mundo parecia cheio de possibilidades. Ela sairia com Edward, alguém com quem fantasiava em segredo provavelmente desde o dia em que o conhecera. Encontraria emprego em algum lugar totalmente inesperado. Talvez ela pudesse até mesmo tentar o mundo da decoração — apesar de um estágio com Julianne Holmes-Mathews estar definitivamente fora de cogitação. Seus dias de papa-anjo tinham acabado. E também, possivelmente, seus dias como advogada.

# # #

Jamie estava roendo as unhas quando Evie chegou ao escritório na manhã seguinte. Ela esperava que ele fosse ficar na dele por alguns dias — e que depois de um fim de semana, o que acontecera entre eles não parecesse mais grande coisa. Não aconteceu. Ela se sentou e imediatamente começou a trabalhar, ou pelo menos a fingir. Graças a Deus a compra da galeria estava prevista para acabar no final daquela semana e então ela estaria livre de seu contrato com a Brighton.

— Evie — sussurrou ele. — Posso falar com você lá fora?

Ela não tirou os olhos de seus papéis.

— Não há nada sobre o que falar — murmurou ela. — Vamos apenas esquecer.

— Pelo menos me escute. Sinto muito pelo que fiz. Não foi legal da minha parte. Eu entendo. Só meio que achei que havia algo entre a gente. Parece loucura, eu sei. Mas normalmente eu leio as minas.

— Jamie, por favor, Thane está na sala dele. Não quero falar sobre isso agora. Nem nunca.

— Ainda quer ver meu quarto? Posso mostrar fotos do nosso apartamento como pediu. — Ele colocou a mão no bolso para puxar seu telefone.

— Não, não, não. — Meu Deus, ela realmente tinha pedido aquilo? Não admira ele ter tentado alguma coisa. — Acho que você entendeu mal o que eu estava dizendo. Preciso trabalhar, Jamie. Não vou aceitar o emprego definitivo aqui, mas ainda preciso concluir esse contrato.

— Minha mãe achou você incrível, a propósito.

— Mesmo? — perguntou ela, levantando a cabeça.

Não, Evie, foco.

— Que legal — completou ela, com menos entusiasmo.

A campainha tocou sinalizando que o primeiro tempo começava em três minutos. Jamie pegou sua mochila.

— Sinto muito mesmo, Evie. Está tudo bem entre a gente?

— Estamos bem — afirmou ela, dando-lhe um sorriso tranquilizador. Até que ele era um cara decente. Se ele tivesse cinco anos a mais e ela cinco a menos... talvez. Que casa a mãe dele poderia projetar para os dois. Ela beliscou a si mesma. — Estamos bem — repetiu Evie, fazendo uma das continências de Jamie para ele. — Eleanor tem sorte de ter você. Espero que vocês dois acertem as coisas.

# # #

O primeiro encontro de Edward e Evie foi no cinema. Ela parecia estar com borboletas no estômago durante o dia todo, esperando ele buscá-la. Será que ela o idealizara demais porque achava que estava indisponível? Será que de repente notaria uma veia saltada na testa dele ou uma verruga peluda em seu pescoço? Talvez ele tivesse mau hálito ou usasse expressões em francês no meio das conversas. Antes de um encontro que a deixasse ansiosa ela sempre procurava Paul para conversar e para que ele a animasse e incentivasse. Ele diria algo como "Você é uma gata, ele é um gato, qual é o problema?". Mas ela não teve coragem de ligar para ele, muito menos para pedir ajuda. Se ele a recebesse mal como ela achava que receberia, Evie nunca conseguiria aproveitar o encontro daquela noite.

Quando ela desceu para encontrar Edward, percebeu como sua mente estava acelerada. Ao vê-lo esperando confortavelmente, parecendo simplesmente perfeito, ela teve que estudá-lo uma segunda vez. Seu jeans claro terminava no local exato em que seu sapato de camurça deveria começar. Debaixo de seu casaco comprido, Evie percebeu que ele estava usando uma camisa de botão xadrez embaixo de um suéter cinza de gola V. Ela gostou dele estar usando seus óculos de grau. Eles se beijaram no rosto.

— Olá — disse ela, sentindo um genuíno frio na barriga.

— Olá — repetiu ele. — Você está linda.

— Obrigada — disse Evie casualmente, como se seu jeans preto, bota de cano alto e suéter azul turquesa não tivessem sido a décima roupa que ela experimentara aquele dia.

— Pronta? Quero ter certeza de que chegaremos a tempo de comprar pipoca — disse Edward, tocando suas costas.

— Se não conseguirmos comprar pipoca, é melhor nem ir — brincou Evie, sentindo a tensão em seus ombros indo embora. Que prazer era estar num primeiro encontro que não parecia necessariamente uma entrevista de emprego.

O filme era uma comédia romântica mais açucarada que algodão doce. Os dedos dos dois toda hora se tocavam quando iam pegar a pipoca ao mesmo tempo, até Edward finalmente pegar sua mão e brincar:

— Ei, pare de comer minha pipoca.

Ele não a largou mais durante o resto do filme, descansando-as em cima de sua coxa esquerda.

— Quer jantar alguma coisa? — perguntou ele, ao saírem do cinema.

— Definitivamente — disse Evie, cheia da pipoca.

Eles andaram de mãos dadas pela Broadway até acharem um restaurante japonês.

— Então, vamos contar a Bette sobre isso? O fato de termos saído juntos? — perguntou Evie, levando um pedaço de atum picante à boca. — A encontrei duas vezes essa semana, mas não falei nada. Acho que quis que tivéssemos contato antes. — Na verdade ela estava louca para contar aquilo e estava fazendo um enorme esforço para guardar.

— Contato, hein? Gostei. É realmente uma decisão sua contar a Bette ou não. Mas tenho quase certeza de que sua avó vai ficar muito satisfeita com ela mesma — sugeriu Edward, fazendo Evie questionar o que ele queria dizer. Será que ele estava dizendo que sua avó ficaria feliz por sua doença os unir? Aquilo era quase definitivamente verdade.

— Vou contar quando formos almoçar amanhã. É basicamente um crime esconder de uma avó judia que você saiu com um médico.

— Acho que aprendi isso nas aulas de estudos judaicos.

— Temple Israel? É onde aprendi a beijar de língua. — Ela colocou um edamame na boca, adorando como fazia Edward sorrir. Ela podia se acostumar a ver aquelas covinhas todos os dias. — Depois da aula, pelo menos.

— Estudos judaicos precisam ensinar outras línguas.

— Então agora que confessamos sobre estudos judaicos, pode me falar a verdade. Já esqueceu algum instrumento dentro de alguém durante uma cirurgia?

— Não que eu saiba — disse Edward. — Mas eu perdi um celular uma vez durante uma operação. Se bem que acho que meu paciente teria reclamado se acordasse na sala de recuperação com o peito tocando.

Evie deu uma gargalhada, quase engasgando com o edamame.

— Já cometeu alguma imperícia jurídica? — perguntou Edward.

— Só uma vez — confessou ela, depois de alguns goles de água. — Mas o cliente realmente mereceu.

— Tenho certeza de que teve justificativa. — Edward pegou um pouco de salada de algas habilmente com seus hashis. Evie gostava de observar suas mãos cirúrgicas trabalhando. — Preciso confessar, me sinto meio culpado me divertindo tanto neste momento com toda a loucura nos noticiários hoje. Acho que o cessar-fogo não durou mais que duas horas. Horrível, não? Mais de cem civis mortos.

Israel? Rússia? Iraque? Evie não sabia mais em qual continente estava havendo uma guerra. Sem sua leitura matinal do *theSkimm*, Evie estava completamente perdida. Estava realmente na hora de assinar um jornal de verdade.

— Horrível — concordou ela, assentindo vigorosamente. — Nem consigo falar nisso.

Tendo se safado daquela, o resto do encontro foi sublime. Eles concordavam que sobremesas de restaurante japonês eram péssimas, então depois do jantar foram procurar um sorvete para tomar naquele gelado clima de novembro. Faltava apenas uma semana para o Dia de Ação de Graças. Ela se perguntou quais seriam os planos dele. Fran e Winston tinham anunciado que iriam fazer um cruzeiro de uma semana nas ilhas Galápagos enquanto as gêmeas comemoravam com a mãe. Eles convidaram Evie, mas ela não se sentiu confortável em segurar vela. Até Bette, de visita em Nova York, tinha planos. Uma velha amiga sua de Baltimore, agora morando no Brooklyn, tinha convidado Bette para um jantar de Ação de Graças com seu grupo de bridge. Evie provavelmente se juntaria à família de Caroline em seu banquete, onde a comida — toda importada (até mesmo, inexplicavelmente, o peru) — tinha grandes chances de ser tão boa quanto sua última refeição naquela data, que Jack fizera para eles dois. Ela já estava temendo o jantar com os Michaels, sabendo que se sentiria uma intrusa, mas ainda era melhor que ficar em casa sozinha.

— Quer ver meu apartamento? — perguntou Edward, enquanto eles andavam lado a lado com seus sorvetes de casquinha. — Moro só a algumas quadras daqui. — Ele apontou para a direção do prédio Apple Bank, um dos marcos de Nova York preferidos de Evie.

Evie se ocupou lambendo o sorvete que escorria pela casquinha para não parecer que estava hesitando. A verdade era que ela queria e muito ver onde ele morava, e muito mais. Mas ela não sabia mais o que era apropriado num encontro. Estava por fora. Tirando seu tempo com Jack, os últimos anos tinham sido uma série de encontros para conhecer completos estranhos, entre os quais poucos a fizeram ter vontade de partir para mais uma etapa. Edward e ela já eram próximos, mesmo que apenas agora sua relação estivesse virando oficialmente algo romântico.

— Claro, vamos lá — concordou Evie, tentando soar como se não estivesse vacilando.

Edward morava num apartamento charmoso de dois quartos que ocupava um andar inteiro de um prédio a apenas cinco quadras ao norte do de Evie. Eles podem ter passado um pelo outro incontáveis vezes no caminho de uma lavanderia ou farmácia. Mas ele provavelmente morava num lugar bem mais chique quando estava casado com Georgina, e ela preferia não imaginar aquela época da vida dele.

Sua quadra era cheia de casas urbanas, e alguns proprietários impacientes já tinham decorado as fachadas com luzinhas de Natal. Nova York, com suas ruas agitadas e infinitas opções de distração, ainda conseguia parecer o lugar mais solitário do mundo durante as festas de fim de ano. Manhattan estava prestes a ficar mais iluminada que uma árvore de Natal gigante, e mesmo seus habitantes mais sensatos e pé no chão conseguiam se perder nas luzes ofuscantes. Evie queria se perder em Edward. Ela queria muito que eles passassem essa época do ano juntos.

— Então é isso — disse Edward, pegando o casaco de Evie. — Deixe-me mostrar a casa. Sugestões para melhorar a decoração certamente serão bem-vindas.

Ele a guiou pela sala de estar e jantar combinada, pela cozinha, seu quarto, e, finalmente, o quarto de Olivia. Com exceção do quarto da menina, todo o resto era neutro e sem imaginação, como se Edward tivesse simplesmente pedido tudo de um catálogo da Pottery Barn. O quarto de Olivia, por outro lado, era magnífico. O carpete de parede, a parede era magenta, e os móveis de madeira clara laqueada. As cortinas eram de tecido cor-de-rosa.

— É lindo — disse Evie. — Um quarto dos sonhos para uma garotinha.

Edward corou.

— Obrigado, tentei torná-lo especial para ela. Até contratei um decorador para este quarto. Pena que eu não conhecia você na época.

— Ficou ótimo, seja lá quem você tenha contratado e o que tenha feito — garantiu Evie, colocando uma das mãos em sua cintura. Evie ficou surpresa por iniciar aquele contato dentro do apartamento. Mas ver esse homem lindo exibir um amor tão evidente por sua filha... era muito sexy.

Eles começaram a se beijar. A princípio foram beijos leves e suaves, mas rapidamente eles se tornaram famintos e cada vez mais impacientes. Edward puxou sua mão e ela achou que ele a levaria até seu quarto. Em vez disso, ele a sentou no sofá da sala, longe dos olhos curiosos da Minnie Mouse e de Dora Aventureira, sentadas nas prateleiras de Olivia.

Ele passou as mãos nas costas dela e Evie se surpreendeu querendo que ele fosse mais agressivo e colocasse-as dentro de sua blusa. Seu desejo se realizou. Ele as levou até o peito dela e começou a tocar na renda de seu sutiã. Evie arfou quando ele passou suas mãos por dentro do elástico e começou a acariciar seus seios.

Seu toque começou leve e sensual, mas a pressão aumentou gradualmente até Evie sentir como se seus seios fossem melões sendo apertados em busca de sinais de maturação.

Ela se afastou dele inesperadamente.

— Está procurando algum caroço?

— O quê? Não. É claro que não. — Ele fingiu estar em choque.

Evie olhou para ele de maneira acusatória.

— OK, OK. Talvez um pouco. Ossos do ofício. Mas prometo que vou parar. — Ele colocou os braços para o alto como se protegendo-se de um policial com uma pistola apontada na sua direção.

— Está bem — respondeu Evie, sorrindo. Era bem engraçado, na verdade. Um encontro que ela certamente nunca esqueceria. Ela relaxou e o puxou para perto. Edward deu uma série de beijos suaves da sua saboneteira até o alto de seu pescoço.

— Prometo que sei o que estou fazendo nesse departamento — sussurrou Edward ao chegar na sua orelha. — Em procurar caroços também, mas estou me referindo a, você sabe, isso. — Ele continuou a beijá-la, mas ela se surpreendeu endurecendo novamente. — Tudo bem?

— Então, sentiu alguma coisa? Diferente, quero dizer.

— Nada, eu prometo. Mas você deveria mesmo fazer aquela mamografia agora que está com 35 anos.

— Não tenho 35 anos! — protestou Evie. — Tenho trinta e quatro e meio.

— Nossa, eu achava que só Olivia usava meses para contar sua idade.

A essa altura eles já tinham se afastado um pouco, ambos olhando para as luminárias do teto como se estivessem admirando as estrelas.

— Então nenhum caroço? — insistiu Evie.

— Nenhum caroço detectável. Mas por que não foi ao médico que indiquei?

— Como sabe que não fui?

— Eu verifiquei.

— Não existe, tipo, confidencialidade médico-paciente ou coisa assim?

— Ah, você acredita mesmo nisso? — perguntou Edward, rindo. — Brincadeira, claro.

— Espero que sim! — exclamou Evie, arregalando os olhos.

— Lógico. Sabe, eu nunca liguei tanto para uma garota com que saí pela primeira vez a ponto de me sentir inclinado a examinar seus seios. Só para constar, isso é bem incomum.

— Bem, talvez eu seja uma garota incomum — disse ela, provocantemente.

— É isso que eu gosto em você — disse ele, pegando o queixo dela com uma das mãos e puxando-a para mais perto.

— Nesse caso — sussurrou ela a menos de dois centímetros de distância dele —, também tem uma pintinha na minha coxa que eu adoraria que visse. Acho que está aumentando de tamanho.

— Sem problema — concordou ele. — Mas você se importaria demais se nos beijássemos mais antes?

— Ah. — Evie riu. — Seria bom. — Ela o deixou conduzi-la e sentiu seu corpo se abrindo para uma sequência de beijos eletrizantes, toques vorazes e abraços apaixonados, que pararam bem a tempo antes que os dois quisessem ir além.

Por volta da meia-noite, Evie se levantou e Edward a acompanhou para que pegasse um táxi na rua. Ele a agradeceu pela noite incrível. Com sua autoconfiança nas alturas, ela pensou em pedir mais uma vez que ele olhasse o sinal suspeito em sua perna antes de eles se separarem, mas, num raro momento de autocontrole, ela freou suas neuroses e deixou a noite terminar aceitando um novo encontro em breve.

Capítulo 16

Era a primeira véspera de Ano-Novo nos últimos tempos em que Evie realmente estava se sentindo feliz. Ela não precisava fazer uma lista de resoluções ambiciosas e inatingíveis. No ano anterior estava solteira, recém-separada de Jack e extremamente perdida. Havia encontrado um projeto novo no trabalho no qual pôde mergulhar, e passou a virada de ano na sua mesa com um zelador solitário passando aspirador ao redor de seus pés descalços.

E não era tão melhor assim quando ela estava com Jack. Na primeira vez que eles comemoraram o Ano-Novo juntos, ele a decepcionara se recusando a acompanhá-la a uma festa na casa de Caroline, dizendo que não podia ficar longe do JAK nem durante uma hora. Na segunda vez, Jack estava de péssimo humor a noite toda porque a entrega das trufas da Itália não chegaram, acabando com seu menu a la carte. Suas esperanças de ter uma noite divertida já tinham sido frustradas no dia anterior ao episódio com os cogumelos quando a mãe de Jack anunciara que se casaria novamente e Jack disse que ela deveria estar demente para cometer o mesmo erro duas vezes.

Pelo menos este ano seria diferente. Ela iria passar a noite com Edward, que, para seu deleite, queria aproveitar a virada de ano com um jantar e estar de volta em casa às onze e meia da noite para ver a bola do Times Square.

Seria o quinto encontro dos dois. Na cabeça de Evie, esse era *o* encontro, o encontro no qual eles dormiriam juntos.

Suas últimas saídas juntos tinham sido divinas, e, como era de se esperar, Bette ficou mais do que emocionada quando Evie lhe contou que estava saindo com Edward. "*Nachas*, Evie. Me deu tantas *nachas*", disse. Depois da noite no cinema, eles marcaram uma noite de boliche e cerveja. Uma semana depois assistiram juntos à parada da Macy's do apartamento de um amigo de Edward no Central Park West e depois jantaram juntos na noite de Ação de Graças, na cafeteria do hospital, pois Edward estava trabalhando (Caroline não se importou nem um pouco por Evie furar). Edward confessou amar todas aquelas comidas tradicionais de Ação de Graças, comendo tudo na sua bandeja e ainda pegando mais peru, recheio, purê, legumes e torta de batata doce do prato de Evie, lamentando que as pessoas só comessem daquele jeito uma vez por ano. O auge da noite foi quando ele contou a Evie que não estaria de plantão naquela data no próximo ano, e que gostaria de comemorar com ela da maneira certa. Foi como se ele tivesse olhado numa bola de cristal e visto claramente o rosto dela refletido. No último encontro — o que ela achou que seria *o* encontro — eles fizeram um passeio de charrete pelo Central Park. Estavam com Olivia, pois Georgina pedira inesperadamente para Edward tomar conta dela para que pudesse ir a uma festa de fim de ano. Ele ia cancelar o encontro, mas Evie não quis nem ouvir. Os três saíram na noite fria para aproveitar o clima de festas em Nova York como turistas.

Quando Olivia adormeceu com a cabeça no colo de Evie, ela sentiu um nível de alegria que nunca sentira antes. Conforme o peito da garotinha subia e descia com sua respiração, Evie fazia cafuné em seus cachos loiros e deixava seus dedos tocarem suavemente a impossivelmente macia face da menina. Nada disso era para impressionar Edward. Ela estava verdadeiramente encantada por Olivia, amando tudo na sua silhueta pequena, voz rouca e erros gramaticais inegavelmente fofos. E parecia ser mútuo. Olivia segurou a mão de Evie durante o passeio de carruagem e tomou um gole do café de Evie quando Edward não estava olhando, após pedir sussurrando para experimentar um pouco de "cafeína". Era quase fácil demais imaginar a si mesma entrando via Photoshop nos álbuns de família dos Gold, até o telefone de Edward apitar e Evie ver de relance a mensagem de texto: "E, não esqueça de tirar o hipopótamo da mala de O e diga a ela que mamãe está com saudades. G." Edward estendeu sua mão e apertou a de Evie depois de ler a mensagem. Ela não sabia se era para lhe dar segurança ou apenas um gesto simples.

Se tinha alguma coisa em suas saídas que deixava Evie aflita, era o fato de tudo estar indo bem. Edward não fazia joguinhos. Ele não confessara ter medo de compromisso. Nunca disse que jamais se casaria novamente. Ligava quando dizia que ia ligar. Dizia a Evie o quanto gostava dela. Eles não precisavam se esforçar para conversar. Um fazia o outro rir — muito. Ela gostava de quem ela era perto dele. Mas em vez de aproveitar a tranquilidade com que o relacionamento dos dois estava progredindo, Evie constantemente precisava se lembrar de que não havia nada de errado com isso. Que ela merecia esse tipo de felicidade depois de sobreviver treze anos aos "relacionamentos" nova-iorquinos. Namorar Edward era simplesmente o oposto de namorar Jack. Com Jack, ela era masoquista, ficando mais ligada a ele à medida que ele ficava mais distante e inatingível. Já com Edward, quanto mais eles se aproximavam e ele se doava a ela, mais ela gostava dele.

Seu entusiasmo para passar o Ano-Novo com Edward só era um pouco diminuído pela distância de Stasia e Paul. Stasia não tinha experiência em ficar sozinha, e ser uma esposa abandonada na véspera de Ano-Novo deveria estar doendo. Evie ligou para ela logo cedo para ver como ela estava, mas ficou surpresa quando sua secretária eletrônica atendeu depois de apenas um toque. Acontecera a mesma coisa quando Evie ligara para ela algumas semanas depois de o filho de Tracy nascer, e ela tinha vergonha de admitir que não havia tentado mais até aquela manhã. Ela soube através de Tracy, que mal tinha um minuto para conversar, com Henry permanentemente pendurado em seu peito, que Rick havia saído de casa e ido morar com sua namorada de 22 anos de idade, sua instrutora de ciclismo indoor. "Que clichê babaca", comentara Tracy. Evie ficou enjoada ao pensar em como Stasia deveria estar se sentindo, e pior, sabendo que não havia nada que ela pudesse fazer para ajudá-la a se sentir melhor.

Paul era propenso a se calar quando estava magoado, então, em vez de ligar para ele, Evie ligou para Marco, esperando resgatar os laços através de uma abertura de seu parceiro. Mas Marco também não atendeu. Caroline ligara para ela na semana anterior para avisar que a filha deles tinha chegado mais cedo (uma frase que fez Evie pensar num recém-nascido aos berros saindo de uma caixa da FedEx), e que os novos pais obviamente deveriam estar sobrecarregados. A negligência de Evie quanto às duas situações significava que para aquelas amizades ela teria que esperar até o ano seguinte — ela só esperava que perdoar estivesse entre as resoluções de Stasia e Paul. Não que ela merecesse muito. Evie, que dependera tanto da bondade de seus amigos durante anos — que a ressuscitaram após a morte de seu pai e o término com Jack, além de acompanhá-la fielmente em sua solidão —, não estava retribuindo nada bem, pelo menos ultimamente. Não importa para onde as coisas com Edward estivessem indo, recuperar aquelas amizades teria que ser prioridade.

Edward não lhe contara onde ele havia feito reservas para aquela noite, mas Evie imaginou que seria um lugar bom devido à ocasião. Estava ansiosa em se arrumar para ele. A única vez em que ele a vira totalmente produzida foi quando ela usou aquele vestido de noite para a cirurgia de Bette, por causa da foto que acabou nunca sendo tirada. Enquanto estudava seu armário na manhã do encontro, seu telefone de casa tocou. Tudo que ela conseguiu ouvir foi choro.

— Quem está falando?

— Evie, precisa me ajudar — disse Caroline freneticamente.

— Care, o que aconteceu? — perguntou Evie, apoiando o telefone no ombro.

— Jerome vai me matar. O que vou fazer? Ele volta de sua viagem de negócios hoje à noite. — Caroline engasgou e começou a chorar de novo.

— Calma. O que está havendo? Por que seu marido vai matar você? — Evie se preparou para mais uma história de infidelidade.

— Porque eu perdi quatrocentos mil dólares — gritou ela no telefone. — Quatrocentos mil dólares. Perdidos.

— Como isso é possível?

Os soluços de Caroline viraram ruídos altos dela assoando o nariz.

— Deixa eu ir aí, e daí conto tudo.

— Claro, sim, estou em casa. Só estou me arrumando para o réveillon.

— Ah, é mesmo, é hoje. É só que Jerome vai me matar. — Ela começou o pranto novamente.

— Vai ficar tudo bem. Vejo você daqui a pouco.

Dois minutos depois, Evie ouviu uma batida na porta. Caroline, com o rosto vermelho e manchado de rímel escorrido, estava tremendo. Seus cabelos normalmente escovados estavam presos num coque que parecia desafiar os princípios básicos da arquitetura. Evie apenas vira a amiga daquele jeito em seus brunches de domingo pós-ressaca na faculdade.

— Como você chegou aqui tão rápido?

— Eu estava no meu carro, lá embaixo. Pensei em ficar vigiando seu prédio até você chegar se eu ligasse e não estivesse em casa. Preciso muito da sua ajuda. — Ela desabou no sofá de Evie, mas se levantou de novo instantes depois.

— Seu apartamento é tão bonito. Tem um gosto maravilhoso — disse Caroline. — Adorei essas almofadas. Onde as comprou?

— Obrigada. Mas podemos falar sobre o apartamento depois? Explique o que houve entre você e Jerome.

Caroline, parecendo completamente desligada, começou a examinar as taças de vinho que Evie tinha colocado nas prateleiras acima da TV.

— Care? Você me ligou histérica. Agora está avaliando meu apartamento. O que está havendo com você?

Caroline desabou na poltrona adjacente ao sofá de Evie.

— Ooh, essa também é super confortável. É couro de bezerro?

Evie a olhou feio, se recusando a responder.

— OK, OK. Deixe-me explicar. Semana que vem é aniversário de Jerome, então eu quis fazer algo especial para ele. Ele andava falando de redecorar seu home office há um tempo, mas está sempre ocupado demais no trabalho para pensar nisso. Então eu disse a ele que para seu... — Caroline hesitou, mas continuou. — Ah, dane-se, isso não importa mais — Ela parecia estar falando sozinha. — Eu disse que para seu aniversário de 65 anos eu redecoraria seu escritório e o surpreenderia quando ele voltasse de uma conferência sobre fundos de alto risco em Gstaad.

Então essa era a idade de Jerome! Caroline sempre tinha sido muito reservada quanto à idade dele desde que os dois se conheceram. Não havia traços da informação no site da JCM Capital, nem nos artigos sobre ele. Agora que ela sabia, Evie não ficou tão perplexa quanto achou que ficaria pela diferença de trinta anos entre os dois. Sua amiga era feliz no casamento. Isso era evidente. O resto — detalhes biográficos, currículo, aquela coisa de anúncios de casamento no *New York Times* e resultados das ferramentas de busca — aquilo era só ruído, detalhes que muitas vezes ofuscavam o que realmente importava.

— Enfim, encontrei esse decorador. Pierre Von Warburg. — Caroline disse o nome com desprezo. — Nos conhecemos através de Kiki Krauss, sabe aquela minha amiga que sempre leva aquele cãozinho maltês para cima e para baixo? Lembra? Jack dizia que ela parecia a Cruella de Vil, só que mais nova?

Jack *sempre* fazia aquilo. Essa parece o Mickey Rooney indiano, aquela parece a Oprah magra. Evie sempre concordava. Mas será que ele acertava sempre? Sua esposa Zeynup, pelo menos nas fotos, parecia uma versão anoréxica de Padma Lakshmi. Será que ele via essa semelhança?

Evie assentiu.

— Então, Pierre aparentemente é tão requisitado que você precisa ser apresentada a ele por uma cliente atual para que ele ao menos pense em aceitar atender você. Fiquei super animada quando ele concordou em redecorar o escritório de Jerome.

Evie revirou os olhos.

— Care, parece até que você ressuscitou Michelangelo para pintar o teto da sua sala.

—Pare, Evie. Isso é sério. Sei que você acha que sou esbanjadora, e dane-se, talvez eu seja mesmo. Mas preciso muito da sua ajuda agora. E a propósito, eu não seria tão cruel se fosse você agora. Sou basicamente sua única amiga a esta altura.

Evie tremeu. Caroline tinha razão — isso havia sido provado momentos atrás quando nem Stasia nem Marco atenderam sua ligação.

— Você me pegou. Desculpe. Continue.

— Então, nos vimos algumas vezes, ele me mostrou fotos das coisas que estava encomendando. Agradeci Kiki pela apresentação e até levei ela para almoçar no Degustation.

— Você o quê? — Evie pulou de onde estava. — Achei que tínhamos concordado que os restaurantes de Jack estavam banidos.

— Sinto muito, eu sei. Mas Kiki queria ir lá. Confie em mim, estou arrependida da coisa toda agora. Você me perdoa?

— Sim, sim. Tudo bem. — A verdade era que desde que ela começara a sair com Edward, Jack passava pela sua cabeça cada vez menos. Mas agora sua curiosidade havia sido despertada. — Como era a comida? Era bonito lá dentro?

— Querida, péssima. A carne estava bem passada demais, a salada murcha. Aposto que o lugar fecha em um ano. Kiki achou até um fio de cabelo em seu foie gras. — Evie não escutava Caroline falar com seu sotaque texano desde que contara que Harry, o amigo de Jerome, tinha voltado com uma ex e por isso não tinha ligado.

— Alguma palavra do que acabou de dizer é verdade?

— Não. — Caroline balançou a cabeça de um lado para o outro, tristemente. — A comida estava deliciosa. É deslumbrante lá dentro. Sinto muito.

— Ele estava lá?

— Não, querida. — Caroline tocou o joelho de Evie gentilmente. — Não vi Jack.

— Tudo bem, de verdade. Honestamente. Estou tão empolgada com Edward que saber sobre mais um sucesso de Jack foi quase tolerável. Apenas explique mais sobre Pierre, o Terrível.

— Então, paguei todos os móveis adiantado, o que acho que é a praxe. Deu pouco mais de quatrocentos mil dólares.

— Jesus, Care, o que você encomendou? Um aparador feito de ouro maciço?

— Não! Nem de perto. Só algumas coisas. Mas ele disse que elas estavam sendo feitas sob medida em Viena pelo maior marceneiro do mundo.

— Deixe-me adivinhar, os móveis jamais chegaram.

— Exatamente. Era para ter chegado tudo ontem. Fiquei em casa o dia todo esperando as entregas. Não chegou nada. Tentei falar com Pierre no celular e no número de seu escritório. Os dois estavam desligados. Liguei para Kiki. Sua empregada disse que ela estava de férias e não havia como falar com ela. Acho que eles fugiram juntos com meu dinheiro. E Jerome chega amanhã. Está esperando encontrar um escritório novo em casa. E ele sabe quanto gastei porque falamos sobre o orçamento. Então não é como se pudesse substituir tudo sem ele saber. Ele vai achar que sou uma idiota.

— Care, Jerome vai entender. Não é culpa sua. Pierre é um vigarista, simples assim.

— Mas a culpa é minha. Jerome queria usar a mesma decoradora que fez as salas de sua companhia, Julianne uma coisa ou outra.

— Holmes-Matthews? — perguntou Evie, de dentes cerrados.

— Sim, ela mesma. Mas insisti com ele quanto a isso. Disse que Kiki garantira que Pierre era o melhor de todos e que fazia as maiores residências da Europa. Jerome deixou claro que não se sentia confortável usando alguém de quem nunca ouvira falar, mas finalmente cedeu depois de eu atormentá-lo durante uma semana.

— Mesmo assim, Care, ele vai entender. Vocês dois têm dinheiro suficiente para, mesmo que percam quatrocentos mil dólares, não precisarem parar de alimentar Grace e Pippa.

— Sim, é claro. Mas você não entende. Pode ser difícil estar com alguém tão mais velho. Às vezes me sinto... eu não sei... subordinada ou coisa assim, como se tivesse que provar o meu valor. — A histeria de Caroline tinha acabado, mas algumas lágrimas ainda escorriam de seus olhos. Era muito drama para nove da manhã, quando Evie ainda estava em seu estado pré-café.

Evie buscou uma caixa de lenços de papel para ela. Se agachou ao lado de sua amiga e começou a limpar a maquiagem preta no rosto de Caroline.

— Não se esqueça, você pode ser mais nova que Jerome, mas é mais do que capaz. Tem uma educação incrível e, antes de se casar, trabalhava com investimentos na Goldman Sachs, pelo amor de Deus.

— Obrigada. É bom ouvir isso.

— Quero ajudá-la a consertar isso, mas o que posso fazer? — perguntou Evie.

— Bem, ninguém no mundo tem um gosto melhor que o seu. Lembra-se de que o *Yale Daily News* fotografou seu quarto na faculdade? Olha o que você fez com esse apartamento. Parece um showroom. Transformou o apartamento da sua avó da noite para o dia. E a sala de Tracy... que ainda quero ver. Você nunca me contou por que recusou a oferta da Brighton.

— É complicado. Resumindo, estou pronta para mergulhar em minha alma até descobrir um trabalho que faça mais que apenas pagar contas. Do tipo que não me faz sentir medo do domingo acabar.

— Bem, nesse caso, que bom. Vai encontrar algo melhor. Precisa de uma área mais criativa. Sempre achei isso.

— É o que Edward diz também. Mas chega de mim. De volta ao problema em questão. Quer que eu redecore o escritório de Jerome em um dia com, o quê, mil dólares?

— Não, não seja boba — disse Caroline, abanando uma das mãos. — Dez mil. Tenho um dinheirinho guardado sobre o qual Jerome não sabe. Para tempos de vacas magras. — Ela pareceu desconfortável, mas continuou: — Foi uma coisa que minha mãe sugeriu quando me casei. Ela disse "Caroline Ashley Murphy, você pode até estar se casando com o rei da Arábia, se você for expulsa da Arábia, já era".

— Parece algo que minha avó diria. — Evie riu.

— Acho que é uma coisa que qualquer mulher com experiência de vida diria. Então, pode me ajudar?

— Sem problemas. Posso replicar um cômodo que deveria custar quatrocentos mil dólares por dez mil em um dia. Quando terminar, vou descobrir a cura para o câncer e um novo planeta. Fiquei sabendo que Plutão não faz mais parte da lista.

— Por favor, estou desesperada. Você precisa me ajudar.

— Eu quero. Mas não sou decoradora. Bom gosto não me qualifica para ser uma. Não saberia nem por onde começar. — O que, na verdade, não era verdade. Ela já estava colocando o divã bordô com acabamento niquelado que tinha visto num catálogo recente da Crate & Barrel no canto do escritório de Jerome. Com as cortinas listradas de veludo e ilhós de madeira da Restoration Hardware e um tapete de sisal da ABC Carpet, ficaria um ambiente masculino e quente. O escritório residencial de Jerome tinha uma cobiçada exposição para o sul, e a luz natural equilibraria os tons mais escuros dos móveis perfeitamente. O projeto parecia estimulante, na verdade. Num outro dia. Mas ela precisava se preparar para aquela noite.

— Vai dar certo. Jerome não vai ficar examinando de que tipo de fibra são os tapetes. Por favor — gemeu Caroline. Ela olhou para o relógio na parede da sala de Evie, um achado em estilo art déco que Evie descobrira numa feira de antiguidades do West Village anos antes. — Olha, se terminarmos antes das cinco da tarde, faço de você a bela do baile para hoje. Podemos ir na Bergdorf Goodman. O vestido que quiser. E então vamos no salão do andar superior para você fazer seu cabelo, maquiagem e unhas. Tudo por minha conta.

— Vai acrescentar sapatos também? — Evie falou aquilo de brincadeira.

— Saltos para combinar com o vestido e sapatilhas para o dia seguinte, quando for lá em casa ver o quanto Jerome gostou do escritório novo. — Caroline fez uma cara de cachorro pidão.

Evie olhou para a janela. A previsão do tempo era de três graus negativos, e dava para enxergar o frio no ar. Havia previsão de neve para o fim da tarde. Não era clima para bater perna pela cidade numa maratona de compras. Mas então ela se lembrou da vez em que Caroline apareceu no seu apartamento depois de sua demissão do Baker Smith para forçá-la a passar um dia no spa. Ela percebeu que havia concordado mentalmente em ajudar assim que Caroline entrou chorando. Por que outro motivo teria tirado seu pijama e vestido uma roupa enquanto Caroline contava tudo? Ela prometera ser uma amiga melhor, e não havia hora melhor para começar que agora.

— Que se dane. Vamos às compras.

Caroline jogou os braços em volta do pescoço de Evie e as duas pegaram seus casacos e chapéus.

— Só mais uma coisa — disse Caroline, passando seu braço pelo de Evie, como se para se antecipar antes que Evie mudasse de ideia.

— O que é?

— O escritório precisa ser feito seguindo o feng shui. Por causa de uma história de que um chi equilibrado é bom para o fundo de risco de Jerome.

###

Evie e Caroline estavam na última loja, o departamento de móveis da Bloomingdale's, depois de vasculharem todas as lojas de móveis com preços razoáveis em Manhattan por mais de seis horas. No piso térreo, as duas foram atacadas por vendedoras borrifando perfume em quem passava e desejando "Feliz Ano-Novo" de trás de nuvens de gardênia, baunilha e hibisco. Essa mistura floral estava dando dor de cabeça em Evie, e ela estava ficando cansada. Estavam à procura de um *bureau plat*, uma escrivaninha que Pierre prometera que seria a *pièce de résistance* e pela qual convencera Caroline a dar cinquenta mil dólares. Caroline estava tão animada que não resistiu e contou a Jerome. Agora cabia a Evie descobrir uma para ela. Somente lhes sobrou U$212,39 para gastar.

— Será que peço ajuda para alguém? — gritou Caroline, parecendo sobrecarregada e exausta. Estava prostrada num colchão no departamento de cama e banho, tentando cochilar numa colcha da Frette. Evie estava olhando aparadores de livro de bronze a alguns metros.

— Acho que sim. Honestamente, não sei se vamos ter sorte e encontrar uma. Mas vale a pena perguntar, acho. — Ela começou a caminhar até uma vendedora mais velha parada perto dos artigos de vidro. — Nossa melhor hipótese é que Jerome não saiba o que é um *bureau plat*, de modo que possamos comprar um belo abajur e dizer a ele que é isso.

Quando Evie se aproximava, uma voz cantarolada veio do corredor de porcelanas dizendo:

— Pode me ajudar com minha lista de casamento, por favor? — A vendedora deu uma volta para atender os gritinhos agudos.

— Meu noivo e eu precisamos de ajuda para escolher a estampa — disse a menina. Evie arfou. Não havia nada pior que um casal de noivos perambulando por uma loja de departamento com aquelas pistolas de escanear códigos de barra, escolhendo presentes como se estivessem treinando tiro.

Uma voz masculina familiar se juntou à conversa.

— É, estamos em busca de alguma coisa que funcione para jantares, mas que também possamos usar casualmente, para quando começarmos uma família.

— Owwn. Que lindo — disse ela, e Evie conseguiu efetivamente ouvir o beijo dos dois.

A garota saiu de trás de uma pilha alta de pratos. Era uma ruiva baixinha, com uma blusa de gola alta roxa e calça verde-oliva justa — ela podia estar embrulhando presentes num catálogo da Banana

Republic. Talvez fosse a abundância de sardas em seu nariz, mas ela simplesmente parecia jovem demais para estar casando. Cada gesto seu parecia forçado para exibir o anel de noivado em seu dedo. Ela não parava de olhar para ele, como se pudesse evaporar em plena luz do dia.

O noivo apareceu um instante depois. Ele pareceu notar Evie antes que ela visse seu rosto, porque quando seus olhares se encontraram, ele estava pálido.

— É... oi. Quanto tempo desde a última vez que a gente se... falou — disse Evie. Era Luke Glasscock, o primo de Paul. Estava igualzinho. Olhos cor de mel. Belos cabelos ondulados. Só que dessa vez Evie sentiu repulsa.

Ela se virou para a ruiva.

— Sou a Evie. Você deve ser a futura sra. Glasscock? — Evie estendeu uma das mãos, que a garota cumprimentou relutantemente.

Luke ficou parado ali com uma expressão estúpida. Ele não ofereceu nada para facilitar a apresentação.

— Sim, sou Emily. De onde vocês se conhecem? — Ela olhou para Luke em busca da explicação.

— Ah, a gente se conheceu há um tempão, numa festa. — Para Evie, ele se despedia precocemente: — Enfim, legal ver você. Se cuida.

— Não foi há tanto tempo assim — corrigiu Evie.

— É, acho que não lembro direito — disse ele. — Bem, mais uma vez, legal encontrar você. Espero que esteja tudo bem.

— Há quanto tempo vocês estão noivos? — perguntou Evie para Emily, fingindo não perceber a grosseria de Luke.

— Treze meses. Noivado comprido, eu sei. Mas planejar um casamento dá tanto trabalho — disse Emily, o mais inocentemente possível.

— Posso imaginar — respondeu Evie, esbanjando compaixão.

Ela percebeu o poder que tinha nas mãos ali. Podia insistir na conversa com Luke e Emily, e explicar a essa jovem de olhos arregalados e anel brilhante que conhecera Luke há pouco mais de sete meses no casamento do primo dele. Emily ia dormir aquela noite pensando em como tinha sido esquisita aquela interação no Bloomingdale's, e se perguntar por que seu noivo estava tão desconfortável e apressado. Ela ia se perguntar por que Luke não levara *ela* ao casamento.

— Então, temos mais algumas lojas para ver hoje, agora precisamos ir — disse Luke, dessa vez com mais firmeza.

— Espere um segundo — disse Evie. Ela até segurou o braço dele para que ele não saísse. — Preciso dizer uma coisa.

Luke parecia prestes a desmaiar. Evie sentiu grande prazer em vê-lo com os nervos à flor da pele. Emily percebeu a tensão no ar. Ela pareceu estar se preparando para o que Evie estava prestes a dizer.

— Sim? — perguntou Luke, tímido como um girino.

Evie se inclinou para eles e pediu para que eles fizessem o mesmo. Quando estavam agrupados num incomum trio, ela pôde ouvir a respiração acelerada de Luke.

— A porcelana em que estão pensando. É muito espalhafatosa. Eu definitivamente consideraria algo mais elegante.

Emily parecia prestes a chorar. Se alguém criticar seu gosto era o bastante para fazê-la chorar, Evie imaginou como ela reagiria se soubesse que seu futuro marido era um traidor.

Luke sorriu pela primeira vez desde que viu Evie.

— Ela tem razão, Emily. Devíamos mesmo pensar melhor. — Luke lançou um olhar de gratidão na direção de Evie.

O casal se afastou para analisar pratos diferentes e Caroline se juntou a Evie.

— Quem eram esses dois? — perguntou.

— Ninguém importante. — Evie pensou quieta um momento e então acrescentou: — Sabe o que é estranho, Care?

— O quê? — perguntou ela, bocejando.

— Que a gente fica tão obcecada com alguma coisa e imagina um milhão de hipóteses, e então descobre a verdade e percebe que não fazia ideia do que realmente estava acontecendo, de modo que a fixação toda foi apenas uma enorme perda de tempo.

Caroline bocejou mais uma vez.

— Não tenho a menor ideia do que você está falando, e estou morta. Esqueça o *bureau plat*. Vamos embora e deixar você linda de uma vez.

Capítulo 17

Caroline cumpriu a promessa de transformar Evie para seu encontro com Edward. Depois de terminarem as compras de móveis e decorações, as duas foram direto para o andar de estilistas europeus da Bergdorf. Evie gemia ao ver os preços das roupas que estava experimentando, mas Caroline não ligava.

— Vou retirar minha oferta se vir você olhando mais uma etiqueta.

Evie se decidiu por um elegante vestido Christian Dior preto de festa. Apesar de sua promessa, ela olhou escondida e viu que custava quase três mil dólares. Por aquela mesma quantia, Evie havia comprado cortinas de veludo, um sofá de dois lugares de couro, uma mesa manchada que parecia nogueira, abajures de seda falsa, um conjunto bonito de caneta e mata borrão, e uma manta decorativa de lã.

Mas quando ela o experimentou, o vestido quase pareceu valer o preço exorbitante. O tecido, crepe de lã, era o material mais macio e luxuoso que já tocara sua pele. O caimento era impecável. Havia pequenos laços de seda sobre os ombros e no final do zíper, bem onde terminava sua coluna. O vestido tinha um brilho discreto, resultado de uma meticulosa trama de fios prateados iridescentes. O provador da Bergdorf era banhado de lavanda e iluminado por uma luz indireta suave, e Evie suspeitou que qualquer pessoa ficaria deslumbrante ali. A vendedora tinha pedido para trazerem três pilhas de caixas de sapato (Caroline parecia ser uma espécie de cliente VIP ali), e Evie escolheu um par nude com salto agulha de dez centímetros de altura. Depois do salão cuidar dela, penteando seus cabelos numa cascata de ondas soltas e desenhando os arcos de suas sobrancelhas num desenho digno de patente, a autoconfiança de Evie estava nas alturas.

— Você está surreal — disse Caroline, ao voltarem ao apartamento de Evie. Ela pegou seu telefone e tirou uma foto de Evie. — Posso postar? Sei que você está cansada de computadores hoje em dia mas também sei que esta imagem você vai permitir que eu divulgue.

Evie deu de ombros.

— Claro, como quiser. — Há não muito tempo, ela se deleitaria em exibir a foto no universo digital. Que diabos, ela teria tirado logo uma selfie. Agora, no máximo, Evie era indiferente a isso. Ela só queria que Edward gostasse.

— OK, vou nessa antes que ele chegue. — Caroline pegou seu casaco de pele e ligou para Jorge ir buscá-la. — Está maravilhosa. Edward vai cair pra trás quando você abrir a porta.

Evie escondeu o prazer ao ouvir aquilo.

— Com a minha sorte, ele provavelmente vai me levar para patinar no gelo. Vou acabar parecendo um picolé.

— Pare com essa negatividade, senhorita! Está bonita demais para ser pessimista. É Ano-Novo. Você vai ter uma noite ótima.

— Espero que sim. Vou contar a ele sobre Jack hoje. Acho importante, sabe? Eu queria casar com aquele cara, meu Deus. Queria ter contado há semanas, quando ele me contou sobre Georgina. Mas ele estava com pressa, e eu ainda estava em choque pelo pedido dele para sair comigo. Agora que não contei, parece essa grande coisa que aumenta como uma bola de neve a cada dia. Pelo menos vai explicar em parte minha decisão de parar de usar internet.

— Deveria contar a ele sobre Jack — concordou Caroline, colocando um suntuoso par de luvas de couro. — E sobre a internet. Você obviamente quer um futuro com Edward, então precisa ser honesta com ele.

— Eu sei. Acho que tenho medo de falar porque isso me faz parecer louca... Desistir dos maiores meios de comunicação porque meu ex se casou. Mas na verdade foi mais que isso. Sentia como se o mundo inteiro tivesse se candidatado para participar do *Big Brother*. E não consegui acompanhar. Nem queria. Entende?

— Entendo, apesar de obviamente não ter seguido seus passos. — Caroline estendeu a mão como uma bandeja segurando seu iPhone. — Quanto a contar a respeito de Jack, é claro que deveriam. É sempre boa ideia colocar as cartas na mesa quando se trata de ex-namorados importantes. Ou ex-esposas, no caso de Jerome. — Ela sorriu envergonhada.

— Acho que também estou um pouco envergonhada. Como se Edward fosse se perguntar por que Jack não queria casar comigo, especialmente tendo casado com alguém tão pouco tempo depois. Ele vai pensar que sou tão boba... por ter acreditado na conversa fiada de Jack sobre não querer se casar, desperdiçado meu tempo como desperdicei.

— Evie, Edward é um homem crescido. Ele pode tomar suas próprias decisões. Não vai ser influenciado porque um cara que ele nem conhece não queria um final feliz com você. Eu odiaria saber que você terminaria com alguém só porque descobriu que esse alguém já fora rejeitado antes.

— Obrigada. Sei que tem razão. — A velha Evie poderia ter feito justamente aquilo, dispensado um pretendente perfeitamente bom porque outra pessoa o considerara inadequado. — Provavelmente será uma conversa de cinco minutos e então acabou. Nem sei por que estou tão preocupada.

Caroline mandou um beijo pelo ar para ela e abriu a porta.

— De qualquer forma, Evie querida, muito, muito, muito obrigada pela ajuda. Espero que passe lá em casa amanhã. Sinta-se à vontade para levar Edward.

Sinta-se à vontade para levar Edward. Parecia uma boa ideia.

Dez minutos mais tarde, seu porteiro ligou para avisar que o dr. Gold estava lá embaixo. Ela avisou que já estava descendo, mas o porteiro disse que seu visitante queria subir. Edward nunca tinha ido ao apartamento dela antes. Eles sempre se encontravam no saguão e terminavam as noites na casa dele.

Ela deixou a porta ligeiramente aberta e viu com alegria um lindo buquê de flores ser a primeira coisa a entrar em seu apartamento. Pelo menos três dúzias de rosas brancas tampavam o rosto de Edward. As flores estavam artisticamente reunidas, seus caules longos e sem espinhos amarrados com uma fita de gorgorão grossa.

— Para você — disse ele, entregando-as a Evie, acrescentando com um adorável sorriso: — Obviamente.

Evie acenou para que ele entrasse, percebendo um pouco de barba por fazer quando eles se beijaram. Aquilo fez Evie pensar em como seria melhor quando os dois se arrumassem juntos — ela mostraria parte da barba que ele deixara passar, ele fecharia o zíper de seu vestido. Ela o lembraria de levar seu telefone, ele a ajudaria com fechos de bijuterias complicados. Talvez sua mãe tivesse razão: era um mundo para casais.

Aquela noite Edward tinha trocado seus óculos de grau por lentes de contato. Ele ainda ficava alguns centímetros mais alto que ela, mesmo com seus saltos altíssimos. Evie ficou aliviada por deixar Caroline lhe dar aquele trato de beleza, pois Edward estava impecável, num blazer de veludo preto, sapatos de camurça e uma calça jeans do azul mais escuro. Ela pensou até ter detectado um leve toque de gel no cabelo, o que revelava que ele também tinha se esforçado mais para aquela noite.

— As flores são lindas — agradeceu ela, se inclinando para mais um beijo. A loção pós-barba dele flutuou deliciosamente até seu nariz. Ela foi até o bar improvisado que tinha criado em sua cozinha e pegou um vaso para as rosas.

— Você está incrível — disse ele. — O vestido é lindo.

— Que bom que notou. Minha amiga me deu, na verdade.

— Boa amiga. — Evie se repreendeu por dizer a ele que uma amiga comprara o vestido. Por que ela não conseguia aceitar um elogio sem se diminuir em resposta?

— É, bem, fiz um grande favor a ela então meio que mereci.

— Quando era casado com Georgina aprendi muito sobre moda. Além disso Olivia já gosta de comprar, mesmo que sejam, em sua maioria, fantasias brilhantes de princesas. — Ele revirou os olhos, sorrindo, e Evie gostou de ver seu orgulho de pai vindo à tona, mesmo que tecnicamente ele estivesse reclamando. Ela ignorou a referência a Georgina. Se Evie ia ter um futuro de verdade com Edward, significaria ouvir a respeito de Georgina de vez em quando. Ela apenas teria que se acostumar.

— Seu apartamento é incrível — continuou ele. — Não que isso me deixe surpreso. Só confirma minha opinião de que deveria abrir um negócio de decoração de interiores. Sei que me achou louco quando falei isso pela primeira vez, mas você tem talento mesmo.

— Obrigada. Na verdade, recentemente tenho tido a chance de brincar com isso bastante. Estou fazendo um test-drive de seu conselho. É bem diferente de ser advogada, mas muito melhor.

— Eu disse — respondeu Edward, apertando o ombro de Evie. — Adorei a mesinha de centro. Poderia estar numa revista.

Evie estava em êxtase. Edward tinha destacado o móvel favorito dela. Sem conseguir achar uma mesinha de centro que coubesse no seu orçamento, ela fizera uma com livros. Quatro pilhas de livros, sobre tudo — de iconografia religiosa a arquitetura moderna, perfeitamente empilhados formando a base da mesa. Em cima dos livros ela colocou um tampo de vidro de uma mesa que ficava no escritório de seu pai em Baltimore.

Edward caminhou pela casa, olhando de perto os outros móveis e objetos. Ele se aproximou de seu quarto e virou para Evie perguntando:

— Posso espiar?

— Vou mostrar depois — respondeu ela com uma piscadela. Ela amava como flertava naturalmente com Edward. Ele a fazia se sentir sexy e desejável, lhe dando confiança para dizer coisas que normalmente ficariam entaladas em sua garganta.

— Por mim está ótimo — disse ele, olhando o relógio em seguida. — Precisamos ir. O lugar aonde vamos é bem popular. Não quero perder nossa mesa.

Evie estava morrendo de fome. Caroline e ela só tinham tido tempo de comer um frozen yogurt durante a maratona de compras.

— Então não vamos patinar no gelo?

Edward olhou para ela com uma expressão curiosa.

— Não, não vamos patinar no gelo. Que pergunta estranha.

— Deixa para lá — disse ela, segurando a mão dele. — Vamos.

— Podemos ir a pé. Fica a apenas algumas quadras. — Edward colocou seu casaco e ajudou a Evie a vestir o seu.

Ela se perguntou onde eles estariam indo, esperando que fosse o italiano novo na Amsterdam que saíra recentemente na *New York Magazine*, de onde saía um cheiro divino de alho pela porta da frente. Estava louca para experimentar a comida de lá, mas as mesas pequenas à luz de velas e a música baixa a faziam se sentir desconfortável em ir sozinha.

Eles desceram diversas quadras, rindo cada vez que passavam por pessoas festejando o Ano-Novo com tiaras e óculos enormes com formato de números. Evie começou a contar a Edward sobre a aventura para decorar parte do apartamento de Caroline com um orçamento tão apertado. Ela se esqueceu completamente do restaurante italiano onde esperava que fossem, na direção oposta, e se deixou ser levada por Edward, segurando sua mão enluvada.

— Chegamos — disse ele, colocando uma das mãos no braço de Evie para que ela parasse. Quando eles pararam ela notou que o capacho de ratã a seus pés parecia familiar.

— Espero que goste de comida francesa. Dizem que esse lugar é o melhor do Upper West Side. Já veio aqui? Chama-se JAK.

— É muito bom — sussurrou ela, seu apetite, confiança e entusiasmo desaparecendo ao mesmo tempo. Antes que se desse conta, Evie estava do outro lado da porta se amaldiçoando por não ter inventado uma desculpa para que fossem a outro lugar. Não que fossem conseguir mesa em outro lugar. Uma vez, Jack dissera a ela que a noite de Ano-Novo era a mais movimentada do ano para restaurantes. Na verdade, ela sabia que para garantir uma reserva às oito da noite, Edward precisava ter marcado o jantar um mês antes. Ela queria poder ficar feliz com o cuidado dele, mas naquele momento estava tomada pela aflição de estar naquele lugar.

Quando a porta do restaurante se fechou atrás dela, foi como se Evie tivesse pisado numa máquina do tempo. O cheiro de manteiga e alecrim, que Evie sabia que vinha do famoso filé de Jack, fez seu olfato sentir um déjà vu. Ela foi transportada de volta para quando bebia vinho tinto numa mesa vazia depois da meia-noite enquanto Jack revisava a noite com sua equipe. Jack a repreendia por colocar os pés descalços na toalha de mesa; Evie o provocava dizendo que o *crème brûlée* estava queimado. Olhando para Edward, tudo em que ela conseguia pensar era que estavam entrando naquele relacionamento com um carrinho cheio de bagagem.

A mesa ainda não estava pronta, então eles ficaram em pé esperando no bar lotado. Ela fixou o olhar no roxo intenso do Montepulciano em sua mão — qualquer coisa para evitar olhar ao seu redor. Edward pediu um uísque, puro, e se Evie não estivesse tão distraída, teria tomado um tempo para apreciar o gosto dele por drinques masculinos. Eles tiveram que se esforçar para conversar com todo o barulho, Evie se esforçando para parecer o mais normal e calma possível. Quando finalmente se sentaram, Evie estava nervosa porque a conversa estava morrendo — pela primeira vez entre os dois, mas ela simplesmente não conseguia prestar atenção em nada do que Edward estava dizendo. Felizmente a atendente veio logo para entregar os menus. Evie usou o seu como uma burca, escondendo a maior parte do rosto com exceção de seus olhos, que disparavam pelo lugar, procurando Jack. Ele não estava por ali. Talvez estivesse no Degustation ou no Paris Spice aquela noite.

A garçonete descreveu os especiais, sem olhar em seu bloquinho nenhuma vez. Jack sempre insistia que os funcionários memorizassem os pratos do dia.

— E finalmente — terminou ela —, nosso master chef, Jack Kipling, está na casa, então, se tiverem algum pedido especial ou dúvidas sobre o menu, ele estará disponível.

Lá se fora a esperança de ele estar em outro de seus restaurantes. Por favor, por favor, por favor não deixe que ninguém nesse restaurante resolva perguntar alguma coisa a ele. Deixe ele ficar na cozinha a noite toda, e talvez até queimar uma das mãos na sua *crock-pot*.

— Será que pedimos para conhecer o chef? — perguntou Edward. — Poderia ser interessante. Talvez pedir para ele fazer alguma sobremesa incrível para a gente.

— Hum, não. Com certeza ele está ocupado. — *Ocupado arruinando a minha vida*, acrescentou ela para si mesma.

— OK, então — disse Edward, parecendo meio desapontado. — Já sabe o que vai pedir?

— Vou dar um momento a vocês — disse a garçonete, talvez percebendo o estado de nervos lamentável de Evie.

Evie estava frustrada. Era uma coisa pequena, mas ela não queria parecer uma estraga-prazeres negando a sugestão de conhecer o chef. Ela havia planejado contar a Edward sobre seu relacionamento com Jack aquela noite. Assim conseguiria entrar no novo ano livre de Jack — e sem nenhuma parte significativa da sua história escondida de Edward. Era pedir tanto assim? Agora, vermelha e agitada no restaurante do seu ex, não havia maneira de se imaginar fazendo aquilo.

Evie releu o menu. Muitos pratos eram novos, mas sua entrada e prato principal favoritos continuavam lá. Estavam entre as especialidades de Jack, e ele frequentemente as preparava para ela em seu apartamento, especialmente se ela estivesse se sentindo triste. Era uma das coisas que ela mais gostava nele. Como ele conseguia incendiar seus sentidos com sua profissão, despertando-a com o cheiro de waffles feitos na hora ou a atraindo para a cozinha com o cheiro de bacon estalando na frigideira. Jack dizia que gostava de observar o prazer estampado no rosto dela enquanto comia seus pratos. Talvez fosse autorreferencial. Mais sobre alimentar o ego dele do que a alma dela. Mas talvez não. Talvez ele simplesmente gostasse de vê-la feliz. E talvez tenha sido aquele o motivo de ele ter mantido aqueles itens no menu. Até mesmo Jack estava sujeito ao sentimentalismo.

Quando outra atendente voltou para anotar os pedidos, Evie disse:

— Vou querer o macarrão ao queijo com aspargos de entrada, e o robalo com...

— Brócolis em vez de vagem? — completou a garçonete, sorrindo para ela. — Mudei de mesa quando vi você.

— Tasha? — Evie semicerrou os olhos para ver melhor seu rosto, ainda sem conseguir acreditar onde estava.

— Sim, eu mesma. Ainda trabalho aqui, tentando ser atriz. Consegui uma ponta com fala em *Law & Order*, mas foram só duas palavras. Mas ganhei meu cartão do Sindicato de Atores. O que anda fazendo, gata? — Tasha olhou para Edward.

— Estou bem — respondeu Evie. Então, se dando conta de que tudo que ela dissesse seria diretamente reportado a Jack, ela acrescentou: — Estou ótima, na verdade. Nunca estive melhor.

Edward sorriu, ignorante quanto ao motivo por trás daquilo.

— Ora, é ótimo ouvir isso. Feliz Ano-Novo para vocês. Bom jantar, querida — disse Tasha, voltando para a cozinha.

— Nossa, você é famosa — comentou Edward. — Achei que eu era conhecido depois de minha foto aparecer no jornal seis dias seguidos, mas ninguém sabe o que vou pedir de cor.

— Eu costumava vir muito aqui. — Pelo menos aquilo era verdade.

— Bem, então fico feliz que tenha escolhido este lugar. — Ele se aproximou. — Fiz uma reserva depois do nosso primeiro encontro. Esperava que estivéssemos juntos no Ano-Novo.

— Foi muito atencioso — disse ela, sabendo que não era o bastante, mas de alguma maneira incapaz de dizer mais.

— Reservei pelo OpenTable cerca de cinco minutos depois de você ir embora naquela primeira noite. Pode me chamar de otimista.

— Aham — respondeu ela, mais uma vez não revelando nada, por mais que ele merecesse.

— Obviamente eu poderia viver sem reservas on-line, mas sério, como você funciona sem internet? E, acho que mais importante ainda, por quê?

Ela respirou fundo e varreu o olhar pela sala mais uma vez atrás de Jack.

— É uma longa história.

— Tudo bem. Temos até meia-noite — disse Edward, olhando para seu relógio. — Imagino que consiga terminar de contar até antes da virada.

— Acho que vou terminar bem a tempo — disse Evie, fingindo seriedade. Ela pegou seu copo d'água e deu um gole demorado. — Na verdade parei de usar por causa de algo específico, mas surgiram todos esses outros motivos para que eu continuasse... me abstendo, acho que é o melhor termo. É difícil, mas acho que meus dedos até emagreceram. — Ela flexionou o pulso, sabendo como ficaria mal se Edward tentasse escapar de uma conversa séria com uma piada boba.

— Eu nunca conseguiria. Uso a internet o tempo todo para pesquisas e me comunicar com meus pacientes. Não me leve a mal, também acabo desperdiçando muito tempo on-line. O ESPN.com, principalmente, é meu maior inimigo.

Na verdade, seu maior inimigo está na cozinha, picando legumes para sua sopa agora mesmo, pensou ela.

— Ah, é? Yankees ou Mets? — perguntou Evie, aproveitando a oportunidade para mudar de assunto. — Sou Orioles desde pequenininha. Eles têm a melhor batata frita com chili de Camden Yards. — Seu pai, com o rosto sujo de molho Worcestershire, gritando das arquibancadas, apareceu diante dela. O que ele diria à sua filha se visse como ela estava em pânico agora? Provavelmente: "Fale com sua mãe."

— Yankees, claro. Acho que Olivia está pronta para assistir a seu primeiro jogo temporada que vem. — Ele continuou, contando sobre o filme da Pixar que tinha ido assistir com ela no dia anterior, esquecendo a discussão sobre internet, para imenso alívio de Evie.

Por que ela tinha se calado? Poderia ter falado que o Facebook a fazia perder tempo demais. Que ela finalmente percebera o quão absurdo era relatar sua localização no Foursquare. Ou que exibir sua vida no Instagram era como estar eternamente numa cabine de fotos instantâneas. Até a verdade por trás de sua saída do Baker Smith. Ela tinha múltiplas versões livres de Jack à sua disposição para explicar por que resolvera ficar off-line, todas elas com grandes partes de verdade. Mas Jack havia inegavelmente sido o catalisador, e mentir — ou dizer uma meia verdade a Edward — não parecia certo, especialmente quando seu ex estava a menos de seis metros de distância e ela mal conseguia pensar direito sabendo que ele estava por perto. Porque ela sabia que, na verdade, foi no instante em que ela viu algo que não deveria ver — o corpo de Jack, de mãos dadas com Zeynup, seu rosto apenas segundos depois de dizer "aceito" — *aquele* foi o momento com o qual ela não conseguiu lidar, o momento que a deixara naquela situação.

Quando as entradas de Evie e Edward chegaram, ela parou para admirar a preparação tão familiar antes de morder o macarrão com queijo crocante à perfeição. O gosto familiar da muçarela cremosa e das pontas doces dos aspargos cobertos por farinha de rosca explodiu na sua boca. O vapor aromático fez seus olhos lacrimejarem. Ela sentira mais falta desse prato do que pensava, e se descobriu saboreando cada pedacinho dele. Seu prato estava quase limpo quando Tasha o retirou.

— Tudo bem por aqui?

Evie estremeceu quando viu um avental manchado ao seu lado. Ela levantou a cabeça, e lá estava ele. Olhando para sua mesa, com seu *toque blanche*, Jack estava idêntico à última vez em que ela o vira, pouco mais de um ano atrás. Ainda bonito, ainda com sua postura confiante, ainda com seus olhos azuis como água que pareciam estar sempre prestes a derramar lágrimas comoventes. Ele parecia ter um pouco menos de cabelo do que ela se lembrava. E talvez começasse a ter uma barriguinha. Nunca confie num chef magro, sua mãe dissera quando Evie mostrou uma foto de Jack dois anos antes.

— Sim, a comida está deliciosa. A sopa de abóbora estava sublime — disse Edward. — É minha primeira vez aqui, mas já ouvi falarem coisas maravilhosas.

Evie queria gritar: "Pare de puxar o saco dele! É você que salva vidas todos os dias!" Em vez disso, ela ficou apenas sentada em sua cadeira, desconfortavelmente girando seu garfo nos dedos.

— E você? — perguntou Jack, voltando-se para Evie.

— Eu o quê?

— Está gostando do jantar? — perguntou Jack, olhando para ela intensamente. Edward pareceu não perceber que a conversa diante dele não era entre dois estranhos.

— Está bom. Estou bem. Nunca melhor, como falei para Tasha — respondeu Evie. Agora Edward parecia confuso.

— Com licença — disse Jack, olhando para Edward. — Se importa se eu roubar sua companhia durante um minuto?

Edward murmurou "ah, claro" e sua expressão de confusão se transformou numa de desagrado.

— Desculpe — balbuciou Evie para Edward, se levantando e seguindo Jack até os fundos do restaurante, na direção do escritório dele.

Após fechar a porta e os dois estarem a sós Jack começou:

— Evie, preciso dizer: está brilhante. Nunca vi você tão magnífica. Está incandescente.

— Caroline me deu essa roupa. — Maldição. Que esperança havia para ela repetindo o mesmo erro duas vezes em menos de uma hora?

— Então ela e o saco de dinheiro ainda estão juntos, hein? — perguntou Jack, e Evie se sentiu saudosa ouvindo a familiaridade de Jack com suas amigas. Demorava tanto para construir uma história com alguém — ao ponto onde apenas uma troca de olhares é suficiente para saber exatamente o que a outra pessoa está pensando. Ou até mesmo para conhecer as manias das pessoas do círculo de amigos e familiares do outro. Demandava tanto esforço atualizar uma pessoa nova, que Evie se sentia letárgica só de pensar naquilo. Talvez fosse por isso, em parte, que ela ainda não contara a Edward sobre Jack — pura exaustão.

Evie assentiu levemente.

— Bem, ela pode ter comprado o vestido, mas é você quem o está vestindo tão bem.

— Obrigada — disse Evie olhando para seus sapatos *peep-toe*. Por algum motivo, os elogios de Jack a estavam fazendo se sentir diminuída, cada palavra tirando meio centímetro de seus saltos. Se ele continuasse, ela encolheria até virar uma pilha de nada. Apenas um vestido de grife largado no chão.

— Então Tasha ainda trabalha aqui — disse Evie, para preencher o silêncio.

— É, me sinto mal. Acho que ela tem uma queda por mim.

Evie não respondeu. Estava acostumada com a petulância dele. Vergonhosamente, ela ainda achava isso um pouco atraente.

— Então, por que está aqui, Evie? Não estava com tanta saudade do meu *mac 'n' cheese* assim, estava? — perguntou Jack erguendo uma das sobrancelhas.

Babaca. Ele provavelmente acha que me arrumei toda para lhe mostrar o que está perdendo. Evie tentou virar a humilhação contra ele.

— Não, definitivamente não estava. Minha companhia escolheu o restaurante, não eu. — Ela imaginou Edward sentado na mesa, abandonado e confuso. Ele era o futuro dela; sua passagem para um novo ano feliz, então por que ela estava no escritório de Jack, presa no seu passado? — Como é que sabe o que pedi, aliás? Perguntando de mim para Tasha, estou vendo. — Ela devolveu a farpa dele erguendo a sua sobrancelha de volta.

— Não, eu não perguntei nada para Tasha — respondeu ele, levantando o dedo indicador para o rosto dela. — Tem aspargo nos seus dentes da frente.

Evie passou sua língua pelos dentes, sentindo o pedacinho desfiado com a ponta. E não saía.

— Não se preocupe, tenho palitos na gaveta — disse Jack, surpreendendo-a puxando seu braço na direção de sua mesa. Era o primeiro contato físico dos dois em um ano. Ela sentiu a textura da queimadura no dedo indicador dele. Evie se perguntou se ele teria sentido a pele dela arrepiar. Num filme, este seria o momento em que ele a atiraria em cima dos papéis espalhados e tiraria o pedaço de aspargo com sua própria língua. Ela achou até que ele o faria. Mas em vez disso ele a levou pelo pulso até a mesa onde de fato havia alguns palitos guardados. Ela pegou um, com a mão inegavelmente trêmula.

Evie deu uma olhada nos porta-retratos em cima da mesa. Ao lado de uma foto de Jack com seu pai na frente de seu primeiro restaurante, hoje em dia um café no Chelsea, havia uma foto dele com sua esposa na Turquia, no que parecia ser um jantar antes da cerimônia. Era uma versão mais profissional da foto que Evie tinha visto no Facebook.

— Essa é Zeynup — disse ele, notando o olhar demorado de Evie.

Evie evitou olhar de volta para Jack. Ele não sabia que ela sabia que ele havia se casado, e ela não queria que seu rosto denunciasse a ausência de surpresa.

— É meio engraçado você estar aqui — continuou Jack. A não ser que ele estivesse sendo irônico, não havia nada de cômico nessa situação. Estava começando a ser o terceiro Ano-Novo seguido que Jack arruinava para ela, e neste ela tinha tudo para estar feliz. — Tenho pensado muito em você no último ano. Bem, desde que me casei. — Quando mesmo assim ela não deu meia volta e saiu, nem caiu aos prantos no chão, ele acrescentou: — Estou casado. Pode acreditar?

— Que bom para você. — Foi o máximo que ela conseguiu pronunciar. Ela não esperava que fosse doer tanto; ouvir o que já sabia. Seus melhores instintos a estavam dizendo para dar o fora daquela sala e voltar para Edward, preservando o máximo de dignidade que uma garota com restos de comida presos nos dentes da frente conseguia. Mas a curiosidade dela era mais forte do que tudo.

— Você definitivamente mudou de ideia nesse sentido — disse Evie, finalmente olhando para ele. — Como está indo?

Os olhos de Jack focaram em alguma coisa longe, evitando o rosto de Evie. Se era por culpa, vergonha ou pena, ela não sabia.

— Interessante, suponho. Bom, ruim, legal, cansativo, toda essa coisa. — Se ele estava atrás de um prêmio para a resposta mais enigmática, Evie estava pronta para lhe dar o troféu. — Sabe o que quero dizer, certo?

Não, não sei, pensou ela. Graças a você.

— Totalmente — mentiu ela. — Crianças à vista? — perguntou, deixando escapar uma risadinha nervosa.

— Não, não, não — respondeu ele rapidamente, o que aliviou Evie até ele completar: — Pelo menos ainda não.

— Bem, meus parabéns. — Ela adoraria ter alguma notícia que competisse com o anúncio de Jack. Um noivado. Uma gravidez. Uma promoção. Nada lhe vinha à mente. — Não estou mais no Baker Smith — revelou ela, tentando pelo menos mudar de assunto.

Jack pareceu surpreso de verdade. Todas as vezes em que ela sonhou acordada achando que Jack pensava nela, procurando fotos suas com algum namorado novo ou entrando no site de seu escritório para ver se ela já havia se tornado sócia, tinha sido tudo ilusão.

— Saí há algum tempo — continuou Evie. — Estou tentando uma carreira completamente diferente agora.

— Que bom para você, Evie — disse ele, de um jeito que a fez sentir como se ele fosse um político, treinado para usar o primeiro nome das pessoas. — O que está fazendo agora?

Ela podia, com um bocadinho de sinceridade, dizer a Jack que estava muito ocupada fazendo nada. Mas surpreendendo a si mesma, ela respondeu:

— Sou decoradora. Minha empresa se chama Manhattan Maison. — De onde diabos estava vindo aquilo? Ela se parabenizou em silêncio por ter inventado um nome tão bom sem nem pensar.

— Isso é ótimo. Eu me lembro muito bem de você mudando os móveis de meu lamentável flat toda hora. Eu nunca achava nada. Devia redecorar o JAK, na verdade. Uma mudança ia fazer bem a ele.

— Certamente.

— É mesmo? — perguntou Jack, como se ele não achasse de verdade que seu restaurante precisava de alguma melhora. — Que tipo de renovação você tem em mente?

— Bem, o tapete é coisa do passado, as luminárias estão emitindo um brilho fluorescente, e o tecido das cadeiras parece sintético — disparou Evie, ficando mais corajosa a cada crítica.

— Então está resolvido. Você vai me ajudar. Vou mandar um e-mail amanhã para marcarmos uma reunião.

Evie se atrapalhou para responder.

— Bem, eu na verdade ainda não faço espaços de comida, isto é, comerciais. Vou fazê-los em breve. É claro.

— Bem, se estiver interessada, sabe onde me encontrar. — Ele deu uma piscadela, ou pelo menos Evie achou que deu. Ela estava olhando para os dedos de seus pés. — Você deveria voltar para seu acompanhante agora, não? Estamos aqui há pelo menos dez minutos — disse ele, olhando seu relógio. Era brilhante e parecia ser de ouro maciço, talvez parte do dote de Zeynup.

— Sim, sim. É claro. Edward odeia ficar esperando. — Ela queria ter certeza que Jack não achasse que era um primeiro encontro, e deixar claro que conhecia Edward muito bem. Mas tudo que conseguiu foi fazer seu acompanhante parecer um chato, quando em vez daquilo deveria ter dito que já estava com saudades dele e louca para voltar.

— Bem, então é melhor ir. Feliz Ano-Novo.

Jack abriu a porta para ela. Ela parou ao ver um livro na prateleira.

— Ainda tem isso? — perguntou Evie, passando o dedo pela lombada: *Segredos de uma mãe judia: receitas para a alma e para o trato digestivo*. Um presente de Bette para Evie. Três quartos das receitas tinham ameixa seca. Jack insistiu em ficar com ele quando o achou enfiado no armário de Evie. Disse que era a coisa mais engraçada que já tinha visto na vida.

— Me faz pensar em você. Tivemos bons momentos juntos. — Jack apertou seu cotovelo gentilmente e repetiu: — Mando um e-mail amanhã. — Como se estivesse óbvio para os dois que precisavam terminar uma conversa importante. Ela estava quase dizendo “Não, me ligue em vez disso”, mas Jack já tinha desaparecido dentro de sua sala antes de ela conseguir formular a resposta.

— Tudo bem? — perguntou Edward quando ela voltou. — Estava ficando preocupado com você.

— Sim. Me desculpe por isso — disse ela, terminando sua taça de Merlot e virando-se para chamar Tasha, que foi até ela um pouco devagar demais. — Tasha, preciso de um refil — disse Evie, apontando para sua taça vazia. — Rápido.

— É pra já, gata — disse ela, andando rapidamente até o bar.

— Então, o que foi tudo isso? — perguntou Edward.

Lá vamos nós.

Capítulo 18

— Jack Kipling, chef e dono deste restaurante — começou Evie, com o olhar fixo no rosto de Edward —, é meu ex-namorado. Terminamos em dezembro do ano passado. Ele está casado. — Ela se inclinou para mais perto dele, para que nenhum dos ajudantes de garçom, nem o sommelier, pudesse contar a Jack o que ela estava dizendo. — E ele é o motivo pelo qual saí da internet. Achei as fotos de seu casamento no Facebook. Ele sempre me disse que não acreditava em casamento. Foi por isso que terminamos. E aí, seis meses depois de nosso relacionamento terminar, ele vira marido de alguém. Não aceitei muito bem. Como pode ver.

— Uau — disse Edward, mexendo-se na sua cadeira. — Não esperava por isso. — Ele distraidamente devolveu o pão no qual já havia passado manteiga para a cesta de pães.

— Tem mais, na verdade. Isto é, se quiser saber.

— Continue — disse Edward, pegando seu copo. Os cubos de gelo bateram com barulho no vidro quando ele o levantou, e Evie sentiu como se aquele som fosse simbólico, com sua vida quebrando e se abrindo na frente dele, finalmente.

— Perdi meu emprego por causa do tempo que estava gastando on-line. Meu BlackBerry vivia praticamente colado na minha mão por causa do trabalho, mas fui demitida por mandar e-mails demais. Foi muita hipocrisia. — Mesmo dizendo aquilo em voz alta, ela mal convencia a si mesma. Baker Smith não tinha culpa de seu vício. A compulsão em ficar conectada, o medo de perder alguma coisa, aquilo era tudo culpa dela. — Enfim, aquele foi mais um sinal de que eu deveria ficar off-line.

Edward assentiu, mas não disse uma palavra. Ela viu aquilo como um sinal de que deveria continuar falando e não guardar nada. A parte do Baker Smith ela esperava que Edward fosse entender. A parte de Jack na história — aquilo a preocupava, então ela foi falando levianamente.

— De qualquer maneira, eu achava que conhecia Jack. Passamos dois anos muito bons juntos. Francamente, ainda não entendo o que o fez mudar de ideia quanto a se casar, mas não importa. Talvez Zeynup seja algum tipo de deusa sexual ou coisa parecida. — Evie tentou dar um sorrisinho para descontrair. — Ela pareceu bem flexível na foto.

— Zeynup?

— A esposa de Jack. Ela é turca.

— Olha, Evie, todos nós temos ex. Você sabe que eu tenho. A única questão é se ainda sente alguma coisa por ele.

Naquele instante, Tasha voltou para encher seus copos de água. Evie aproveitou os segundos a mais para organizar seus pensamentos.

— Eu não sinto — respondeu ela com o máximo de convicção possível. Ela estendeu sua mão sobre a mesa para pegar a de Edward. — Desde nosso primeiro encontro, tenho estado nas nuvens. Você nem imagina como eu estava esperando por esta noite.

— Era só isso que eu precisava ouvir — disse Edward, apertando sua mão. Ele começou a brincar girando o anel dela em volta de seu dedo e Evie notou que a silhueta dele relaxou de volta até sua postura natural. — De todos os restaurantes para escolher... — continuou ele, com um riso de derrota. — Devem existir, eu não sei, dez mil para escolher na cidade e acabamos aqui.

— Dezoito mil, na verdade — corrigiu uma voz de cima de seus rostos reunidos. — Espero que não se importem, mas tomei a liberdade de servir vocês eu mesmo — disse Jack, baixando um prato quente de frango assado com alho-poró no vapor na frente de Edward. — Seu peixe já está vindo, Evie. Preparei um molho especial para ele que ainda está ficando pronto. Meu *sous chef* já está trazendo num minuto.

— Obrigada — murmurou Evie, se recusando a olhar em seus olhos. Ela não podia acreditar que ele estava se intrometendo assim. Parecia baixo para o Jack que ela conheceu.

— Sinto muito por antes, por ter roubado Evie como fiz. Deixe que eu me apresente — disse Jack, estendendo uma das mãos para Edward. — Jack Kipling. E pelo que entendi você é a companhia de Evie esta noite.

Companhia? Evie se eriçou de raiva. O jeito que Jack falava fazia Edward parecer ser um acompanhante pago.

— Edward Gold — respondeu ele, devolvendo o aperto de mão. — Evie estava me contando sobre você.

— Não acredite em uma só palavra — devolveu Jack com um sorriso perverso. Parecia mais a fala de um filme do que um diálogo de verdade, e toda aquela malícia deixou Evie desconfortável.

— Então, Edward Gold, como é que você paga as contas? — perguntou Jack, num tom de voz que sugeria que qualquer coisa que Edward respondesse não chegaria aos pés de *restaurateurs*.

— Ele é cirurgião — interveio Evie. — Ele curou o câncer da minha avó Bette.

— Bem, não tenho certeza de tê-la "curado", mas sim, removi seu tumor — lançou Edward, com uma modéstia enfurecedora.

— Muito bem, amigo — disse Jack, dando um leve tapinha nas costas de Edward. Uma chef bem torneada, com um comprido rabo de cavalo loiro apareceu e colocou o prato de Evie na mesa à sua frente. — Obrigado, Arianna — disse Jack, dirigindo-se a ela no tom que usava com todas as suas funcionárias mulheres: em parte condescendente, em parte sedutor. — Nossa Evie aqui acabou de concordar em redecorar o JAK. Vamos discutir mais sobre isso em breve, espero — continuou ele, de olhos fixos em Evie como se Edward nem estivesse na mesa.

— Foi? — perguntou Edward, e Evie viu seus ombros subirem de tensão novamente. Ela balançou a cabeça negativamente, mas não teve certeza de nenhum dos dois ter percebido. Suas cordas vocais a tinham abandonado.

Jack sorriu inocentemente.

— Bem, suponho que ainda tenhamos alguns detalhes para passar a limpo. Mas com sua nova empresa, não vejo por que não seria uma grande oportunidade.

Evie se debruçou sobre seu prato, querendo desaparecer na nuvem de vapor que subia até o teto. Não adiantou.

— Bem, vou deixar vocês dois aproveitarem sua refeição em paz — disse Jack. — Preciso passar em diversas mesas hoje à noite. — Ele gesticulou para o restaurante, onde todas as mesas estavam ocupadas.

— Sim, e nós temos uma festa para ir — disse Evie, desesperada para competir com Jack.

— Temos? — perguntou Edward, sua expressão de irritação maior que de surpresa.

— Sim, eu não falei? — perguntou Evie, inocentemente. — Enfim, adeus Jack.

— Feliz Ano-Novo, Evie — disse ele, dando um leve beijo no rosto dela. Estendendo sua mão para Edward mais uma vez, ele completou: — Não a deixe escapar.

Como você deixou? Evie estava no mínimo perplexa.

— Que história foi essa de festa, Evie? — perguntou Edward, assim que Jack saiu de perto.

— Ah, eu só estava tentando fazer ele ir embora logo — disse Evie, esperando parecer convincente. Ela notou que Edward nem lhe perguntou sobre a decoração do JAK nem sobre sua suposta empresa.

Depois de Jack sair, a conversa entre Evie e Edward durante o jantar não pareceu ter sido totalmente mutilada, mas lhe faltou aquela qualidade natural que tipicamente tinha. Ela respondeu a maior parte do que ele falou com "aham" e ele mal mostrou sua covinha. Evie tentou não pensar demais naquilo. Fora do JAK num território neutro, ela e Edward voltariam ao que eram antes.

Durante a hora seguinte, enquanto Evie e Edward terminavam seus pratos principais e porções generosas de tiramisu e mil-folhas, Jack desfilou pelo restaurante, cumprimentando pessoas, acendendo flambados, e brindando com clientes. Evie ouviu as pessoas da mesa ao lado comentarem que já eram onze horas. Ela se perguntou se e quando Zeynup iria aparecer. Onde ela estaria agora? Entornando champanhe com um grupo de estrangeiros em Downtown? Estaria ali à meia-noite para um beijo em Jack enquanto todos aplaudiam? Evie teria gostado de ver a mulher ao vivo. Sentindo o olhar de Jack nela, Evie bagunçava seus cabelos, levava sua taça de vinho sensualmente até seus lábios repetidamente, e ria até seu pescoço doer. Ela até mesmo levou sua colher de sobremesa até a boca de Edward quando viu que Jack estava na mesa adjacente. Edward parecia não saber o que pensar das afetações de Evie, e pareceu alternar confusão, lisonja e preocupação.

— Acho que deveríamos ir — disse Edward quando retiraram os pratos de sobremesa. Ela nem percebera que ele já havia pagado a conta. Edward pegou seus casacos e apressou Evie para o lado de fora antes que ela tivesse tempo de protestar ou visse Jack uma última vez.

Lá fora, a rajada de ar frio atingiu seu rosto como um caminhão em alta velocidade. As luzes pareciam tinta escorrendo, e ela pegou o braço de Edward para se apoiar. O vinho tinha subido à sua cabeça.

Quando conseguiram entrar num táxi, Evie estava balbuciando alguma coisa sobre Dick Clark e a contagem regressiva.

Com a testa apoiada na porta de seu apartamento, Evie teve dificuldade em enfiar a chave na fechadura. Edward a pegou de sua mão e abriu a porta com facilidade. Evie realmente não sabia o que aconteceria quando eles entrassem. Iriam consumar a relação, como ela esperava começar aquele novo ano, ou o terremoto que ela estava sentindo desde que eles pisaram no JAK era uma realidade? Ela desabou no sofá e apoiou a cabeça numa almofada de veludo, sem conseguir pensar direito. Que noite.

— Onde é o interruptor, Evie? — Ela conseguiu ouvir Edward tateando suas paredes. Havia, a não ser que ela estivesse enganada, uma inédita frieza na voz dele.

— À direita da porta da frente — balbuciou ela. Talvez ainda houvesse uma chance de mudar o curso da noite. Ela podia colocar uma música, vestir sua camisola prateada preferida, e levar Edward para a cama.

— Estou nele, e não acende — disse ele. Ela o ouviu acionando o interruptor.

Evie se levantou rapidamente. A transição de embriaguez para a ressaca já começara. Parecia haver pedras dentro de sua cabeça. Cada músculo seu parecia lento, como se estivessem em greve até o álcool ser eliminado de seus entornos.

Ela acionou o interruptor. Nada aconteceu. Ela tentou mais diversas vezes, mas o quarto continuou um breu, tirando o pequeno feixe de luz de seu relógio digital de bateria.

— Desculpe, não sei o que está acontecendo. Tem mais um interruptor — disse ela. — Perto daquela fotografia grande. Tente aquele.

Do lado de fora de seu quarto ficava uma enorme e antiga fotografia da cantora francesa Edith Piaf. Evie a encontrara numa viagem a Paris com Jack há mais de um ano, quando passeavam por lojas de antiguidades às margens da cidade. Aquela viagem tinha sido um divisor de águas no relacionamento dos dois. Antes de ir, Evie sentia como se sua vida não pudesse ficar melhor. Esquecendo o que ela sabia ser verdade, ela alimentava uma crença de que Jack pudesse pedi-la em casamento em Paris. Ela o via ficando de joelho em Versalhes ou na Torre Eiffel. Fantasiava que Jack estivesse mentindo o tempo todo sobre sua posição quanto ao casamento só para surpreendê-la ainda mais quando lhe mostrasse o anel.

Mas no dia em que entraram naquela loja de antiguidades onde ela achou a linda foto em preto e branco de Edith Piaf, a viagem já estava quase no final e Jack não a pedira em casamento. Na verdade, ela até abordara o assunto algumas vezes, escolhendo os momentos com cuidado. Falou naquilo num dia de sol quando os dois passeavam nos Tuileries comendo sorvetes de casquinha. E depois, novamente, após uma performance extraordinária dela na cama que envolveu um strip-tease e sexo oral incrível. Mas toda vez que Evie falava sobre o futuro deles, Jack a rechaçava grosseiramente, dizendo alguma variação de "Vamos apenas aproveitar a viagem". Arrasada, ela ficou de péssimo humor nos últimos dias, e quando Jack foi pagar pela foto de Piaf, Evie afastou a mão dele e insistiu em pagar ela mesma.

— Para quê?, dissera ela rispidamente. — Não é como se fôssemos casados. Jack simplesmente guardou sua carteira de volta no bolso da calça e não falou nada, enquanto Evie pegava seu cartão de crédito. Ela gostava demais da foto para tirá-la da parede, mesmo que trouxesse à tona lembranças tristes.

— Bela foto — disse Edward.

De partir o coração, isso sim, pensou ela.

— Evie, este aqui também não está funcionando. Talvez tenha faltado luz no prédio — sugeriu ele.

— Deve ser isso. — Ela apertou o botão do interfone. — Está faltando luz?

— Não, srta. Rosen. Se estivéssemos sem eletricidade, eu não estaria atendendo o interfone.

— Bem, meu apartamento está sem luz, então pode pedir para o síndico vir aqui? Queremos ver a contagem no Times Square.

— É véspera de Ano-Novo. Ele está de folga — disse o porteiro, insensivelmente.

Edward se aproximou dela e colocou uma das mãos em seu ombro.

— Evie, tudo bem. A gente cuida disso amanhã.

A gente cuida disso amanhã. As palavras ficaram se repetindo em seu cérebro.

— Que pesadelo — gemeu ela. Eram 23h43. Ela acendeu uma vela sobre a sua mesinha, a letra de "Shadowboxer", de Fiona Apple, na cabeça enquanto ela apagava o fósforo: *Once my flame and twice my burn.* Maldito Jack. Ela pegou seu pijama de flanela.

— Amanhã você liga para a companhia de luz e descobre o que aconteceu — tranquilizou Edward. — Tenho certeza de que foi um acidente. Não é como se não pagasse suas contas.

Ela pensou naquilo por um instante, sem conseguir se lembrar da última vez em que pagara a conta de luz.

— Tem razão — disse Evie. — Acho que preciso dormir. Fica aqui comigo?

# # #

A manhã a atingiu sem piedade. A luz do sol entrou por sua janela com uma força descomunal, fazendo com que fosse impossível continuar dormindo e fingir que a noite anterior nunca tivesse acontecido. Ela deu uma boa olhada no homem dormindo a seu lado na cama. A primeira noite juntos dos dois definitivamente não tinha ido como planejado.

Edward, numa regata e cueca boxer, parecia notavelmente confortável na sua cama. Durante a noite os pelos grossos em seu queixo e acima de sua boca tinham crescido e a sombra o fazia parecer mais brusco. Sua mente imediatamente fez uma comparação dele lado a lado com Jack. Edward tinha uma beleza mais clássica, isso era claro, mas Jack ainda tinha alguma coisa que ela nunca conseguiu compreender bem, nem para si mesma. Ela ainda não conseguia acreditar que o vira na noite anterior.

— Bom dia — disse Edward, depois de ela começar a se mexer.

— Bom dia.

Havia alguma coisa reconfortante quanto a ele estar parado na cama. Se estava planejando escapar, ela não tinha como saber.

— Então, só para confirmar de que não foi sonho, estou sem luz, não estou? — perguntou Evie.

Edward se virou para ela e apoiou sua cabeça numa das mãos, para que ficassem frente a frente.

— Acho que está. Levantei uma hora atrás e tentei fazer café, mas me dei conta de que uma cafeteira elétrica com leite à temperatura ambiente seria um problema. Então voltei a dormir.

Evie gemeu. Na noite passada ela sequer havia pensado na comida dentro da geladeira e do freezer que teria estragado. Felizmente apenas o leite, os waffles congelados e um pote de salada de ovo do Han's Happy Deli foram perdidos.

— Não acredito que encontramos seu ex-namorado ontem à noite. No restaurante que eu escolhi. Quais as chances? — Edward se sentou e pôs os pés no chão, de onde pegou suas roupas. Evie não viu aquilo como um bom sinal.

— Foi bem louco — disse ela, tocando as costas dele de leve antes de Edward vestir sua camisa. — Mas é só não voltar mais lá. Como você disse, temos dezoito mil restaurantes entre os quais escolher.

— Na verdade foi Jack que disse isso — respondeu Edward, se virando para olhar para ela. — Olha, Evie, desculpe, mas acho que você tem algumas coisas mal resolvidas com ele. — Ele passou os braços pelas mangas de sua camisa de botão e se levantou para vestir a calça.

Ela queria protestar. Dizer a Edward que havia superado Jack e estava totalmente pronta para seguir em frente com o relacionamento deles. Mas ela achava difícil fazer aquilo de forma convincente quando ainda estava repetindo na cabeça sem parar cada frase trocada entre ela e Jack, procurando indícios de saudades dele, e se perguntando por que ele a levara para seu escritório. Ela inventou um emprego novo para impressioná-lo, inventou uma história sobre uma festa para ir. Edward testemunhou aquela interação. Como ele não poderia acusá-la de ainda ter sentimentos? A questão era: o que seria dela e Edward depois daquela situação ferrada?

— Sinto muito mesmo por tudo aquilo. — Foi o melhor que Evie conseguiu dizer.

— Foi uma noite interessante. — Edward se inclinou e deu um beijo no seu rosto. — Boa sorte com a questão da energia. — Evie se perguntou o que acontecera com o "A gente cuida disso amanhã".

— Obrigada. Então a gente se fala? — perguntou Evie, odiando seu tom de voz subitamente desafinando.

— Claro — disse Edward, acenando da porta do quarto.

Quando ela ouviu a porta da frente se fechar, ela soltou um "Arghhh" gutural. Que bela maneira de começar o novo ano.

Depois de vasculhar cada armário e gaveta atrás de alguma carta da companhia de energia, ela finalmente achou uma correspondência confirmando a ativação de uma conta nova no fundo da gaveta de sua mesinha de cabeceira. Depois de dez minutos de espera torturante escutando "Bad Girls" de Donna Summer repetidamente, o atendente do SAC explicou que o sistema deles tinha sido hackeado e que os dados de cartão de crédito de todo mundo haviam sido perdidos. Sua energia fora cortada porque ela não pagava a conta há três meses.

— Por que vocês não me ligaram para pegar minhas informações? Eu merecia ter sido avisada — argumentou Evie.

— Senhora, no seu cadastro está registrado que você especificamente se recusou a nos fornecer seu número de telefone. Pediu para entrarmos em contato apenas via e-mail.

— Entendo — respondeu Evie, murchando do outro lado da linha.

— Senhora, não recebeu as cartas que enviamos pelos correios?

Cartas? Ela deveria tê-las jogado fora junto com as cartas de ofertas e propagandas. Nunca precisara abrir carta nenhuma para ter luz em seu apartamento antes. Talvez também estivesse sem internet. Apenas seis meses antes, ficar sem internet a teria feito subir pelas paredes atrás de sinal. Agora realmente não a afetava mais.

— Meu vizinho rouba minhas cartas. Pode religar a eletricidade?

A luz voltou pouco depois de Evie dar ao atendente os dados de seu cartão de crédito. Aliviada, Evie foi até a cozinha atrás de carboidratos que pudessem absorver o resto do álcool em seu organismo.

Felizmente ainda havia uma caixa de muffins na bancada. Enquanto mastigava até as migalhas, Evie se lembrou do dia em que se mudara para aquele apartamento.

Paul estava lá. Ele a ajudara a trazer suas coisas de seu dormitório na Columbia Law School até seu novo apartamento alugado, o lugar que ela chamava de lar até hoje. Depois de três longos anos mergulhada nos livros em Morningside Heights, Evie estava se mudando para o Upper West Side, chegando na "verdadeira" Manhattan, uma moça solteira com um diploma na parede, um emprego sofisticado, ótimos amigos, e parte do grupo dos vinte e poucos anos. Aquele novo lugar estava explodindo de possibilidades, e Paul estava lá para ajudá-la a começar o novo capítulo. Em troca, Evie marcou um encontro entre ele e Marco, que na época Paul ainda chamava de "O cara com o melhor corpo que já vi". Hoje em dia Paul se referia a seu marido como "sr. Dobrinhas", mesmo que Marco estivesse no máximo um quilo acima do peso. De certa maneira aquele dia parecia estar a anos-luz de seu momento atual, mas de outras tudo continuava basicamente igual — ela estava, mais uma vez, numa encruzilhada.

O dia da mudança tinha sido exaustivo. Ela se lembra de se esparramar no sofá com um pano de prato em cima de seus olhos. Paul ainda estava ativo, guardando seus pratos nas prateleiras e pendurando suas roupas (com direito a comentários). Era um dia escaldante de verão e os dois estavam ensopados de suor. O ar-condicionado forte prometido pelo corretor do prédio não estava funcionando bem.

— Agora precisamos instalar sua TV a cabo, internet e eletricidade, OK? — disse Paul.

Evie apenas grunhiu e entregou a Paul uma folha de papel que tinha recebido junto com seu contrato.

— Quer que eu faça isso? — perguntou ele, incrédulo.

— Marco — respondeu simplesmente Evie, para lembrá-lo do que o levara a seu apartamento em primeiro lugar.

— Está bem — grunhiu ele de volta. — Mas não é por causa de Marco. É porque você é uma ótima amiga e eu amo você.

Lembrar-se daquilo doeu.

Ela se deu conta de que precisava ver Paul imediatamente, abraçá-lo e pedir desculpas sinceras por sua reação morna à notícia do bebê. Ainda não conhecera Maya. A situação com Edward podia ter dado pane, mas aquilo não significava que Evie não podia consertar outra coisa naquele dia. Ela pegou seu telefone.

— Paul, é a Evie. Sei que está zangado comigo, mas realmente sinto sua falta e quero conhecer sua filha. Estou indo aí — disse na caixa postal. Mandar um e-mail de arrependimento teria sido um milhão de vezes mais fácil, mas estaria evitando a parte difícil. Paul aceitar ou não era uma outra história. Ele merecia um pedido de desculpas pessoalmente.

Ela pegou seu casaco e partiu rumo a Downtown num táxi. As ruas de Nova York no dia primeiro de janeiro eram o quadro perfeito da tristeza. Solteiros caminhando de cabeças baixas, ainda nas suas roupas de festa da noite anterior, amaldiçoando a si mesmos por já terem quebrado suas resoluções de Ano-Novo: (1) beber menos; (2) não fazer mais sexo sem compromisso; (3) dormir oito horas por noite; e (4) se exercitar todas as manhãs. Os casais também pareciam de mau humor — brigando sobre onde ir para o brunch e fofocando sobre os outros convidados na festa de Ano-Novo a que tinham ido só por obrigação na noite anterior. Quase tudo ficava fechado no primeiro dia do ano, exceto por restaurantes, e os habitantes da cidade não sabiam o que fazer com o tempo livre exceto se empanturrar e pensar demais sobre suas vidas.

Quando ela chegou, Marco abriu a porta de seu apartamento no terceiro andar com uma criança embrulhada nos braços. Havia mais cobertor que bebê ali.

— Oi, Evie — disse ele. — Feliz Ano-Novo. Esta é Maya.

Evie derreteu ao ver a recém-nascida enrolada em seu casulo de cashmere cor-de-rosa, de olhos fechados, bochechas rosadas e gorduchas, e lábios vermelhos com formato de um botão de rosa.

— Ela é linda — disse Evie, abraçando Marco.

— Obrigado — agradeceu ele com um largo sorriso, fazendo-a entrar.

— Meu Deus, não venho aqui há tanto tempo — constatou ela. O apartamento havia se transformado, de um oásis elegante e moderno, num templo para bebês. Em todo lugar que olhava, Evie via balanços de bebê, tapetes de borracha, cobertores, brinquedos e livros nos tons mais chamativos de cor-de-rosa, roxo e amarelo.

— Nos empolgamos um pouquinho — disse Marco, percebendo a expressão de espanto no rosto de Evie.

— Não, não, está ótimo. É só que foi uma mudança grande.

— Deixe-me mostrar o quarto dela — disse Marco. — Paul foi numa loja de ferramentas tentar subornar alguém para ajudar a montar o berço. Ele vai demorar pelo menos mais uma hora. Passar Maya de sua cestinha para o berço de verdade foi nossa resolução de Ano-Novo.

O quarto de Maya era colorido e alegre, as paredes pintadas do tom cor-de-rosa choque. Mas havia sacolas de brinquedos e enfeites por todo lado, incluindo uma luminária com formato de ovelha e uma pilha alta de adesivos de animais ainda embalados. Evie nunca entendeu por que animais selvagens faziam parte de todo quarto de criança. Quantas vezes na vida real a maioria das crianças veria uma girafa? Pedaços grandes de móveis, um trocador, um lindo sofá de veludo marfim e uma cadeira de balanço de camurça cor de chocolate estavam agrupados no meio do cômodo.

— Disse que ele ainda demora uma hora? — perguntou Evie, olhando para Marco ajeitando o cobertor para cobrir os dedos dos pés de Maya.

— No mínimo. Ele não sabia nem onde encontrar uma loja de ferramentas. Pensando bem agora, duvido que encontre alguma aberta hoje.

— Leve Maya para passear, OK? Tenho muito a fazer aqui — disse Evie, gentilmente guiando Marco para fora do quarto até o carrinho de bebê.

— Tem certeza?

Evie assentiu.

— Cem por cento. Devo isso a Paul. Deixe-me fazer isso por ele. E por você.

Marco sussurrou um agradecimento e saiu de casa com a Maya bem agasalhada.

Fechando seus olhos como Julianne Holmes-Matthews fazia, ela parou um instante para visualizar o quarto tomando forma. Ela viu a cadeira de balanço indo para perto da janela e o berço migrando para a parede da esquerda. Os bichinhos de pelúcia assumiram seus postos, a girafa gigante ficando ao lado da porta. O baú de brinquedos entrou no armário. Abrindo os olhos com um plano pronto, ela começou a trabalhar. Evie reposicionou os móveis e colou os adesivos na parede de um jeito bem pensado, mas não demais. Ela montou a luminária, desenrolou o tapete e guardou brinquedos pequenos e livros nas prateleiras. Era como fazer exatamente o que Paul fizera por ela na mudança anos antes, mas em miniatura.

A atividade provou ser uma eficiente distração quanto a seu encontro de Ano-Novo com Edward (e sua ressaca), até ela se deparar com uma enorme Minnie Mouse de pelúcia parecida com a do quarto de Olivia. Fazia só uma semana que elas tinham passeado de charrete. Ela sentiu saudades de soprar para esfriar o chocolate quente de Olivia e de andar ao lado dela no carrossel do Central Park. Evie achou um lindo relógio das princesas numa das sacolas da Toys "R" Us que tinha certeza que Olivia adoraria e resolveu comprar um igual para ela mais tarde. Quando, e se, conseguiria dá-lo à menina era outra história.

Quando escutou o barulho da chave abrindo a porta, Evie já estava se sentindo suficientemente satisfeita com o progresso que fizera.

— Ah meu Deus — arfou Paul ao ver a transformação. — Evie, isso é surreal. — Ele foi até ela e lhe deu um grande abraço. — Marco me mandou uma mensagem dizendo que você estava aqui e que era para eu esperar uma hora para voltar. Eu sabia que você faria mágica aqui.

— De nada — disse ela. — Tenho sido uma idiota. Sinto muito mesmo por ter sido tão egoísta. Mas com minha avó doente, minha situação de trabalho uma porcaria e vida amorosa inexistente até pouco tempo atrás e Jack se casando... Sabe o quê? Eu não deveria estar dando desc...

Paul a interrompeu, colocando o dedo indicador na frente da boca de Evie.

— Evie, tudo bem. O quarto de Maya está lindo. Estamos quites, OK? — Só mesmo numa amizade antiga aquele tipo de problema poderia ser resolvido em troca de um quarto de criança recém-decorado. Oito anos antes ela e Paul tinham trocado a ajuda dele na mudança dela de apartamento por um encontro arranjado.

— Agradeço muito — disse Evie, mas Paul pareceu não ouvir. Ele estava observando o quarto novo de sua filha com um sorriso de orelha a orelha. — Tudo bem, mas para registrar, sinto muito mesmo — continuou Evie, determinada a não deixar uma cadeira de balanço colocada no lugar certo absolver seus erros.

— Já entendi, Evie. Aqui, deixe-me mostrar umas fotos da Maya. Enlouquecemos um pouco com as fotos. — Ele tirou seu iPad da bolsa carteiro e começou a passar pelas fotos.

Vendo Paul fazendo aquilo, ela sentiu saudades do alumínio gelado de seu MacBook. Sentiu falta de estar a um toque de distância de suas fotos. Sentiu saudades de escutar o ritmo de seus dedos digitando num teclado. Mas, mais do que tudo, ela queria olhar sua caixa de e-mails. Jack disse que ia escrever para ela para que conversassem sobre a decoração de seu restaurante. Ela se perguntou se ele iria mesmo escrever, e, se o fizesse, importaria realmente para ela? O que realmente importava era que ela estragara tudo com seu namorado de verdade. Então por que estava pensando mais em Jack? Não fazia muito sentido.

Mas, pensando bem, poucas coisas ainda faziam.

Capítulo 19

Nas primeiras semanas de janeiro, durante uma geada que a previsão de tempo estava chamando de "Big Apple Chill", Evie podia quase tocar a distância que Edward estava colocando entre eles. Ele ligou para saber se ela tinha resolvido o problema da eletricidade, mas quando nem sugeriu que eles se encontrassem, Evie ficou cabisbaixa.

Era difícil não se perguntar se Edward não poderia ter parado de pensar no relacionamento como algo sério, e começado a considerá-lo apenas uma parada divertida na estrada dos encontros. A única pedra no caminho até agora (pelo menos na cabeça de Evie) tinha sido o macabro jantar de Ano-Novo no JAK. Apesar de ter tentado reprimir a lembrança, e até mesmo reescrever os acontecimentos da noite na cabeça (especialmente as partes das quais não se lembrava muito bem por causa da bebida), Evie sabia muito bem que tipo de impressão ela havia causado. A de uma garota que ainda não superara seu ex. Que ainda ficava atordoada na presença dele. Que ligava um pouco demais para o que ele pensava dela. Que tinha alguma coisa a provar. Agora sua vontade era provar a Edward que ela estava inteiramente pronta para um compromisso com ele, mesmo que no fundo estivesse começando a se perguntar se Jack ocuparia para sempre pelo menos uma partezinha de seu coração.

Ela apareceu de surpresa no hospital alguns dias depois e o levou para almoçar no Spice da Segunda Avenida. Enquanto comiam sopa de coco com curry e bolinhos vegetarianos, eles conversaram sobre tudo, com exceção de Jack e da noite de Ano-Novo, e ao terminarem, pareciam estar de volta ao seu ritmo normal. Ao voltarem ao consultório dele, Evie tirou um presente de sua bolsa.

— Tenho uma coisa para você. — Evie fez uma pausa antes de entregar a ele o embrulho de papel prateado.

Edward olhou a pequena caixa com uma expressão de curiosidade no rosto.

Ele abriu o papel, a princípio tentando não rasgá-lo, mas aos poucos ficando impaciente. Seu rosto se iluminou quando ele viu o presente, um artigo de jornal num porta-retrato antigo de moldura de prata. No canto da moldura, Evie colara um post-it que dizia: "O meu fez isso quando demos as mãos pela primeira vez. Bjs, Evie."

— Eu realmente queria ler seus antigos artigos científicos, mas como não uso internet, não tive como procurá-los. Então resolvi ir à biblioteca e os encontrei nos arquivos. Foi bem mais difícil do que parece. De qualquer forma, tirei uma cópia do que você escreveu sobre "corações pularem batimentos quando as pessoas ficam felizes". Ela tentou reprimir um sorriso.

— Arritmias cardíacas — disse Edward, balançando a cabeça como um professor.

— Exatamente. — Evie sorriu. — O jargão médico é bem sexy. — Ele conseguia dizer os termos médicos mais diferentes sem parecer pedante, ao contrário de Jack, que falava sobre a preparação de um molho como se estivesse projetando um foguete espacial.

— É o que dizem. Falando sério, agora. Isso é incrível, Evie. Eu adorei. — Ele a abraçou.

— Realmente espero que tenha gostado — disse Evie, observando ele colocar o porta-retrato ao lado da foto de Olivia. Mas ela ainda se sentia ansiosa, e não queria ficar esperando que ele a chamasse para sair novamente. — Está livre para ver um filme esse fim de semana? — perguntou, com ele ainda de costas.

— Com certeza — respondeu Edward, e Evie sentiu seus dedos formigarem.

— Ah, e adivinha só? Se você ainda tinha alguma dúvida do quanto respeito sua opinião, tenho uma novidade para você.

— Verdade? Que tipo de novidade?

— Vou voltar a estudar. Um dia, depois de visitar Bette, passei na New York School of Interior Design para me informar sobre as aulas. Fica na rua 70 East. Eles têm um programa de um ano com certificado e Bette se ofereceu para pagar parte de meus estudos. Aparentemente, seu hábito de lavar e reutilizar sacos plásticos a fez poupar um pouco. Edward... Quando entrei no prédio e vi aqueles designers andando com seus portfolios, falando sobre seus projetos, senti como se eu finalmente estivesse no lugar certo. Foi eletrizante!

— Isso é maravilhoso! Estou tão feliz por você. — Ele a abraçou de novo.

— Foi estranho, simplesmente me inscrever do nada. A atendente ficou um pouco surpresa quando perguntei se ela precisava ver minhas notas dos SATs.

— Nem tudo precisa ser difícil — disse Edward.

Ela estava começando a aprender aquilo.

— E para ficar claro, isso não tem nada a ver com redecorar o JAK. Não tenho nenhuma intenção de fazer isso. Precisava que soubesse disso.

— Confio em você — respondeu Edward, apertando levemente os ombros de Evie e beijando sua testa. — A escola de design é perto do hospital. Podemos almoçar juntos.

Ela soltou a respiração, aliviada por ele estar pensando à frente.

— Obrigada. Começo em setembro. Caroline acabou contando a Jerome que fui eu quem redecorou seu escritório e ele insistiu em me pagar pelo serviço. Ele até me contratou para remodelar a casa de hóspedes deles nos Hamptons. Então, com isso, mais a ajuda de Bette, não vou ter problemas para pagar.

— E você recusou quando falei nisso a primeira vez — brincou ele. — Olha, preciso dar umas apresentações em vinte minutos. Mas estou ansioso para saber mais.

Foi depois de assistir a mais uma comédia romântica, desta vez sobre uma médica que se apaixona por um hipocondríaco e fica inventando coisas que possam estar erradas com ele para que ele continue saindo com ela, que Evie e Edward finalmente dormiram juntos. Antes do encontro, Evie tivera um cuidado meticuloso em estar bem, esbanjando num minivestido novo, botas até o tornozelo e uma escova feita em salão. Ela depilou, arrancou, raspou, cortou e ajeitou tudo que precisava de atenção. Parecia um pouco como se estivesse passando por um lava-rápido humano, mas quando Edward a buscou com a aparência especialmente adorável numa calça de camurça cinza clara e um suéter de zíper da mesma cor, ela ficou feliz por ter se dado o trabalho.

Minutos depois de voltarem para casa, depois de um rápido jantar após o filme, seu vestido e suas botas novas foram parar numa pilha desajeitada no chão de sua sala, com sua lingerie de renda por cima como a cereja do bolo. O sexo foi ainda melhor do que ela esperava que fosse, com a espera que ambos tiveram de aguentar para chegar naquele momento apenas aumentando a intensidade. A primeira vez foi rápida e voraz, ambos desesperados para explorar logo o corpo um do outro, talvez até mesmo para terem certeza de que eram sexualmente compatíveis como eram em outra áreas. Depois que aquilo foi confirmado, eles foram mais devagar, tomando o tempo necessário para se beijar e falar baixinho um com o outro entre abraços apaixonados e mais rodadas fazendo amor. Ela descobriu que seus corpos se encaixavam perfeitamente. Sua cabeça descansava perfeitamente no espaço entre o peito e o ombro dele. Os pés dele alcançavam exatamente a sola dos dela, para que lhe fizesse cócegas. Cada orgasmo era como encaixar a última peça de um quebra-cabeça.

A vida era boa.

# # #

A atendente na New York School of Design tinha dito a Evie que ela seria bem-vinda quando quisesse visitar e reunir informações sobre o semestre seguinte. Ela mal podia esperar. Com o programa de estudos e a bibliografia recomendada nas mãos, Evie andou da escola até sua casa num transe de alegria. Quando chegou à rua 66 West, ela virou inesperadamente à esquerda. Antes que se desse conta, estava na frente da porta giratória do The Hamilton, o prédio onde ficava o apartamento de um quarto que a corretora Emmeline Fields quisera lhe mostrar de perto.

— Posso ajudá-la? — perguntou o porteiro. Estava usando um uniforme avermelhado e preto com franjas douradas, tão elegante quanto um dos guardas do Palácio de Buckingham.

— Sim, na verdade pode. Há um apartamento de um quarto à venda no prédio. Ou havia. Representado pela Allman-White. Eu estava pensando em visitá-lo. Não me lembro dos horários disponíveis.

— Desculpe, senhora. Aquele apartamento foi vendido no final de janeiro. Um casal com um bebê o comprou.

— OK, obrigada — disse Evie, mais desapontada do que achou que ficaria.

— Há outro apartamento no mercado — continuou o porteiro, colocando uma das mãos na porta para que ela não saísse. — É de dois quartos. Um ótimo apartamento para a família com vista para o rio. É mais um exclusivo de Emmeline Fields. Posso pedir para o síndico ligar para lá e ver se alguém está em casa para mostrá-lo a você.

Evie imaginou o casulo de Olivia na casa de Edward. Como ela adoraria criar algo ainda mais bonito para ela aqui, nesse apartamento de família.

— Bem, eu não viria com uma família. Nem com um marido. Ainda — acrescentou Evie, inexplicavelmente confessando sua vida pessoal ao porteiro. — Espero que possa fazê-lo em breve. E quando puder, o primeiro lugar que vou olhar é aqui.

— Boa sorte, senhorita.

— Obrigada. Pode dizer a Emmeline que passei aqui? Diga que era minha a bolsa que ela achou perto da Brighton. E que voltarei.

— Farei isso. O prédio tem uma academia, piscina e...

— Me desculpe — interrompeu Evie, segurando seu celular. — Preciso atender.

Ela saiu às pressas do prédio, olhando a tela de seu telefone. Aqueles dez dígitos. Fazia muito tempo desde a última vez em que os vira. Mas ela nunca os esqueceria.

— Jack — atendeu ela. — Como está?

— Já estive melhor, na verdade. Estou perplexo por você não ter respondido nenhum dos meus e-mails. Devo ter lhe enviado meia dúzia desde que a vi na véspera de Ano-Novo. Tenho olhado minha caixa de entrada constantemente.

— Bem, me desculpe por isso. Tenho estado muito ocupada com o trabalho — disse Evie, orgulhosa por não ter culpado seu abandono da internet. Era muito melhor deixar Jack achar que ela viu seus e-mails, mas escolheu não respondê-los.

— Não importa. Já teve tempo de pensar se gostaria de me ajudar numa transformação? Também seria bom colocar a conversa em dia. A que tivemos no restaurante foi interrompida... Eu não queria manter você muito tempo longe do sei lá qual o nome dele.

— Edward. O nome dele é Edward.

— Ele pareceu um cara decente. Você merece. Pena que não conheceu Zeynup. Ela chegou pouco antes da meia-noite.

Era uma pena mesmo? Ele realmente queria que Evie conhecesse sua esposa? Não parecia provável, se ele estava ligando agora. A não ser que quisesse esfregar aquilo na cara dela de maneira sádica, o que não era do feitio de Jack.

— Uma pena. Olha, Jack, o que está acontecendo?

— Evie, temos uma história juntos. Eu queria ouvir sua voz. Não vou incomodá-la novamente se não quiser.

Houve uma pausa demorada e tensa.

— A comida estava ótima. Na véspera de Ano-Novo — disse ela finalmente. — Preciso admitir que senti falta dela. É muito talentoso, Jack.

— Evie, é muito bom ouvi-la dizer isso. Sempre respeitei sua opinião. Estava tão bonita aquela noite. Você sentiu saudades da minha comida, mas eu senti do seu rosto.

— Jack, preciso desligar agora, está bem? Acho melhor você achar outra pessoa para ajudar com seu restaurante.

— Entendo, Evie. Espero que você esteja feliz. Você está feliz, não está?

— Estou desligando, Jack. Adeus.

Ela estava tremendo quando guardou o telefone de volta na bolsa.

No fundo ela sabia que Jack só estava ligando porque ela havia se tornado inatingível. A questão era se ela poderia culpá-lo por aquilo quando era culpada de ter feito a mesma coisa. Ela não era, em parte, obcecada por ele porque ele se recusava a se casar? Essas perguntas ficaram se repetindo na sua cabeça como uma incansável apresentação de sapateado, sobrepondo-se a qualquer alegria que podia estar sentindo segundos antes por causa da escola de design.

— Senhorita? — O porteiro do The Hamilton colocou a cabeça para fora. — Emmeline Fields acabou de entrar pelos fundos. Quer que eu peça a ela para mostrar a você o dois quartos?

— Agora não — respondeu Evie, descendo a rua apressadamente sem olhar para trás.

# # #

Evie não ficou totalmente chocada quando Edward perguntou se eles poderiam se encontrar para conversar algumas semanas depois de Jack ligar. Eles tinham saído mais duas vezes, mas ela ficara preocupada nos encontros, sem conseguir parar quieta, calada em vez de conversar. Até durante o sexo ela sentia como se estivesse flutuando, olhando para eles fazendo amor através de uma névoa. O pior foi quando Olivia correu até a sala da casa de Edward vestida de Peppa Pig. "É meu desenho favorito", disse a menina, pulando no colo de Evie. Finalmente Evie entendeu a origem do sotaque britânico. "Que bom", respondeu Evie, sem nem uma gota de sua alegria de sempre. Quando ela ergueu o olhar da sua revista alguns momentos depois, viu Edward cochichando alguma coisa na orelha de Olivia com uma expressão decepcionada.

Evie encontrou Edward no Central Park num domingo de manhã. Ela chegou cedo e admirou de um banco a neve reluzente sobre as árvores, tentando deixar o vento frio acalmar sua mente. O parque era o lugar onde Evie mais se sentia em paz depois de parar de usar a internet, onde caminhadas demoradas acalmavam seu vício, e a ajudavam a digerir a realidade do casamento de Jack. Mas não era uma panaceia, e quando Edward chegou, pontualmente, ela não estava calma quanto ao que ele diria, nem preparada para o que ela mesma diria a ele.

— Evie, sabe que sou louco por você — começou ele. — Não gosto de joguinhos nem finjo gostar.

— *Mas...* — Evie o escutou na sua cabeça, esperando pelo começo do fim.

— E vou continuar sendo sincero com você. Quero um futuro com você. Mas sinto que tem alguma coisa acontendo — continuou ele. O vento estava soprando seus cabelos claros, e a gola de sua capa estava batendo para cima e para baixo. Evie notou que ele mantivera uma distância de pelo menos trinta centímetros entre eles no banco, como se ele estivesse se afastando fisicamente dela, assim como emocionalmente. — Eu amo você. Ainda não havia dito isso formalmente, apesar de esperar que já soubesse. Mas preciso saber como você se sente. E onde nos vê no futuro. Preciso saber se Jack está fora da equação.

Nos piores dias após o término com Jack, ela podia ter brincado de explorar uma sensação de poder sobre um homem, dando respostas tímidas e ambivalentes. Mas um ano inteiro havia se passado e ela tinha mudado. Edward a tinha mudado. Estar com Edward, ou até Jack, não era para mudar seu status de relacionamento no Facebook, nem para nunca mais ter de ir num encontro às cegas. Era para encontrar a felicidade e descobrir o que era o amor de verdade — ter uma sociedade diferente de qualquer uma que ela já fizera parte no Baker Smith, onde sempre se sentia perto do resultado. Se ela e Edward iriam ficar juntos, teriam que investir a fundo e os resultados importariam de verdade — para eles. E agora ele estava perguntando o que ela queria a longo prazo, talvez até para sempre.

Edward Gold era o homem mais atencioso, sincero, verdadeiro e carinhoso que ela já namorara. E ele tinha todas as outras qualidades também — a aparência, a carreira e o pedigree com os quais ela ficava obcecada, e provavelmente sempre ficaria de certa maneira. Mas algo sobre conseguir o que sempre quis a fazia imaginar se seria o suficiente. Talvez fosse aquela a graça de Jack o tempo todo. Ele nunca a fizera escolher um plano a longo prazo. Ao sempre fazê-la pensar que casar estava fora de cogitação, ela automaticamente decidira que era algo que ela queria porque nunca teria que pensar nas suas consequências. Ou talvez fosse outra coisa, alguma coisa mais sombria que o impedia de começar uma vida com Edward. Talvez ela não tivesse certeza de que merecia o melhor. Claramente Edward estava notando essas suas questões, o que a assustava. Ela não queria perdê-lo por causa da sua própria loucura.

— Estou muito feliz com como as coisas estão indo — disse Evie sinceramente, colocando uma das mãos no joelho dele, tentando diminuir o espaço entre eles. — Me sinto sortuda por você ter entrado na minha vida.

Edward pareceu aliviado. Ela percebeu porque sua covinha apareceu pela primeira vez naquela conversa.

— Evie, quero que você esteja tão feliz quanto eu estou — disse ele, se aproximando para colocar o braço em volta dela.

— Eu estou — disse Evie. — Eu juro. E também amo você. — Ela descansou a cabeça no ombro dele. Para qualquer pessoa passando pelos dois no parque, eram o retrato da felicidade.

— E Jack? — perguntou Edward.

Evie puxou seu cachecol, apertando suas franjas em volta de seu dedo indicador até ele inchar.

— Ele entrou em contato — confessou ela, não querendo explicar mais, mesmo que não tivesse direito de esconder aquilo dele.

— Imaginei que entraria. E? — insistiu Edward.

— E acho que ele pode estar me querendo de volta. Mas estou com você agora e foi isso que falei para ele. — Evie expirou aliviada depois de dizer aquelas palavras. Pareciam finais demais, o que a assustou, mesmo sabendo que não deveria.

— Que bom. — Foi tudo que Edward respondeu. Talvez fosse o bastante para ele, pensou Evie. Para ela não seria. Mas Edward era seu complemento, não sua imagem espelhada.

— Quero explicar mais um pouco porque parei de usar internet. Dei uma explicação meio resumida no JAK e você merece mais que uma versão fajuta da verdade. — Ela se virou para olhar Edward de frente. — Como comecei a contar, descobri que Jack havia se casado ao olhar o álbum de fotos de alguém que eu mal conhecia no Facebook. Acabei vomitando em cima do meu computador enquanto tentava procurar a mulher dele no Google. Fiquei nervosa em contar a você que ele se casou com alguém depois de terminarmos. Como se isso fosse me diminuir diante de seus olhos. Vamos ver o que mais... Perdi meu emprego porque estava mandando e-mails pessoais em vez de trabalhar. Procurei o cara errado na internet antes de sair com ele às cegas e ele descobriu e chamou minha atenção. Um blog sobre minha indústria me ridicularizou. Eu stalkeava ex-namorados. Me comparava às fotos e carreiras de outras mulheres. Contava com sites de namoro para conhecer pessoas quando na verdade eles eram apenas uma desculpa para eu evitar me expor de verdade. Eu poderia continuar por horas.

— Achei que poderia ser algo assim. Olha, Evie, eu entendo. Minha ex-mulher e eu brigamos pelo Twitter, convidando o mundo a tomar partido em nosso divórcio. A internet é um lugar bem louco.

— Com certeza é.

— Mas tem coisas boas também. Olivia e eu usamos o FaceTime quando ela está com Georgina. Sabe como me sinto grato por isso? Além disso, posso estudar raios-x de pacientes do mundo todo. E quando você estiver pronta para usar e-mails novamente, tenho alguns muito legais que passam pelo hospital para encaminhar para você.

— Eu aviso quando estiver pronta — disse Evie, colocando sua mão sobre a de Edward. Ela o fez se levantar. — Vamos caminhar um pouco — pediu. — Vi no noticiário que o inverno está quase indo embora.

— Que bom — disse Edward. — Adoro a primavera.

— Meu aniversário é na primavera — contou Evie, sem conseguir acreditar que ia fazer 35 anos em alguns meses.

— Eu sei. Vamos fazer algo especial para que não se sinta mal em ficar tão velha. — Ele fez cócegas nela de brincadeira.

Eles começaram a caminhar de mãos dadas pelo famoso percurso debaixo dos olmos, a personificação da perfeição. Mas os demônios não queriam ir embora.

— Edward, eu amo mesmo você. — Ela parou de andar. — Mas preciso de um tempo.

Ela soltou a mão dele e andou numa direção diferente, deixando Edward, e possivelmente seu futuro inteiro atrás de si, cercada por olmos prestes a ganharem suas folhas novamente.

# # #

Sam Blumberg era tudo e mais um pouco que alguém poderia esperar encontrar num aposentado de 87 anos de idade vivendo num centro da terceira idade.

Apesar de Bette só precisar voltar para a Flórida em algumas semanas, Sam havia pego um avião e ido visitá-la. Evie o conheceu na varanda telada da casa de Fran e Winston. Bette estava ficando lá temporariamente porque sua vizinha de apartamento começara obras barulhentas que estavam revirando seus *kishkes*. Bette aparentava estar vibrante e forte, e não lembrava em nada a mulher cuja vida fora ameaçada por um câncer meses antes. Seus cabelos estavam recém-tingidos e suas unhas pintadas com um tom de vinho intenso. Ela bateu sua aliança na mesa quando Evie chegou. *Velhos hábitos*, Evie lembrou a si mesma.

Enquanto Evie se reclinava na namoradeira do lado de fora da casa, Bette e Sam se sentaram em cadeiras de balanço idênticas, balançando para frente e para trás em direções opostas, de modo que se cruzavam no meio.

— Estou tão feliz em conhecer você, Sam — disse Evie, depois de soltar as mãos enrugadas dele. Era um velhinho adorável, sua pele enrugada como um pêssego maduro demais com tufos de cabelos brancos bagunçados. Mesmo sentada, Evie podia ver que a estatura dele era encurvada. Seu corpo, como o de Bette, era uma colagem de partes macias grudadas por um grande coração.

— Evie, você é tão linda quanto sua *bubbe* disse que era. As mulheres da família Rosen me deixam de perna bamba. É claro, pode ser culpa da minha osteoporose.

— Sam, você deve matar todos de rir no Century Village — comentou Evie.

— Ou eu, ou a velhice, porque todo mundo lá morre rapidinho.

Evie riu mais.

Bette estava reluzente. No pôr do sol de sua vida, com toda a sabedoria que ela ganhara ao longo das décadas, ela ainda parecia orgulhosa por ter arrumado aquele "bom partido".

— Olha, Evie, Bette me disse que você está comprometida, mas se as coisas não derem certo, tenho um neto para você aqui na cidade que faria os outros passarem vergonha. Meu Barry é alto, ganha bem, e deixe-me dizer, o garoto sabe como tratar uma mulher. Você poderia estar bem pior. Uma pena que ele ainda não tenha encontrado alguém.

Era tudo que Evie precisava ouvir para saber que Bette e Sam eram perfeitos um para o outro.

— Obrigada, Sam. Definitivamente vou lembrar de Barry.

— Talvez tenha uma amiga para apresentar a ele?

— Disse que ele é alto? — perguntou Evie. Não faria mal apresentá-lo a Stasia, apesar da ideia de Evie procurar um namorado para sua amiga mais desejada ainda ser uma inversão perturbadora.

— Olha, ele não é nenhum jogador de basquete, mas é alto o bastante. Se precisa de alguém para trocar a lâmpada, chame um faz-tudo. O que há com essas garotas hoje em dia, Bette?

— Não vou nem comentar, Sam.

— As coisas eram melhores antigamente. Tudo bem, lindas meninas, vou entrar para ligar para meu corretor. Meu novo remédio de glaucoma está fazendo milagres e quero comprar algumas ações da Glaxo. — Evie observou Sam levantar lentamente, segurando com as mãos os braços da cadeira para erguer seus 54 quilos de carne flácida.

— Então, Evie-le, o que eu possa fazer por você? — perguntou Bette inocentemente, assim que Sam saiu, apesar dela saber muitíssimo bem que Evie estava lá atrás de conselhos.

— Estou confusa — começou Evie, preparada para explicar melhor. — Isto é, na última vez em que conversamos...

— Deixe-me adivinhar. Jack foi um panaca *aparrecendo* bem na hora de atrapalhar você e as coisas com Edward estão bons demais. Acertei, não?

Evie estava cansada de desonestidade. Ela não pegara o trem até Greenwich para dizer meias verdades. Ela olhou para sua avó diretamente e falou:

— Acho que isso basicamente resume tudo. Jack me ligou. E me mandou e-mails. É uma mudança muito grande de onde eu e ele paramos.

— Aquela Jack fez uma *estrrago* em você. — Bette suspirou. — É claro que isso também é culpa seu. Você *semprre* quer os inatingíveis. Você não quer ser parte de uma clube que quer você como sócio.

— Sei disso, vovó.

— Então me escute. Você quis Jack tanto tempo. Não consegue pensar em esquecê-la depois de o *querrer* e *querrer* mais ainda. Mas agora tem Edward. Um homem de verdade. Muito melhor para você. Claro que foi fácil demais. Ele não faz você suar do lado da telefone esperando ligação. Então naturalmente você não sabe se ela é bom o bastante para você. Você só quer uma homem que você precisa convencer.

— Não é exatamente verdade, vó. É claro que eu quero alguém que me ame de verdade. Não alguém que preciso manter calmo para que não me dê bolo no dia de nosso casamento.

— Você sabe o que está fazendo, não sabe? — Bette deu um gole deliberadamente lento em seu chá e juntou as mãos sobre o colo, como um Buda.

— E o que é que estou fazendo? — perguntou Evie, apesar de já ouvir a previsível resposta na cabeça: "Está sendo *meshuga*. Está *estrragando* sua vida." Ou alguma variação do mesmo tema.

— O que você está fazendo é procurar caroços.

— Procurando caroços? Do que está falando? Isso não tem nada a ver com câncer. Nem com minha hipocondria. Que está bem melhor, muito obrigada.

— Não estou falando da câncer. Me escute, *bubbela*. Eu passei minha vida me *prreocupando*. Procurando caroços. Mas sabe o quê? Eu nunca imaginei que ia perder minha filho. A gente nunca sabe o que está por vir, não importa quanto a gente tenta se preparar ou prever. Você não *contrrola* como seu vida vai ser. Então apenas viva e *parre* de ter medo de ser feliz.

— Está bem, talvez tenha razão. Talvez eu procure sim por caroços, como disse. Mas mesmo que eu consiga deixar minha loucura de lado, não tenho certeza se Edward ainda vai me querer. A filha dele acabou de fazer cinco anos e não fui convidada para a festa. Ele disse que não queria dar esperanças a ela se não teríamos definitivamente um futuro juntos.

Evie tinha ligado para Edward no dia seguinte de seu encontro no parque para se desculpar por seu comportamento áspero e confuso. Ele atendeu mesmo estando no trabalho, mas foi mais seco que o normal. Ela se viu atropelando palavras e não dizendo muita coisa com coisa afinal. Evie queria implorar a ele para que tivesse paciência, queria explicar como tinha sido difícil deixar Jack ir uma segunda vez — mesmo que ela não tivesse certeza de ele ter sido dela algum dia. Mas aquilo teria feito Edward desistir de vez, então ela simplesmente sugeriu que eles se encontrassem aquela noite para tomar um drinque e conversar mais um pouco. Ele escutou pacientemente, mas respondeu que não queria vê-la até ela ter se resolvido de vez. Bette fez uma careta ao escutar Evie relatando os detalhes.

— Evie, por favor. Não me faça me arrepender de ter juntado você e ele.

Evie levantou a cabeça subitamente.

— O que quer dizer com juntado? — perguntou ela, em choque. Evie contara a Bette meses atrás que estava saindo com Edward, e Bette nunca dissera nada sobre ter tido participação naquilo, além de ser o óbvio motivo pelos dois terem se conhecido.

— Evie-le, me dê algum crédito, por favor. Quem você acha que contou a Edward todas aqueles coisas *marravilhosos* sobre você? Mostrei fotos suas no seu festa de formatura. *Querria* que ele visse você maquiada. É por isso que pedi para você ir ao hospital todo arrumada no dia do meu cirurgia. Eu queria que Edward visse como é bonita. Quando tenta, é claro.

— Mas gritei com você quando achei que estava tentando armar para mim com um homem casado. Você sabia que ele era divorciado e não me contou? Contei a você que estávamos juntos logo após nosso primeiro encontro. Poderia ter me contado aquele dia.

Bette olhou para Evie de um jeito que a fez se arrepiar.

— O que posso dizer? Achei que era melhor você não sair com ela logo. Ele é tão bonita. E bem-sucedido. Achei que *serria* melhor você ser você mesmo perto dele. Não nervosa demais, nem se esforçando demais. E se você soubesse que eu estava por trás de tudo, nem teria dado um chance. Só estou contando agora por que vocês dois já se conheceram. — Bette pegou o cobertor que estava em seu colo e envolveu seus ombros. Era estranho ver aquele gesto de fragilidade numa mulher que era uma força da natureza.

Evie queria se sentir zangada por Bette tê-la enganado. Podia ter evitado o horror de perguntar a Edward sobre congelamento de óvulos, entre outras coisas embaraçosas que ela perguntara a ele. Mas o que Bette estava dizendo realmente, apesar de num jeito meio sarcástico, era que ela sabia que se sua neta se comportasse naturalmente perto de Edward, ele gostaria dela. Todo o resto se encaixaria, exatamente como se encaixou. Ou até Jack voltar à história, enviando um namoro antes harmonioso direto pro ralo.

— E Edward? — perguntou Evie. — Ele sabia de seu plano?

— Claro que não — garantiu Bette. — Vocês dois eram como meus peões. Falei para ele que eu não sabia nem se você tinha *namorrado*, com quem estava saindo etc. Para aguçar o *interresse* dela, sabe? As coisas não são tão diferentes hoje do que eram na minha tempo. Mas Evie, não posso dizer a você o que fazer.

— Não pode? — perguntou Evie, imaginando se a radioterapia poderia ter de alguma maneira apagado a parte da personalidade de sua avó que a autorizava a dizer aos outros como viver suas vidas. Ela deveria avisar tia Susan que agora era seguro voltar para a Costa Leste.

Evie beijou sua avó na testa e a ajudou a se levantar da cadeira. Juntas, de braços dados, elas caminharam de volta para dentro de casa, onde Fran as estava esperando com um prato de cookies e de frutas, e Sam estava, como prometera, falando com seu corretor pelo telefone. Evie tivera apenas um lampejo de esclarecimento, mas estava se sentindo muito grata pela sua amável família assim mesmo.

No trem de volta para a cidade, Evie não conseguiu parar de pensar na armação de sua avó. O que Bette não percebera, sendo uma octogenária, era que seu plano só dera certo porque coincidira com as férias de Evie da internet. Se ela ainda estivesse procurando no Google cada pessoa que conhecia, mais especificamente cada homem, teria sabido então que Edward não era casado. Teria olhado para ele como um macho em potencial e agido de forma totalmente diferente perto dele, exatamente como Bette disse. Ou teria ficado desanimada pelo divórcio famoso e tido uma impressão completamente errada de quem ele era. Suas primeiras conversas tinham sido confortáveis justamente porque ela não estava tentando fisgá-lo. Em vez disso, estava sendo apenas ela mesma, a parte boa, a ruim e a feia bem ali. E ainda assim Edward tinha gostado dela.

Mas estar off-line também fez Jack voltar a seu mundo. Ele confessara aquilo quando disse a Evie que ignorar seus e-mails o estava deixando louco. Quem teria imaginado que atirar seu computador no reservatório poderia ter feito ele a pedir em casamento um ano antes?

O mais surpreendente de tudo era que se desconectar também a tinha ajudado profissionalmente — algo notável numa cidade onde smartphones são mais comuns que roupas íntimas. Se ela ainda estivesse na rede, teria distribuído seu currículo logo depois de sair do Baker Smith e provavelmente estaria ralando em algum outro grande e ingrato escritório de advocacia àquela altura. E quando Caroline a pediu para redecorar o escritório de Jerome, ela teria gritado que estava mergulhada até o último fio de cabelo numa fusão de bilhões de dólares sem nem um segundo de sobra para ajudar. Não teria havido possibilidade alguma de ela jamais ter feito aquela inscrição na New York School of Interior Design.

Ficar no escuro tinha mudado o rumo de sua vida. Evie só esperava que tivesse sido para melhor.

# # #

Stasia ligou inesperadamente alguns dias depois da visita a Bette.

— Estou com saudade, Evie — disse ela, num tom de voz aparentemente cansado, mas sincero. — Podemos ir tomar um café?

— Quando quiser, onde quiser. Obrigada por me dar mais uma chance.

Elas combinaram de se encontrar num Starbucks naquela mesma tarde. Muitos meses haviam se passado com Evie se preocupando com Edward, e agora Edward e Jack, em vez de cumprir a promessa de restaurar aquela amizade. Ela finalmente entendia que a barreira entre as duas aqueles anos todos tinha sido sua própria inveja. E uma inveja equivocada, ainda por cima. Todo aquele tempo Evie havia evitado compartilhar com Stasia seus problemas de relacionamento, achando que sua amiga — que parecia nunca ter passado por solidão ou ter tido seu coração partido — não entenderia. Agora as coisas eram diferentes, e Evie suspeitava de que haveria mais reciprocidade nas suas conversas, mesmo que ela ficasse angustiada por ter sido preciso uma crise matrimonial para chegar àquele ponto.

Stasia parecia mais magra que nunca e seus cabelos normalmente brilhantes estavam opacos e desarrumados. Mesmo assim continuava uma mulher bela, como as verdadeiras mulheres belas sempre continuam.

— Como você está? — perguntou Evie, se sentindo boba perguntando aquilo.

— Estou me recuperando. Rick tirou suas coisas de casa mês passado. Não ter de olhar suas cuecas nojentas todos os dias tem ajudado. Quase cheguei a queimar as coisas dele, mas me segurei. E você? As coisas com Edward ainda estão bem? Tenho acompanhado de longe através de Tracy e Caroline.

— Na verdade, as coisas estão ruins agora. Adoraria um conselho seu.

— Tem certeza? É bom saber que alguém me considera capaz de dar conselhos amorosos dado o desaparecimento de meu marido.

— Ei — disse Evie numa voz firme —, ninguém jamais foi melhor que você em deixar todos os bonitinhos da faculdade de quatro.

— É verdade — admitiu Stasia, dando de ombros. — Mas acredite, essa experiência me trouxe bastante humildade.

— Sinto muito, Stasia. Queria poder fazer alguma coisa para você se sentir melhor. Sei que não se compara mas também já passei por essa lição de humildade antes. Dar aquele ultimato a Jack e vê-lo disposto a me deixar ir... aquilo foi um baque. E agora, bem, não sei qual a minha situação.

Evie a deixou a par de sua série de encontros com Edward, e sobre ter encontrado Jack no Ano-Novo.

— Comecei a agir como uma maluca depois de rever Jack. Tivemos uma conversa na sala dele. Eu não sei... parecia que ainda existia alguma coisa lá. Então voltei para a mesa e Jack se aproximou para se apresentar a Edward. Eles se cumprimentaram, e juro a você, foi como ver meu passado e meu futuro implodirem simultaneamente. Jack disse para Edward não me deixar escapar. O que isso quer dizer? Por que ele diria uma coisa dessas se não está arrependido? Enfim, o resto do jantar foi um desastre. Metade do tempo eu estava tentando deixar Jack com ciúmes me atirando em cima de Edward e a outra metade eu estava tentando provar a Edward que Jack era passado. E depois, escuta só essa: Jack me ligou. Disse que também havia me mandado e-mails. Disse que tinha saudades de conversar comigo. E do meu rosto. Agora Edward quer me ouvir dizer que definitivamente não sinto mais nada por Jack. E pareço não conseguir dizer essa simples frase.

— Bem, e ainda sente? — perguntou Stasia. — Alguma coisa por Jack?

— Acho que não. Isto é, eu amo Edward. Disso tenho certeza. Mas existe pelo menos uma parte minha que precisa que Jack saiba que estou ganhando, ou pelo menos que o faça se arrepender de não ter se casado comigo. Se ainda me importo com isso, não significa que não estou realmente cem por cento com Edward?

Stasia deu um gole no seu *chai latte* e demorou um longo minuto para responder.

— Acho que não. Olha para mim, por exemplo. Eu desprezo Rick de verdade agora, mas adoraria que ele pensasse que estou saindo com algum astro do cinema. Isso significa que quero voltar com ele? Nem de longe. Mas ainda quero que ele ache que estou ótima.

— Entendo isso. Entendo de verdade, aliás. É meio que para isso que serve o Facebook.

— Totalmente. Ah, e por acaso viu meu equipamento de laboratório quando esteve no JAK?

— Do que é que está falando? — perguntou Evie, surpresa.

— Emprestei a Jack um monte de tubos de ensaio, conta gotas e provetas quando ele estava experimentando com gastronomia molecular. Ele nunca os devolveu. Eram tipo quinhentos dólares de material, mas foi logo antes de vocês terminarem, então eu não podia falar nada.

— Desculpe, querida, não me lembro de ver nada disso por lá.

— Idiota — desabafou Stasia. — Edward é muito melhor que ele.

— Então o que você acha? Como posso mostrar a Edward que estou comprometida em fazer nosso relacionamento dar certo? Não quero que ele ache que ainda gosto de Jack, ou pior, que ele está servindo apenas para eu me recuperar.

— Bem, detesto usar uma das artimanhas de Jack, mas nunca se pode errar com comida. Por que não faz um jantar maravilhoso para Edward na sua casa? Prepare os pratos preferidos dele. Acenda umas velas. E sente-se com ele e faça o que vocês tinham planejado na noite de Ano-Novo. Diga o quanto gosta dele. Como não se sente feliz assim há séculos... se é que já se sentiu antes. Deixe-o seguro quanto a Jack. Conte para Edward como você ficou magoada quando Jack deixou você terminar e se casou logo depois. Não se esqueça de que Edward já foi casado. Está preocupada é de não haver mais espaço para Jack na sua cabeça se for em frente com Edward. Não é assim que as coisas funcionam. Rick sempre será parte de mim. Essas pessoas que ocupam algum espaço nas nossas vidas, elas não desaparecem completamente. Elas deixam marcas. Está entendendo?

— Acho que você acertou em cheio — admitiu Evie. — Esse tempo todo me senti culpada toda vez que Jack passava pela minha cabeça. Mas não é como se eu pudesse ter amnésia e esquecer de dois anos inteiros da minha vida. Acho que Edward entenderia se eu conseguisse explicar isso coerentemente para variar. Ele mesmo já falou que Georgina sempre fará parte de quem ele é.

— Exatamente. Então, tem mais alguma coisa? Estou boa nisso hoje.

— Acho que é só para mim. E você, Stas? Estou preocupada.

— Vou ficar bem. Tenho boas amigas. — Ela colocou sua mão sobre a de Evie.

— Não sou uma delas. Eu deveria ter ido bater na sua porta depois daquela noite no hospital, ou pelo menos mandado alguém dar uma surra em Rick. Fiquei totalmente mergulhada em meu novo relacionamento, como uma adolescente.

— Pare com isso. Estou feliz que tenha encontrado alguém.

— Falando em encontrar alguém, o que acha de contadores?

— Nada de ruim. Rick calculava nossos impostos. Daqui a pouco estamos em abril e estou ferrada.

— Digo de um ponto de vista romântico. O neto do namorado da minha avó aparentemente está a procura de um novo amor.

— Minha nossa. Preciso pensar a respeito. Recentemente me cadastrei num site assustador chamado Hinge. E, de qualquer maneira, você tem um telefonema para dar e alguns pratos para fazer. E eu vou voltar para o laboratório.

— O laboratório? Hoje é sábado.

— Prefiro passar meu tempo com ratos do que com homens hoje em dia. Apesar deles terem muito em comum.

— As coisas vão dar certo para você — assegurou Evie.

Stasia ergueu uma das sobrancelhas e devolveu:

— Você nunca acreditava na gente quando falávamos isso.

Evie riu.

— Acho que me tornei mais otimista.

— Puxa, talvez eu também deva parar de usar internet — sugeriu Stasia. — Me faria bem mudar de atitude. E me concentrar no trabalho. Olho o status de Rick no Facebook de cinco em cinco minutos. Nada bom para quem conta com uma cura para o Alzheimer.

— Ahhh, sei bem como é isso — disse Evie saudosamente. — Ou devo dizer que sabia bem?

Evie deu um último gole em sua bebida e continuou:

— Então vai realmente deixar Rick se safar? Sem nenhuma vingança? Você é uma mulher melhor que eu.

— Bem — respondeu Stasia, sussurrando —, lembra que comentei que meu pai entrou no comitê de segurança interna do governo?

— Sim — afirmou Evie, sem saber o que aquilo queria dizer.

— Ele colocou Rick na lista negra dos aeroportos. Mal posso esperar para ele tentar fazer uma viagem com sua amante.

# # #

Evie ligou para Edward assim que se despediu de Stasia para convidá-lo para jantar na sua casa aquela noite. Ela disse que precisava vê-lo. Que estava louca de saudades. E que queria cozinhar para ele. Felizmente, ele aceitou.

Ela correu até a melhor mercearia do bairro. Quando passou pelos inhames, começou a se inspirar. Faria um jantar de Ação de Graças para Edward em pleno janeiro. Ele havia dito que achava uma pena só comer daquele jeito uma vez por ano, então ela encheu seu carrinho com o peru, as vagens, uma torta de nozes pronta e os ingredientes para um purê de batata-doce. Confusa com as filas do caixa — dez itens ou menos significava contar cada inhame ou o saco inteiro contava como um? —, Evie se sentiu uma turista no mercado. Estava acostumada a pedir comida pela internet no FreshDirect, preguiçosamente escolhendo a opção "repetir último pedido", mesmo que aquilo significasse receber múltiplas vezes cominho e coentro e outros itens que ela acabava nunca usando. Quando passou a não poder mais fazer aquilo, ela comprava cereal e outras besteiras numa Duane Reade e na venda da esquina.

Depois de passar na loja de bebidas e comprar duas garrafas de vinhos vencedores de prêmios recomendadas pelo gerente — um vinho branco do Vale do Ródano e um Bordeaux tinto —, ela correu para casa. Estava carregando sacos de compras tão cheios que mal podia ver o que estava à sua frente. Ela procurou o botão do elevador e esperou que estivesse saindo no andar certo.

— Precisa de ajuda? — perguntou uma voz familiar, assustando-a. Os sacos de papel bloqueando sua visão caíram no chão.

— Jack? O que está fazendo aqui? — perguntou Evie, sem nem olhar a comida esparramada a seus pés.

Ele estava sentado ao lado de sua porta, com uma camisa de botão e a parte debaixo de seu uniforme de chef, com um jornal aberto no colo.

— Finalmente você chegou. Eu já estava lendo as matérias pela segunda vez.

— Desculpe fazê-lo esperar — respondeu Evie, acidamente. — Por que está na porta do meu apartamento?

— Primeiro, deixe-me ajudar você. Nunca soube que você cozinhava. Não imagino que seja para Edward, certo? — Jack se abaixou na frente dela, e Evie sentiu seu cheiro familiar de alho e manteiga misturado com seu xampu de gengibre. Ela respirou fundo, apesar de tudo.

— É sim. Deixe-me levar isso para dentro. — Evie se atrapalhou com suas chaves, irritada por suas mãos estarem tremendo. Ela olhou o relógio. Não restava muito tempo para preparar tudo e se arrumar. Ela realmente deveria pedir para Jack ir embora.

— Como está indo a Manhattan Maison? — perguntou ele, guardando as compras na geladeira. Evie congelou tentando se lembrar do que ele estava falando. Ela se lembrou bem na hora em que ele se virou de volta para ela.

— Ah, ótima. Acabei de terminar um projeto enorme no Upper East Side. — Caroline e Jerome moravam lá, então pelo menos parte do que ela estava falando era verdade.

— Fico feliz em saber. Sabe, Evie, eu disse que a deixaria em paz se quisesse, mas estou achando isso mais difícil do que pensava. Também queria perguntar uma coisa a você. Estou abrindo um novo restaurante e adoraria se fizesse parte. No JAK seria apenas uma reforma, mas no novo lugar há uma chance de você fazer um projeto inteiro de acordo com a sua visão.

Mais um restaurante? Ela não conseguiu evitar a inveja. Edward havia ganhado recentemente um prêmio acadêmico de prestígio, e ela ficou com vontade de contar aquilo à Jack. Mas pareceria óbvio e aleatório demais comentar aquilo casualmente. Então ela não falou nada.

— Enfim, tentei entrar em contato com você através do seu site, mas acho que ainda não o colocou no ar. Pensei em fingir que não a conhecia. Talvez assim você fosse aceitar o trabalho — confessou Jack. — Então, terá um conceito Franco Argentino e será em Midtown. Para quem vai ao teatro e à Broadway, mas definitivamente não para turistas. Apenas moradores.

Como Jack podia ser tão esnobe quando ele mesmo era de outro país? Edward nunca seria tão arrogante, mesmo tendo nascido e crescido em Manhattan.

— Parece incrível — comentou Evie, não recusando quando ele começou a picar os legumes que ela tinha comprado.

— Vou chamar de Evita — prosseguiu ele, erguendo o olhar para ela. — Gosta desse nome?

— É bom — respondeu ela, de maneira neutra. Será que ele estava sugerindo que o restaurante era inspirado no nome dela? Era possível? Ela honestamente não sabia como reagir.

— Espero que ache mais do que bom. Foi inspirado em você — admitiu ele.

Àquela altura ele já tinha começado a preparar a couve. Suas mãos trabalhavam sem esforço algum. Ela se lembrou de quando ele lhe contara que ser bom com uma faca era uma questão de pulso. Se você flexiona os bíceps, está fazendo algo de errado.

— Afinal, você estava do meu lado antes de eu fazer sucesso — continuou Jack. Isso era novidade para ela. Quando conheceu Jack, ele já era um nome respeitado no competitivo mundo da culinária de Nova York. Ela duvidava que sequer teria saído com ele se ele fosse um *restaurateur* iniciante. Ou Jack estava tentando lisonjeá-la ou reescrever a história na sua imaginação.

— De quem é isso? — perguntou Jack, levantando uma das mamadeiras esquecidas de Wyatt.

— Da tia Susan, se é que consegue acreditar. Ela adotou um bebê.

— Minha nossa. Aquela mulher sempre pensou o pior de mim. Não foi ela que disse que eu estava envenenando meus clientes quando descobriu que apenas metade dos meus ingredientes eram orgânicos?

— Ela definitivamente falou alguma coisa sobre você ser tóxico. Mas a acalmei.

— Bem, ainda assim, acho que ela nunca vai torcer por mim.

— Não há por que torcer. Tenho um namorado. E se as pessoas não estão torcendo por você, provavelmente tem mais a ver com o fato de você ser casado do que saber que seus brócolis são cheio de pesticidas.

— *Touché* — respondeu ele com uma expressão desamparada no rosto, e Evie se abrandou. — Olha, Evie, sei que ter reaparecido na sua vida foi súbito. Mas conheço você. Você gosta de complicações.

— Não sei não — respondeu Evie, sinceramente. Um casamento era mais que uma complicação. E ela estava irritada com a presunção dele quanto a ela. Ele nunca foi muito bom em perceber do que ela precisava, exceto quando estava colocando um prato de espaguete à bolonhesa à sua frente. — Tenho certeza de que sua esposa tem muito orgulho de você — continuou Evie, tentando voltar a conversa para a questão mais importante ali: por que Jack estava batizando seu novo restaurante com o nome dela se era casado com outra pessoa?

— Zeynup? Ela gosta da publicidade — constatou ele, dando de ombros.

Evie adorou ouvir Jack insultando sua nova esposa, mas ela não deixou aquele prazer transparecer.

Placar: Evie, um, amor do passado, zero.

— Mas sim, é claro que ela tem muito orgulho de mim e tem ajudado bastante — acrescentou Jack. Era típico de Jack dar e tirar logo em seguida. Evie se ressentiu da habilidade dele de alterar seu estado emocional em segundos.

Empate.

— Bem, isso é ótimo — respondeu ela. — Eu esperava que fosse assim, considerando que se casou com ela. — Ela não mediu suas palavras. Conforme sua irritação com Jack aumentava, ficava cada vez mais convencida de que merecia algum tipo de explicação sobre ele subitamente ter resolvido se casar.

— Quanto a isso, Evie — começou Jack, baixando a faca e deixando-a sobre a bancada. Ela achou que finalmente era a hora de uma conversa séria, envolvendo a completa atenção dele. Mas em vez disso ele pegou o peru e o colocou debaixo da torneira aberta. Ele aumentou o volume da voz para ser ouvido por cima da água corrente. — Sei que deve ter ficado surpresa quando soube que me casei. Para falar a verdade, foi tudo meio corrido. Zeynup engravidou e entrei em pânico e a pedi em casamento.

A-há! Ela sabia que só podia ter havido uma gravidez envolvida. Dois a um.

— Ela perdeu o bebê, mas àquela altura as preparações para o casamento já estavam encaminhadas. E eu realmente a amo.

Droga. Dois a dois.

— E agora? — perguntou Evie, andando até onde ele estava. Mesmo que achasse o motivo de Jack para ir em frente com o casamento covarde, ela mesmo assim estendeu a mão, deixando seus dedos tocarem a mão dele.

— E agora não consigo tirar você da cabeça. Evie, quando você apareceu no meu restaurante com aquele sujeito, achei que iria morrer — confessou ele.

Três a dois.

— Edward.

— Bem, a julgar por esse banquete que está tentando fazer, Edward ainda está na jogada. Ele tem muita sorte — disse Jack, colocando uma das mãos na nuca de Evie, fazendo ela sentir calafrios. — Quando não respondeu meus diversos e-mails, quase fiquei louco. Juro que fiquei olhando minha conta de e-mail a cada três minutos esperando que você finalmente tivesse resolvido entrar em contato.

Agora sabe como é, pensou Evie. *Não estar no comando, para variar.*

— E quanto a Zeynup? — perguntou ela, se afastando ligeiramente dele, mas não tirando a mão de seu pescoço. Os dedos dele começaram a subir pelo coque desarrumado dela até ele tirar o elástico que o prendia e soltar seu cabelos.

— Evie, ela vai entender. Acho que ela sabe a verdade por trás de estarmos onde estamos agora. Isso não seria nenhuma surpresa para ela. — Os legumes picados que ele colocara na frigideira estavam chiando e soltando um aroma caramelizado. Evie diminuiu a chama, pensando naquele simbolismo.

— Mas alguma coisa mudou, Jack? Não tenho mais vergonha de dizer que definitivamente quero me casar e ter uma família. — Ela sabia que era Edward quem estava lhe dando confiança para dizer aquilo em voz alta. Um homem maravilhoso que via melhor quem ela realmente era do que qualquer outro, que também queria tudo aquilo com ela, ou pelo menos ela achava que sim. Ele frequentemente falava do futuro. Então por que Jack não poderia?

— A gente fala sobre isso depois — disse Jack, empatando. Ele passou uma das mãos por suas costas e a levou até o seio de Evie. Ela odiou o fato de seus mamilos terem reagido imediatamente, se enrijecendo. Reflexos idiotas. Não tinha como Jack não perceber.

— Gostaria que você fosse embora. — Ela deu um passo largo para longe, para que não ficasse mais ao alcance de Jack.

— Por favor, me ligue — disse Jack, enquanto Evie o empurrava pela porta. Quando já estava do outro lado, ele continuou: — Tem certeza de que não quer que eu fique para pelo menos fazer esse jantar para você?

— Não. Vá embora. — Vitória.

Mas quando ela fechou a porta e olhou a bagunça que estava sua cozinha, Evie desejou que tivesse aceitado a oferta. Era o mínimo que poderia ter feito depois do inferno pelo qual a havia feito passar. Talvez Jack tivesse ganhado a partida, afinal.

Mas não, pensou Evie, não era nada disso. Ele não tinha mais vantagem sobre ela. Jack podia ganhar talvez uma rodada ou duas. Mas ela ganharia a partida.

Ele bateu na porta instantes depois. Ela abriu um pouco, e Jack forçou sua entrada.

— Evie, por favor. Preciso de você. — Ele avançou na sua direção, colocando sua boca na dela. Sua saliva tinha um gosto ácido. Ela recuou, com uma expressão de nojo encobrindo seu rosto como uma sombra.

— Jack, não vou mais avisar. Precisa ir embora agora e nunca mais voltar.

# # #

— Bradley Winter!

— Brad Winter? — Evie estava na Livrossauro, aliviada pela livraria ainda não ter sido forçada a fechar. Sua mãe ligara enquanto ela lia um artigo sobre inovações na pintura de estuque veneziano. Evie queria impressionar no primeiro dia de aula. — Por que está falando dele? — perguntou a Fran. Evie iria encontrar Caroline para irem ao cinema em alguns minutos e não tinha tempo de falar sobre namorados de escola.

— Sabe onde Bradley Winter está agora? — perguntou Fran, obviamente louca para contar.

— Mínima ideia. Não o vejo desde a formatura.

— Bem, pois eu sei. Ele é embaixador americano na República Tcheca. E adivinha o que mais? Está casado com uma modelo de revistas de biquíni. Eles têm três filhos. — Fran parecia satisfeita.

— E como é que sabe disso tudo?

— Facebook. Depois de você desistir daquela porcaria, fiz uma conta só para ver o que havia de tão interessante lá.

— E por que está me contando isso tudo? — insistiu Evie, surpresa com a linguagem de sua mãe.

— Porque você largou Bradley Winter depois que ele mandou flores e chocolates no Dia dos Namorados para você. Você achou que se ele queria tanto algo sério com você, estaria se conformando ao ficar com ele.

Aquilo era verdade. Na época, ela dissera a Fran que terminara com ele porque a casa dele tinha cheiro de peixe.

— Olha, você faz o papel da menina insegura, sem sorte por estar solteira, enquanto todas as suas amigas estão casadas. Mas a verdade é que você acha que ninguém é bom o bastante para você. Ninguém, a não ser a única pessoa que não a quis. Aparentemente o cara com quem você estaria disposta a se casar. Mas acredite em mim, se Jack realmente um dia se casasse com você, ele perderia a graça rapidinho.

— Nossa, mãe, há quanto tempo guarda esse discurso?

— Não muito. Tive uma epifania depois de olhar o perfil de Bradley.

— Parabéns. A única coisa que o Facebook fez por mim foi me deixar suicida — disse Evie, um pouco pensativa demais. — Claro, estou exagerando!

— Bem, isso é tudo culpa sua, Evie. Precisa pensar no seu futuro. Felicidade a longo prazo. O que você merece. Quem vai ser um pai melhor? Quem vai ser um marido melhor? Quem você ama? E por amor, estou falando de chegar em casa depois de um dia longo com os pés cansados e...

— Mãe, já entendi. Por favor pare de se preocupar comigo.

— Realmente espero que eu possa. Precisava falar com você antes de ir para New Haven com Winston e assistir à partida de squash de May.

— Não se esqueça de dizer a ela que mandei um oi — disse Evie sarcasticamente.

— Evie, pare com isso. As filhas de Winston são um amor. Elas praticamente idolatram você. O que tem contra elas?

— Me idolatram? — zombou Evie. — May nunca sequer me fez uma pergunta sobre Yale.

— Evie, por favor, não se faça de boba. Elas se sentem intimidadas perto de você. Você é bonita e bem-sucedida e tem essa vida incrível em Manhattan e as vê como bebês superprotegidas. Elas sabem disso. Eu também não me sentiria à vontade para lhe pedir conselhos. Preciso desligar porque Winston está me empurrando para a porta. Eu te amo — disse Fran.

— Também te amo, mãe.

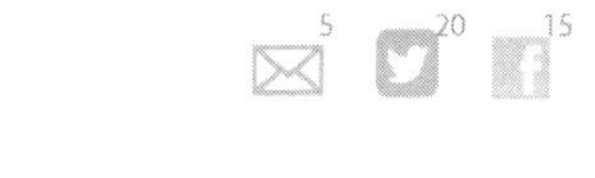

Capítulo 20

— Estou oficialmente velha — disse Evie, flexionando os pés ainda na cama para melhorar suas câimbras matinais.

Ela mal podia acreditar que era seu aniversário e o quanto havia mudado desde a primavera anterior. Pelo menos os últimos dois meses tinham sido calmos — da melhor maneira possível.

— Você parece tão nova quanto no dia em que a conheci. — Evie podia ouvir os barulhos familiares da rotina matinal vindo do banheiro: a escova de dentes batendo no copo de vidro, a espuma de barbear saindo da lata.

—Muito engraçado — respondeu Evie, apertando mais os cobertores em volta do corpo. Apesar disso ela estava bem feliz pelo que ele dissera. Muita coisa tinha acontecido. Se ela conseguiu não ganhar algumas rugas no processo, já era motivo para comemoração.

— Acho que já passou da hora de levantar, aniversariante — disse ele, aparecendo ao lado dela com duas xícaras de café escaldante, o dela feito exatamente a seu gosto. — Animada para hoje à noite? Vai ser divertido. — Caroline iria dar uma festa na sua casa mais tarde para comemorar o aniversário de Evie, que a fez prometer manter tudo íntimo e casual, mas Caroline não sabia ser anfitriã de nenhum evento com aqueles dois adjetivos. Pelo menos ela prometeu não servir vinho tinto em respeito aos móveis novos que Evie tinha encomendado para a sala de estar.

— É, vai ser bom todo mundo estar lá. — Ela se sentou, descansando a cabeça preguiçosamente na cabeceira da cama. — Mas, para falar a verdade, estou mais ansiosa pelo pós-festa. — Ela brindou a xícara dele com a sua, e os dois beberam entre sorrisos.

— Então, o que quer fazer hoje? O que você quiser, estou à sua disposição.

Evie estava decepcionada. Por mais que fosse uma gentileza, ela meio que esperava que assim que saísse da cama existisse um dia preparado para ela, um dia que poderia talvez até mesmo terminar num pedido de casamento. Mas agora estava parecendo que ela mesma teria que planejar suas atividades.

— Eu não sei. Não pensei muito nisso — mentiu ela.

— Vamos lá, com certeza consegue pensar em algo que gostaria de fazer.

Evie olhou para a janela. Era um perfeito dia de primavera, uma das vantagens de ter nascido em maio.

— Bem, acho que poderíamos dar uma caminhada, talvez tomar café da manhã na rua?

— Parece ótimo.

— OK, só vou vestir alguma coisa — disse Evie, pegando a calça jeans e a regata do chão ao lado de sua cama.

— Você fica linda de manhã. — Ele ficou parado ao lado dela só com uma toalha amarrada na cintura. Evie inspirou fundo para sentir o cheiro de sua pele recém-perfumada. Era difícil ficar zangada com ele, especialmente depois daquele comportamento louco dela alguns meses antes.

— Obrigada, Edward. Eu amo você. — Ela ficou na ponta dos pés e o beijou na boca. — Estou tão feliz por passar meu aniversário com você. Espera, feliz não é o bastante. — Evie parou e coçou o queixo como se estivesse refletindo profundamente. — Estou eufórica. Esta palavra descreve muito melhor.

— Eu também — disse ele, envolvendo com os braços a cintura dela.

— Aposto que todas as mulheres do hospital têm ciúmes de mim, não têm? — provocou Evie.

— Acho que não — respondeu Edward, coçando a cabeça. — Espera, o que é que estou dizendo? Elas rezam em grupo diariamente para você sumir.

Edward. Ele era tão confiante que não precisava impressionar Evie com histórias de mulheres indo atrás dele, como Jack costumava fazer. Ela tinha se acostumado a ouvir as histórias sobre garçonetes carentes pedindo aulas de culinária e bartenders pedindo para ele provar suas últimas invenções depois de o restaurante fechar pela noite. A princípio, quando Edward nunca mencionava nenhuma enfermeira nem parente de alguma paciente dando em cima dele, Evie se perguntara se ela era a única que o achava tão irresistível. Agora ela já entendia, e apreciava, o fato de Edward não precisar contar tais coisas, e talvez, apenas talvez, estar apaixonado demais por ela para sequer notá-las.

Eles saíram da casa de Edward, para onde Evie praticamente tinha se mudado, e foram de mãos dadas na direção do Zabar's. Evie tentou esconder seu desapontamento por um pedido de casamento estar parecendo cada vez mais distante. Bette já tinha lhe deixado uma mensagem quase de madrugada desejando um feliz aniversário, e Evie estava esperando de propósito para retornar a ligação caso tivesse notícias para dar. Mas Evie agora achava melhor ligar logo para sua avó, para que ela também não ficasse cheia de esperanças durante o dia. Felizmente, Bette estava bem, fazendo caminhadas rápidas pelo shopping Boca Beach, jogando baralho, e agora também com uma nova tradição: assistir a Sam fazendo comédia stand-up aos domingos na piscina do condomínio.

Depois de uns dez minutos caminhando em meio aos pedestres do meio da manhã, Edward falou:

— Vamos passar no seu apartamento rapidinho? Preciso ir ao banheiro antes de me entupir de açúcar e gordura.

Adorável. Não apenas ela não ficaria noiva hoje, como Edward agora também estava compartilhando informações sobre o funcionamento de seu corpo. Se não estavam casados, ela também não precisava saber sobre que horas ele precisava ir ao banheiro.

— Não pode ir no do Zabar's? — perguntou Evie, não se sentindo especialmente de acordo.

— Não. Quero usar o do seu apartamento — insistiu Edward. De repente o humor de Evie mudou. Deve ser agora! Edward estava tentando levá-la para seu apartamento, onde suas amigas sem dúvidas tinham espalhado pétalas de rosas e champanhe. Um diamante de corte-esmeralda estaria numa caixinha de veludo, esperando para envolver um dos dedos mais prontos para aquilo em toda Nova York.

— OK, querido, desculpe. Vamos subir.

No elevador, Evie se olhou no espelho. Se seu grande momento estava chegando, era melhor ela se ajeitar. Ela tirou o elástico que prendia seu rabo de cavalo, passou brilho labial e usou um pouco dele para ajeitar suas sobrancelhas despenteadas.

— É só o Zabar's — brincou Edward, enquanto ela se arrumava até chegarem ao décimo-nono andar.

— Só quero estar bonita no meu aniversário.

Quando eles chegaram na porta de sua casa, Evie inspirou profundamente. O momento havia chegado, e a antecipação era tão deliciosa quanto ela suspeitava que seria. Seu coração parecia dar pulinhos em seu peito, como as asinhas de um beija-flor. Seu estômago estava revirando. Se uma máscara de oxigênio caísse do teto na sua frente, ela a teria colocado de bom grado.

— Então? — perguntou Edward. — Preciso mesmo ir. Pode abrir a porta?

— Sim, sim, é claro — disse Evie, afobada. Seus dedos estavam formigando.

Quando ela abriu a porta, a primeira coisa que notou foi seu cardigã roxo e a echarpe leve xadrez que havia usado no dia anterior. Estavam embolados no braço do sofá, onde ela deixara depois de trocar de roupa. Se Edward fosse pedi-la em casamento ali, ele certamente teria arrumado tudo antes.

Edward desapareceu dentro do banheiro, e Evie começou a procurar freneticamente atrás das cortinas e em cada gaveta, em busca de alguma pista de um pedido de casamento iminente, mas não encontrou nada.

— OK, estou pronto — disse Edward.

— Ótimo, vamos embora — disse ela, rearrumando as almofadas do sofá.

— Mas espera, não quer saber o que é isso? — perguntou Edward, estendendo seus braços.

O banheiro. Era o único lugar em que ela não havia procurado.

Edward tinha na mão uma caixa embrulhada do tamanho de um livro grande.

— Feliz aniversário, amor — disse ele, entregando a ela o pacote. A não ser que fosse uma caixa com mais uma dúzia de caixas dentro, como uma matrioshka, não parecia que o que havia dentro iria agradá-la.

— Obrigada — disse Evie, surpresa com o peso do presente. — Nem imagino o que seja.

— Bem, antes de abrir, deixe-me dizer algumas palavras. Sei que é uma coisa que você não tem. E acredito que esteja pronta para aproveitar. Além disso, acho que vai realmente precisar.

Àquela altura, Evie já estava convencida de que estava prestes a ganhar um vibrador. Ela não tinha um. E iria aproveitar. E se Edward não iria pedi-la em casamento no seu aniversário de 35 ou em breve, ela definitivamente precisaria.

— Vá em frente, abra — pediu Edward, com um sorriso enorme no rosto.

— OK, lá vou eu — respondeu Evie, rasgando o papel do embrulho. Era laminado dourado, nada a ver com o gosto dela, e tinha um laço cafona em cima. — Uau, um computador novo.

O presente poderia até ter sido caro, mas errava feio. Até mesmo uma pulseira boba teria sido melhor que aquela máquina potente e nada romântica.

— Não gostou? — perguntou Edward.

— Sim, sim, eu amei. Muito útil. Quem não adora digitar? — completou ela, com humor.

— Bem, sei que seu computador antigo quebrou. E você disse que quando fizesse 35 voltaria a usar a internet.

Era verdade. Com seu primeiro semestre na New York School of Interior Design chegando em apenas alguns meses e projetos de verdade para colocar no site de seu novo negócio, usar um computador seria essencial. E, considerando como ela estava feliz com Edward, sentia-se pronta para voltar à internet. Fotos de casamentos e bebês dos outros não a fariam sair correndo atrás de um antidepressivo. Ela contara a Edward que planejava comprar um computador novo, e um iPhone e um iPad também. Mas ela prometeu a si mesma que usaria a internet de forma mais inteligente dessa vez — se recusando a ficar obcecada e esquecer de viver sua vida organicamente. E seus dias de stalker definitivamente também tinham ficado para trás.

Aparentemente, ele havia prestado atenção. Porque ela estava segurando um MacBook Air de onze polegadas com processador de 1.7GHz Intel Core i5. Pelo menos ele também colocara diversos extras, como o carregador portátil e leitor de DVD.

— Então, vamos ligar essa coisa — sugeriu Edward. — Já configurei tudo para você. Não está curiosa para ver seus e-mails depois de tanto tempo?

Uma lágrima solitária desceu por seu rosto. Edward percebeu e imediatamente a puxou para perto dele.

— O que foi, querida? — perguntou gentilmente.

— É só que, é só que... — Evie tentou falar alguma coisa. Talvez devesse contar a verdade a ele. — Eu não sei, talvez eu sempre fique meio decepcionada no meu aniversário. Geralmente chove.

— Bem, está um dia lindo. Olhe seu e-mail e depois a gente vai tomar café. Aposto que você tem mais de cinquenta mil e-mails à sua espera. Vai começar lendo pelos mais antigos ou recentes? — Edward parecia estranhamente alheio à fragilidade dela.

— Eu não sei. Qual a diferença?

Edward pareceu se desanimar.

— Tudo bem, me deixe ligar o computador — acrescentou ela com mais ânimo, abrindo o laptop lentamente e passando os dedos sobre as teclas.

— Tomei a liberdade de comprar o endereço www.manhattan-maison.com. Deveria dar uma olhada na página. Até criei uma logo para você. Está meio patética, mas pelo menos é um começo.

— Está bem, está bem, deixe-me ver. — Evie se sentou de pernas cruzadas no chão e prendeu o cabelo num coque alto. Ela na verdade se sentia alegre olhando a tela de um computador pela primeira vez em quase um ano. Talvez ganhar aquele presente não fosse tão ruim assim.

Ela digitou o endereço do Manhattan Maison que Edward reservara para ela. A página estava em branco, a não ser por uma frase: "Para acessar esta página, precisa completar sua autenticação. Por favor clique no link do e-mail de edward.r.gold@gmail.com para verificar sua identidade."

Daquele tipo de porcaria ela não sentira falta.

— Edward? — Ele havia desaparecido na cozinha. — Pode fazer um café? — Se ela realmente iria ler todos os e-mails que perdera durante o último ano, o Zabar's teria que esperar. Ele não respondeu.

Evie abriu seu Gmail. Sua caixa de entrada tinha 24.612 mensagens não lidas. Jesus. Por onde começar?

Estava claro que sua cabeça estava melhor hoje em dia do que um ano atrás, então ela resolveu só passar os olhos pelos e-mails mais recentes da lista. O assunto do e-mail era "Autenticação Manhattan Maison".

Ela o abriu, e subitamente o frio em seu estômago voltou. O e-mail tinha apenas uma frase, mas era a melhor coisa que já aparecera na sua frente, ou em qualquer outro lugar. Na fonte Times New Roman, tamanho 30, tudo em letras maiúsculas, Evie leu o seguinte:

EVIE ROSEN, QUER CASAR COMIGO?

Ela se virou e Edward estava logo atrás, num dos joelhos, com uma caixinha aberta. O anel parecia muito familiar. Era uma safira, rodeada por diamantes.

— O anel da minha avó — arfou Evie.

— Ela insistiu quando contei que faria o pedido.

Evie estava sem palavras de tão surpresa, tendo de contar com as últimas forças de suas cordas vocais para dizer a única palavra que precisava dizer.

— Sim — sussurrou ela. Em seguida, juntando mais forças, ela repetiu: — Sim, sim, sim, sim e sim.

Epílogo

Querida Alexia,

Realmente agradeço tudo que fez até agora por Edward e eu. Obrigada por nos ajudar a reservar o Brooklyn Botanic Gardens. Sabemos que vai ser um cenário perfeito para nosso casamento, mesmo que a exposição sobre besouros ainda esteja no hall da recepção e os banheiros estejam sendo renovados. O que é um casamento sem um imprevisto ou outro?

Descobrimos que você é parente de dois dos fornecedores que tão apaixonadamente nos encorajou a contratar. Graças ao Facebook, notei que o DJ Rhapsody é seu filho e que a Flowers Flowers Flowers é do seu primo Stephan. Acho que você deveria ter nos contado sobre esses parentescos antes de dizer que eram os únicos bons o bastante.

Como decoradora de interiores (e nova cenógrafa ainda não oficial do Greenwich Town Thespians), estou confiante de que vou conseguir fazer o casamento dos meus sonhos sem sua ajuda, mesmo que você tenha me dito que meu gosto quanto às toalhas de mesa era "duvidoso". Além disso, não há nenhum clichê num casamento todo branco. É clássico e elegante, e combina com nosso estilo.

Enviamos um cheque para você cobrindo a parte dos serviços que já havia prestado.

Com carinho,
Evie Rosen

Obs.: Você realmente precisa contratar uma nova calígrafa. Não sei se ela também é parente sua, mas Charlotte Appleby ("a melhor das melhores", como você disse), errou em alguns dos convites. Foi difícil explicar à dama de honra por que seu convite estava endereçado ao sr. e sra. Jake Poo. É L-O-O!!! E você teve sorte de minha avó B-E-T-T-E não enxergar mais tão bem, porque o nome dela estava escrito como B-E-T-T-Y. Esta é uma mulher que está planejando emoldurar o convite e o envelope. (Acredito que ela achava que esse dia nunca ia chegar.)

— Bem, Susan, o que acha?

— Está perfeito, Evie. Tem jeito para escrever. Além disso, não precisa de ninguém planejando seu casamento. Estou aqui para ajudar.

— Está? — perguntou Evie, incrédula. — Achei que tinha vindo a trabalho.

— Há tempo para as duas coisas.

Susan tinha lhe enviado um e-mail algumas semanas antes perguntando se ela e Wyatt poderiam se hospedar lá durante alguns dias. Evie agora tinha a casa de Edward para se refugiar, então não recusou. Estava morrendo de vontade de rever Wyatt, de qualquer maneira.

— Tudo bem. Só fico aliviada por poder dispensá-la por e-mail. Não teria gostado de fazê-lo cara a cara, nem pelo telefone. Graças a Deus voltei a entrar na internet.

— Voltou? — perguntou Susan, confusa.

— Contei a você que tinha parado de usar a internet, lembra? Você falou que eu podia fazer parte do novo movimento antitecnológico da Novos Horizontes — explicou Evie, tentando sacudir a memória de sua tia, prejudicada por sabe-se lá o quê.

Susan sorriu condescendentemente.

— Evie, francamente, sair da internet? Isso é tão démodé. O que importa agora é Internetismo Responsável.

— Que bom que estou de acordo com os novos tempos, então.

— Certamente. Olha, Evie, você foi um anjo por me deixar ficar com você novamente. Foi tão divertido na última vez.

— Vovó ia fazer a cirurgia na época. Não sabíamos se ela conseguiria sobreviver.

— Bem, sim, sei disso. Mas você e eu conseguimos colocar a conversa em dia. E você conheceu Wyatt.

Ao ouvir seu nome, o adorável bebê cambaleou até a sala, com um dos sapatos de Evie na mão. Tinha aquele andar bêbado de quem acabara de aprender. Wyatt crescera muito em poucos meses. Estava com o rosto de um homenzinho e já sabia comer cereal sozinho, um punhado babado de cada vez.

— Mama! — exclamou ele, agarrando o tornozelo de Susan.

— Sim, meu doce. Vai passar tempo com a titia Evie essa semana.

Tia, não! Prima!

— Então por que exatamente voltou a Nova York? Seu e-mail foi meio confuso.

— Sim! Sim! Você precisa conhecer meu novo parceiro de negócios antes que eu possa explicar tudo. Ele estará aqui a qualquer minuto. É meu amigo Anton. Ele também mora na Novos Horizontes. Mesmo que a ideia tenha sido minha, o chamei por causa de sua experiência com marketing. Vai adorá-lo. Vou mandar ele fazer para você algumas de suas famosas empanadas de *tempeh*.

— Falando em comer, pedi um prato vegano para você no casamento.

— Ah, isso vai ser um problema. Não falei no meu e-mail que só estou comendo alimentos selvagens agora?

— Pois no Brooklyn Botanical Gardens você não vai comer. É bom você levar sua comida ou então vai passar fome.

Susan soltou um gemidinho, para o qual nem ligou.

— Ele chegou! — exclamou Susan, ao ouvir o interfone alguns minutos mais tarde.

Anton cumprimentou Susan com um beijo na boca. Amigo hein? E era igualzinho a Jerry Garcia, se o cantor tivesse passado a vida à base de uma dieta rigorosa de sorvete. E por que ele estava carregando uma mala?

— Deve ser a Evie — disse ele. — Que bom que concordou em hospedar a gente enquanto estamos em Nova York.

A gente?

— Anton, ainda não perguntei a Evie se você também podia ficar aqui. Evie, não se importa, não é? — Susan olhou para Evie com cara de cão carente, mas não havia nada de irresistível numa lunática de mais de sessenta anos de idade que não conseguia lidar direito com sua família.

Quando Evie demorou a responder, Anton ofereceu:

— A gente hospeda você e seu noivo na Novos Horizontes com prazer a qualquer hora que quiserem.

Aquilo não ajudava em nada. Mesmo que pudesse se refugiar com Edward, Evie não gostava muito da ideia do trio Susan, Anton e Wyatt (uma gracinha, mas um verdadeiro capeta) ficando no seu apartamento sem supervisão.

— Tudo bem. Mas apenas uma noite, OK? Voltei a estudar e tenho muita coisa para ler. Então, que negócio é esse que vocês estão fazendo?

— Estamos começando um serviço de ama de leite on-line. Pessoas que não podem amamentar por motivos médicos ou porque adotaram seus filhos muitas vezes querem que os bebês se alimentem de leite materno. Mas não há garantia de que a ama de leite está ingerindo uma dieta estritamente orgânica. Meu negócio vai ajudar as mães a entrarem em contato com amas orgânicas. Pode investir se você quiser. Estou oferecendo a oportunidade à família e aos amigos antes.

— Hum obrigada, mas estou meio apertada de grana.

— Bem, se mudar de ideia, sabe onde me encontrar. Deixe-me mostrar uma coisa a você. — Ela arrancou o elástico amarelo que prendia um pôster enrolado sobre sua mala. O cartaz dizia LEITE DA MÃE NATUREZA e tinha a foto de um bebê asiático mamando no seio de uma negra robusta enquanto ela comia folhas diretamente de uma árvore.

— Bem legal, não acha? — perguntou Susan. — Anton era designer gráfico da Coca-Cola.

— Parece bem profissional — comentou Evie. — E diversificado.

— Obrigada. Estou fazendo tudo isso pelo Wyatt. Agora tenho mais um para alimentar. Com Leite da Mãe Natureza, é claro.

— A esposa de Anton está encarregada da publicidade — acrescentou a tia de Evie despreocupadamente. — Vamos fazer uma campanha apenas pelas redes sociais.

— Espera, espera, espera. Anton... você é casado? Sua esposa não se importa com sua, bem, amizade com Susan?

— Nem um pouco — respondeu ele.

— Rain é minha melhor amiga. Ela adora que eu tire Anton do seu pé — acrescentou Susan com uma piscadela, mexendo no armário da cozinha de Evie. — Tem espelta? Preciso dar comida a Wyatt.

Evie deveria estar parecendo estupefata, porque Susan se sentou e colocou uma das mãos sobre seu joelho.

— Evie, meu bem, não existe um caminho definido. A vida é bem melhor quando é complicada. Confie em mim — assegurou Susan, cheia de convicção. Suas palavras ecoaram o que Jack lhe dissera pelo telefone meses antes.

Que palhaçada.

Ela só desejou que Edward estivesse com ela naquele momento para que compartilhassem um revirar de olhos de intimidade. Ela contaria a ele mais tarde, quando estivessem aconchegados na cama dele depois de pedirem comida e assistirem a uma maratona de *Antiques Roadshow*.

# # #

O seio inchado e generoso de uma desconhecida asiática foi a primeira coisa que Evie e Edward viram quando voltaram de mãos dadas ao apartamento dela na tarde seguinte, um pouco altos depois de passarem o dia experimentando vinhos para a recepção. Susan, Anton e Wyatt já deveriam ter ido para o Holiday Inn na rua 57 a essa hora.

— Sou Angela — disse a mulher seminua de onde estava sentada. A seus pés estavam três bebês, incluindo Wyatt, mastigando diversos objetos queridos de Evie — uma colcha de cashmere cara, a capa de um livro de fotografias da Chanel de edição esgotada, e, a maior catástrofe de todas, seus novos chinelos felpudos.

A mesa de jantar, onde ela havia espalhado seus livros e rascunhos das aulas de desenho, estava agora coberta com mais equipamento eletrônico que um bureau de impressão.

Ao redor da mesa estavam sentados diversos outros estranhos. Susan e Anton não estavam.

— Olá — começou Evie hesitantemente, quando ninguém na sala ofereceu nenhuma explicação por sua presença.

— Veio para as fotos? — perguntou um homem careca. Havia um maço de cigarros saindo do bolso de sua camisa. Evie o mataria se descobrisse que ele tinha fumado na sua casa.

— As fotos? — perguntou Evie.

— É, para o Leite da Melhor Natureza.

— É Leite da Mãe Natureza — corrigiu uma mulher magra de cabelos azuis, também na mesa de Evie, voltando a seu crochê em seguida.

— OK, desculpe pessoal, voltamos — anunciou Susan, entrando no apartamento. — Ah, que bom, Evie, Edward, estão aqui. Podem nos dar algumas opiniões. — Anton entrou logo atrás, carregando uma câmera com uma lente de dez polegadas.

— Tia Susan, o que está acontecendo aqui? — exigiu saber Evie, indicando a mulher nua em seu sofá.

— Não se preocupe, Evie. Vai todo mundo embora em alguns minutos. Anton esqueceu nossa apresentação do PowerPoint em casa, então tivemos que nos virar para montar alguma coisa aqui. Espero que não se importe. Só precisamos tirar algumas fotos, e em seguida seu apartamento volta ao normal.

— Como arranjou todas essas pessoas tão em cima da hora?

— Craigslist.

Naturalmente.

— Susan — começou Edward. — Evie está bem estressada com o casamento. Tem trabalhos da faculdade para fazer. Acho que você vai ter de arranjar outro lugar para trabalhar.

— Estamos quase terminando — garantiu Susan. — A propósito, adoraria ouvir sua opinião sobre a modelo, considerando que é especialista em seios. Acha que o peito dela vai fotografar bem?

— Evie — disse Edward, empurrando sua noiva de volta até a porta. — Preciso ir embora. Tipo, agora. — Ele parecia estar suando frio.

— Eu sei, eu sei. Mas preciso ficar até essas pessoas saírem. Nossos cartões de RSVP estão aqui. Meu vestido está pendurado no closet. Não posso ir embora e deixar esses doidos zanzando por aqui.

— Cinco minutos no máximo, Evie. Prometo — insistiu Susan, sem se ofender nem um pouco. — Angela. Está na hora. Vamos usar Wyatt nessa foto. Coloque-o junto de seu seio e segure a maçã com a outra mão. E não se esqueça de sorrir.

— Certo, pessoal — avisou Anton. Ele levou a câmera até os olhos. — DIGA FAAAAACEBOOK!

— Para mim, chega — disse Edward, abraçando Evie. — Também vou parar de usar internet.

— Acho que você não será o único depois dessa.

— Esqueça os RSVPs, Evie. Só quero sair daqui, levar você para minha casa, te beijar, e comemorar o quanto somos normais. Consegue se contentar com isso?

— Para sempre.

Agradecimentos

É preciso um mundo de gente para publicar um livro e estou profundamente agradecida a todos que ajudaram a fazer *Menina, desliga o celular!* se tornar realidade.

A equipe na William Morrow não poderia ter sido melhor. Obrigada à minha brilhante e perspicaz editora, Lucia Macro, por sua reação tão entusiasmada ao romance e por aceitar Evie tão sinceramente. Muita gratidão à equipe do marketing, especialmente Jennifer Hart e Molly Birckhead, e minha assessora, Katie Steinberg, por ajudar este livro a alcançar leitores tão diversificados. Shelly Perron fez um excelente e preciso trabalho com a edição, sem dúvidas uma tarefa cansativa. Jeanie Lee foi uma maravilhosa editora de produção. Julia Gang, que desenhou a capa, acertou de primeira e sou tão grata por isso. Nicole Fischer, você estava sempre tão a par de tudo, agradeço muito. Finalmente, obrigada, Liate Stehlik, editora na William Morrow, por se arriscar com uma escritora de primeira viagem. Estou tão orgulhosa por fazer parte da família William Morrow.

Minha agente, Linda Chester, que tem mais experiência de mercado editorial num fio de cabelo do que eu no corpo inteiro, fez um trabalho maravilhoso para levar este livro ao mercado. Obrigada por me apoiar, acreditando tanto na importância de bons livros, e encorajando minha carreira tão apaixonadamente.

Tanya Farrel e Wunderkind PR fizeram um trabalho incrível divulgando este livro e organizando tantas aparições especiais para mim.

Anika Steitfeld Luskin: por onde começo? Só você sabe como me ajudou. Você não só transformou *Menina, desliga o celular!* num livro bem melhor, como também enriqueceu muito minha vida com sua amizade.

Tive muitos primeiros leitores, e em particular gostaria de agradecer a Jennifer Belle, Sara Houghteling e Cristina Alger, todas autoras extremamente talentosas, por seus valiosos comentários. Uma menção especial a mais uma Houghteling, Charlotte, que é simplesmente a pessoa mais otimista e encorajadora da face da Terra. Também devo muito ao dr. Jaime Knopman e à dra. Lynn Friedman, que gentilmente cederam um tempo de suas agendas cheias para me informarem quanto a questões sobre o câncer de mama.

Meu marido, William, minha rocha e meu melhor amigo. Sinto-me a pessoa mais sortuda do mundo por tê-lo ao meu lado. Com doses iguais de incentivo e mimo, ele nutriu esse projeto e me encorajou a continuar indo em frente. E naturalmente gostaria de agradecer a meus lindos filhos Charlie, Lila e Sam. Vocês podem ter me interrompido pelo menos mil vezes enquanto eu tentava escrever, mas definitivamente cada uma delas valeu a pena, só por poder olhar para seus rostinhos lindos. Amo vocês infinitamente. Meus pais, Shelley e Jerry Folk, são basicamente o sonho de qualquer filha. Eles me deram tudo de que eu precisava para me sair bem, e continuam a me proporcionar um amor sem limites. Em particular minha mãe, para quem este livro é dedicado, que me aturou falando sobre ele incansavelmente durante os últimos anos e que é verdadeiramente minha maior fã. Para minha família emprestada — meus amáveis sogros, Marilyn e Larry Friedland; os Folk; os Meyers; os Rabonivicis e os Friedland — é incrível estar cercada por tanto amor todos os dias. Voces são o máximo. Para todos os meus amigos, numerosos demais para contar (sorte minha!), vocês me fazem sorrir e rir todos os dias e realmente enriquecem minha vida. Finalmente, Jason, se você estivesse aqui hoje, sei como estaria orgulhoso.

Sobre a autora

CONHEÇA ELYSSA FRIEDLAND

ELYSSA FRIEDLAND estudou na Universidade de Yale, onde trabalhou como editora do Yale Daily News. Ela se formou na Columbia Law School e em seguida trabalhou como advogada num grande escritório. Antes da faculdade de direito, Elyssa escreveu para diversas publicações, incluindo a *Modern Bride*, *New York Magazine*, *Columbia Journalism Review*, *CBS Market Watch.com*, *Yale Alumni Magazine*, e *Your Prom*. Ela cresceu em Nova Jersey e atualmente mora na cidade de Nova York com seu marido e três filhos. Visite seu site em www.elyssafriedland.com.

Nota da autora

#REDESSOCIAISMEDEIXAMANSIOSA

Muitas pessoas me perguntaram por que resolvi escrever um livro sobre uma mulher que desiste de usar a internet. Querem saber se eu mesma fiz isso e se acho que as pessoas deveriam viver off-line. As respostas a estas questões são *não* e *não*. Mas sou fascinada, e muitas vezes me sinto oprimida, pela maneira como nosso mundo está mudando devido à prevalência da internet e das redes sociais, e escrever *Amor em tempos de wi-fi* foi minha maneira de tentar entender essa nova realidade. Eu queria criar uma personagem, levada a desistir da internet, conseguindo viver fora do padrão numa sociedade onde isso basicamente parece impensável. Imaginar como isso mudaria o rumo de sua vida era tão intrigante que eu mal podia esperar para descobrir aonde iria levá-la — e a mim.

Todos sabemos como pins, posts, tweets, hashtags e curtidas infiltraram nossa sociedade atual. Para mim foram alguns incidentes específicos em relação à internet que me afetaram em particular, e com isso quero dizer que me fizeram entrar num redemoinho de tensão sobre o quão rapidamente o mundo ao meu redor estava evoluindo.

O primeiro foi na minha reunião de faculdade. Em vez de "colocar o papo em dia" da maneira tradicional, colegas de turma que mal se conheciam na faculdade estavam brincando sobre fotos compartilhadas e parabenizando uns aos outros por grandes acontecimentos. Pessoas de quem eu mal me lembrava de ver durante a faculdade me abordaram para dizer coisas como "Seu filho usou a fantasia mais fofa no último Halloween" ou "Parabéns pelo apartamento novo". Os parabenizei de volta por suas promoções e fiz perguntas sobre suas últimas férias. Tudo isso aconteceu porque éramos amigos no Facebook, o que significava que, apesar de nunca termos sido amigos de verdade, sabíamos muita coisa uns dos outros (incluindo os resultados do teste "Com qual *Golden Girl* você mais se parece?" — não sei se é bom ou ruim, mas meu resultado foi Sofia). De um jeito estranho, nossa turma estava mais conectada dez anos depois do que quando vivíamos juntos no campus.

Logo depois da reunião, meu marido e eu tentamos marcar um encontro entre um amigo nosso e uma mulher maravilhosa que ambos conhecíamos. Não conseguimos arrumar uma foto dela (como ela conseguiu escapar dos olhos da internet não temos certeza), mas nosso amigo simplesmente se recusou a ligar para ela sem ver uma foto antes. Percebemos então que os encontros às cegas da geração de nossos pais eram oficialmente coisa do passado. Assim como buscas por emprego. Os empregadores admitem sem hesitar que agora olham o histórico on-line de candidatos antes de tomarem uma decisão. Estamos todos à mostra, e restam poucos mistérios para desvendar. Foi em parte, por isso, que meu marido e eu resolvemos não saber com antecedência se nosso terceiro bebê era menino ou menina (tínhamos escolhido saber com os dois primeiros). Eu queria experimentar uma surpresa de verdade porque havia muito tempo que uma informação que eu queria não estava a um clique de distância.

O quanto é apropriado compartilhar nas redes sociais? E até que ponto é apropriado bisbilhotar? E, mais importante ainda, como todos esses posts e buscas fazem as pessoas se sentirem?

Sou moderada. Com isso quero dizer que posto fotos da minha família cerca de duas a três vezes por mês. Na verdade é muito legal. Quando meus filhos fazem aniversário, recebo um monte de likes e mensagens de aniversário, e aquilo faz com que me sinta ótima — importante, encorajada, admirada. É claro, meus posts já se voltaram contra mim. Faço aniversário no que considero um dia indesejável do ponto de vista das redes sociais. É dia 3 de julho, quando muitos estão viajando ou de folga comemorando o feriado de independência dos Estados Unidos, o que explica a falta de tempo de entrarem na internet e me desejarem um maravilhoso dia. Acabo me sentindo esquecida no que deveria ser um dia de alegrias. Não sou nem amiga de metade de meus "amigos" — então por que preciso de seus bons votos eletrônicos?

Como muitos de nós estão percebendo, postar tanto definitivamente consegue tirar um pouco da graça do "momento". Vejo isso acontecendo com mais frequência quando estou com meus filhos, que de longe são meu bem mais valioso para exibir off-line. Poderíamos estar tendo o dia mais glorioso: colhendo maçãs num dia fresco de 21 graus e usando nossos agasalhos pela primeira vez na nova estação. Fofura por toda parte. Mas então tiro meu fiel iPhone do bolso e começo a clicar. "Sorriam!", grito. "Não façam careta!" "Vá para perto da sua irmã!" "Dê uns passos para trás, não consegui pegar sua roupa toda!" Começo a ladrar ordens para meus filhos como um sargento do exército, tudo em nome daquela coisa elusiva — uma perfeita foto de família para o Instagram ou pelo menos uma foto com mais de sessenta "coraçõezinhos".

Por mais que eu poste moderadamente, não olho moderadamente. Entro no Facebook e no Instagram pelo menos cinco ou seis vezes por dia, passando pelas fotos de amigos e conhecidos por longos períodos de tempo, e muitas vezes enquanto um de meus filhos está querendo minha atenção. É meio voyeur, mas principalmente pelo tédio. Quando exatamente isso aconteceu? Quando se tornou insuportável esperar para atravessar a rua sem olhar nossos telefones? Por que a instalação de wi-fi nos metrôs de Nova York se tornou motivo para tanta comemoração?

Agora, não vou fingir que não me interesso pelas fotos e postagens dos outros. São mais do que apenas distrações das brigas bobas entre meus filhos ou do tédio de esperar numa longa fila. Olho meu feed do Instagram e penso: por que meu ex-namorado ainda está namorando essa garota sem sal? Os filhos de quem estão ganhando troféus de xadrez (e quando eles começaram a estudar isso)? Quem está tirando férias glamorosas? Por que não fui convidada para essa festa?

Então, o que tudo isso tem a ver com Evie Rosen? Evie é, na minha opinião, esperta e capaz e tem uma cabeça boa. É competitiva e determinada e está à procura do amor. O problema é que está fazendo isso na era da internet. Há uma fita métrica virtual lá fora, e Evie está constantemente atenta para ver como ela se compara. Como poderia não fazê-lo? Homens e mulheres são analisados minuciosamente com lentes de aumento antes de um primeiro encontro. Os passados de novos amigos são desvendados antes de um primeiro olá. E todo mundo está postando fotos dos melhores momentos de suas vidas. Para alguém como Evie, que está numa encruzilhada na vida, essa pressão se torna insuportável. Quem pode culpá-la por olhar seu e-mail cem vezes por dia enquanto fica no escritório? Está num trabalho que pode ser cruelmente chato e vivendo num mundo que muda a cada fração de segundo. Ela só quer se manter informada — isto é, até toda aquela informação acabar com sua carreira e as fotos do casamento de Jack partirem seu coração.

Diferentemente de Evie, não parei de usar a internet, apesar de ter tirado longas férias dela. Pensei que sair das redes sociais faria com que me sentisse isolada. Na verdade, isso não teve efeito algum nos meus relacionamentos. Talvez seja porque as conexões que fazemos através de "likes" e tweets e hashtags não conseguem substituir uma boa conversa pelo telefone nem um bom papo durante uma refeição. O que meus breves períodos de abstinência realmente fizeram foi me forçar a pensar no por que de postar fotos. A maioria de meus amigos íntimos veem a mim e a meus filhos regularmente. Então por que sinto a necessidade de exibir minha filha no seu adorável collant de balé, meu bebê usando nada além de sua fralda, com suas maravilhosas dobrinhas à mostra, ou meu filho mais velho com, sim, um troféu de xadrez? Chame isso de desejo de compartilhar, chame de compulsão de nossa geração, ou chame simplesmente de exibição. Todas as alternativas são verdadeiras.

Para Evie, a internet é às vezes destrutiva, mas ela também lhe permite que mantenha contato com seus amigos mesmo presa à sua mesa. Sua jornada reflete as maneiras com que a internet consegue ser ao mesmo tempo a força mais unificadora e também a que mais isola. Sair da internet também leva Evie a tomar caminhos que nunca teria encontrado, e certamente me fez imaginar se eu também não deveria me desconectar completamente.

Mas ainda estou postando, então, por favor, fique ligado nos meus mais recentes posts e fotos no Instagram. Imploro a você para que dê likes e coraçõezinhos neles. ☺

Publisher
Kaíke Nanne

Editora de aquisição
Renata Sturm

Editora executiva
Carolina Chagas

Coordenação de produção
Thalita Aragão Ramalho

Produção editorial
Jaciara Lima

Copidesque
Rafael Surgek

Revisão
Isis Batista Pinto
Thamiris Leiroza

Diagramação
Abreu's System

Capa
Fred Birchal

Este livro foi impresso no Rio de Janeiro, em 2015,
pela Edigráfica, para a HarperCollins Brasil.
A fonte usada no miolo é Adobe Caslon Pro, corpo 12/15,6.
O papel do miolo é Chambril Avena 80g/m², e o da capa é cartão 250g/m².